文史哲學集成

張仁青著

張仁青學術論著集（下冊）

原名：揚芬樓文集

文史哲出版社印行

揚芬樓文集

下冊目錄

張仁青 著

（二）韻　文

一　慶　賀　類

二 哀祭類

㊂銘誌類

㊃題辭類

（三）駢　體　文

（四）文言文

（五）語體文

（六）詩

（七）詞

（八）聯語

一楹聯

二 賀聯

三 春聯

四 輓　聯

別錄

（二）韻文

一、慶賀類

京華粵菜館開業誌慶（一九六七）

彭鏗盛德。奕葉流芳。調和鼎鼐。聲譽遠揚。
五侯鯖美。十里羹香。技邁譚廚。名蓋湖湘。
既助吟興。還入醉鄉。珠履爭趨。再泛千觴。

賀杜負翁先生八十榮慶代中國文字學會撰（一九六九）

夢華新錄。李杜文章。蓬壺春滿。福壽無疆。

按杜負翁先生名召棠，江蘇揚州人，工詩文、聯語。其女其容，壻龍宇純，均爲台大中文系教授。

賀方永蒸考試委員八秩嵩慶代臺灣師大文學院長沙學浚作（一九六九）

滾滾潦水。長毓禎祥。清遠華族。瓜瓞綿昌。

豪俊代出。大散霞光。笛吹鐸振。翾翥鵬翔。
珊網高懸。玉尺頻量。花磚著美。棘院貽芳。
國尊耆宿。慶衍冠裳。金甌月滿。再進瑤觴。

賀李文齋立法委員七十雙壽代立法院撰（一九六九）

美哉齊魯。載藴嘉祥。綿綿瓜瓞。肇自軒皇。
名賢作哲。來議都堂。朝陽采鳳。聲動八方。
力拒楊墨。聖學斯彰。德隆輔世。邦國之光。
鹿車共挽。鴻案相莊。福祿名壽。永垂無疆。

賀王致雲將軍八十雙慶代行政院退輔會作（一九八〇）

欣屆雙慶。弧帨高懸。經綸邦國。尤賴耆賢。
嵩華泰岱。不紀歲年。椿萱並茂。眉壽萬千。

賀譚延敬之母九十萱慶代行政院退輔會作（一九八〇）

猗歟哲母。擢秀三湘。大家風範。懿德孔彰。

令子文孫。龍飛鳳翔。承歡養志。九秩臻祥。
萱花不老。愛日方長。天賜純嘏。春滿南疆。

梅州管智民教授七十雙壽頌詞（一九八一）

梅江浩浩。陰那蒼蒼。篤生俊彥。挺耀含章。
聰睿早達。高視珂鄉。龍劍出匣。敬恭梓桑。其一
志切經世。逸翮遠翔。芬騰京滬。術盡管商。
越居海隅。晚節彌香。業贊中興。澤沛南疆。其二
上庠宣鐸。聖教彌昌。三台桃李。競列門牆。
杏壇耆宿。慧海慈航。淑配忠貞。懿範孔彰。其三
結縭半紀。鴻案相莊。欣逢雙慶。瑞集華堂。
德門人壽。鯤嶠春長。天賜多祉。矍鑠康強。其四

賀陳本昌先生八十雙壽代退輔會作（一九八三）

天錫純嘏。偕老珂鄉。鳳簫齊奏。鴻案相莊。
椿萱並茂。蘭桂騰芳。冠裳晉頌。既壽而康。

賀袁守成先生八十嵩慶代（一九八四）

珠聯八曜，桃列華筵。侯稱百里。人頌壽仙。
邦國兆瑞。福慶綿延。靈椿煥采。厚德大年。

國民大學校長張香譜先生百齡大慶頌詞代（一九八四）

珠江貫海。粵秀碧蒼。篤生邦傑。挺耀含章。
衍續薪火。澤沛梓桑。雕斲棫樸。振鐸鱣堂。其一

南國英髦。競列門牆。功參化育。慧海慈航。
德隆人健。仙嶠春長。壽邁期頤。殿葆靈光。其二

葉夢麟先生九十嵩慶頌詞代（一九八四）

洋洋浙水。巍巍括蒼。挺生俊乂。蔚為國光。
學纘洙泗。業守青箱。識緣道茂。器以聲彰。其一

匡弼閣揆。廊廟迴翔。腹裕經綸。操厲冰霜。
欣逢嵩慶。瑞集華堂。遐齡景福。百世其昌。其二

賀陳夢渭先生八秩晉二榮慶代（一九八四）

邦家兆慶。壽邁子牙。天寵多祉。粲粲國華。
南極輝騰。秋氣清嘉。冠裳衍慶。共醉流霞。

賀潘廉方先生八十大慶代退輔會撰（一九八四）

華山呈秀。挺生豪俊。德隆輔世。榮光遐振。
腹裕經綸。囊智靖獻。正言諤諤。邦家之彥。
欣介弧慶。瑞集瑤堂。天賜多祉。矍鑠康強。

賀何元文將軍九秩晉七佳慶二首・代退輔會撰（一九八四）

胸羅武庫。嶽稱文峰。壽考維祺。福祿來同。
資兼文武。頤壽延釐。國祥人瑞。海晏可期。

賀中印文化經濟協會成立二十週年代（一九八四）

中印兩國。積厚流光。人文炳煥。儒佛顯揚。

弘宣聖化。普渡慈航。昭蒙啟惑。翼善搖芳。
高擎法炬。燭照八方。德星永耀。福澤綿長。

美國舊金山祭孔大典祝詞代退輔會作（一九八五）

天祚中國。載誕聖人。尼山耀采。泗水傳薪。
道纘黃虞。志覺生民。笙簧禮樂。綱紀彝倫。其一
廣敷聖教。澤及四鄰。悠哉化主。邈矣能仁。
玄靈默佑。儒苑回春。重光故物。富美日新。其二

壽陳志正將軍之令堂九十代（一九八五）

萱閣絢采。聖善美備。猗歟壽母。瑤階之瑞。
蘭桂騰芳。得名得位。天賜遐齡。永葆爾類。

賀全球各地僑領八十佳慶八首·代退輔會作（一九八五）

㈠籌添海屋。瑞集華堂。天賜純嘏。福壽康強。
㈡南極光耀。瑤堂賓嘉。歌頌天保。歡醉流霞。

㊂威弧煥采。老圃留香。遐齡景福。仙嶠春長。

㊃松勁晚歲。桃列華筵。德星永耀。福澤綿延。

㊄積善餘慶。蓄德降祥。宏開壽域。鶴算無疆。

㊅桑弧同慶。松柏長春。上壽延釐。德高有鄰。

㊆誕膺遐齡。人爵彌崇。壽考維祺。福祿來同。

㊇仙齡自永。美意延年。靈芝表瑞。眉壽萬千。

賀清傳商職二十週年校慶代（一九八五）

美哉清傳。雄峙南疆。藍篳開啟。二十星霜。
勤儉篤實。睿訓載張。薪火遞耀。鐸聲遠揚。其一

功深陶鑄。澤被四方。鵬摶銀漢。鳳噦高岡。
名播海宇。蔚為國光。儀型百世。三臺之強。其二

恭祝嚴前總統家淦先生八十華誕代（一九八六）

北辰尊拱。仙嶠騰光。經邦軌物。澤沛編氓。
百川來會。五岳呈祥。以譬仁者。既壽而康。

板橋廣厚宮創建一百三十週年頌幷序（一九八九）

吾華自古即以農桑立國，五千年來，聖帝明王無不禮敬社稷，樹藝五穀，以養萬民，我炎黃華胄乃得以蕃衍滋長，生生不息。蓋人非土不立，非穀不食。社者，土地之主也，稷者，五穀之長也。故封土置社，以示有土，重農立稷，以示有食。歲時伏臘，饗祭無闕，所以教民勤則不匱之義，嚴民事之本，不忘祈報，其用意可謂深且遠矣。

板橋廣厚宮者，清文宗咸豐九年（西曆一八五九年）鄉中善士之所建也，至於今，適滿一百三十年，其間曾兩易其址，並屢加修葺，乃有今日之規模。先是，盲風淫潦，旱魃間作，飛蝗為虐，稊稗叢生，加以俗尚偷惰，蛇鼠橫行，父老嗟歎，殆非一日。惟自斯廟之建，百餘年來，五穀豐登，民生樂利，鄉人感其厚恩，前來焚香膜拜者，無間晨昏，絡繹於道。繼今而往，其將愈益協靈昊乾，率育萬類，長昭弘贊之勳，永賜編氓之福，可無疑焉。

民國七十八年夏正己巳十月二十三日實為建廟一百三十週年紀念，凡我域中善士，社會名賢，無不馨香默禱，葵忱齊向，踴躍之懷，曷有紀極。因摛辭以祝之，用示崇功報德，不忘本源之義云爾。謹再齋戒薰沐而為之頌曰：

恭維大祇，品物資生。神凝博厚，道協高明。
含宏茂育，暢於化成。洪釐廣布，至德難名。其一
巍巍靈祠，百三十載。惠及黎獻，澤流鯤海。
籩豆競陳，金石斯在。闔境永寧，福祿攸介。其二
美報崇本，祭祀為先。威儀雍穆，廟貌煥然。
祥光長拜，頌聲遐宣。護佑桑梓，億萬斯年。其三

蕭自誠先生八秩榮慶頌詞（一九九〇）

浩浩沅湘。挺生人傑。卓哉先生。志行芳潔。
心期匡濟。操厲冰雪。歘歷黨團。文采映發。其一
海疆播越。遺大投艱。弘宣主義。力挽狂瀾。
雕斲棫樸。屏絕異端。菊香晚節。松勁歲寒。其二
欣逢佳慶。弧矢高懸。中興在望。尤賴耆賢。
嵩華泰岱。不紀歲年。堂堂一老。眉壽萬千。其三

賀中山大學黃仲崙教授榮退（一九九三）

美哉涪陵。雄峙東川。名賢作哲。裕後光前。矯矯黃公。擢秀儒門。弱歲岐嶷。志切凌煙。其一

聖戰初啟。勇著祖鞭。倭虜既降。鵬摶臺員。坐擁皋比。木鐸廣宣。歷時四紀。玉筍班聯。其二

功深陶鑄。寶籙斯傳。天錫難老。峙嶽渟淵。馨逸東籬。情寄芳荃。周詩晉頌。君子萬年。其三

國立中山大學中國文學系所全體同仁

龍宇純　徐漢昌　鮑國順　戴景賢　簡宗修

張仁青　龔顯宗　劉文強　簡錦松　王金凌　同敬賀

張　仁　青　拜　撰

賀李登輝先生就第一屆民選總統職代（一九九六）

萬眾攸歸。安危是繫。民主丕基。昭垂奕世。

二哀祭類

祭程元藩司長文

代業師成惕軒氏撰（一九六八）

維
中華民國五十七年七月五日考試院考試委員成惕軒謹以清醴香花之儀致祭於
司法行政部刑事司程故司長元藩先生之靈而奠以文曰：

洋洋漢水。載毓禎祥。蟬嫣門第。肇自軒皇。名賢作哲。碩德流芳。長民輔世。邦國之光。其一

于維先生。桑梓重望。負笈漢皋。志節高亮。術盡法家。學窮西藏。逸翮獨翔。扶搖斯上。其二

陳臬珂里。甘雨隨車。冤清肺石。訟息鼠牙。文輝錦綵。天散綺霞。棠陰遺愛。抑又何加。其三

履潔體仁。握瑜懷瑾。處貴思沖。居危念慎。溫厲攸宜。聲華丕振。萬眾推心。比戶斯信。其四

憶昔西邁。同捷南泉。詩文酬酢。風月流連。
氣求聲應。於茲卅年。遽聞溘逝。淚下潺湲。其五
滄海移情。黃花閉彩。神皋淪胥。廬墓奚在。
酹爵攄辭。冀達冥海。靈爽相予。中興可待。其六

祭台灣師大附中黃澂校長文代台灣師大校長孫亢曾撰（一九六九）

維

中華民國五十八年十一月二十三日國立臺灣師範大學校長孫亢曾暨全體治喪委員謹以
清醴香花之儀致祭於
黃故校長澂功先生之靈前曰：
茫茫湘水。長發其祥。聖賢繼軌。大啟榮光。
造福桑梓。民富而康。靖獻智勇。邦國泰昌。其一
緊維先生。器宇淹曠。負笈白門。作育無忘。
業紹尼山。學窮西藏。鵬翼高飛。扶搖直上。其二
甄陶多士。倏屆卅年。門牆桃李。奚止三千。

開來繼往。啟後承先。覃敷教澤。愛遺臺員。其三

國運乘除。貞心不改。禹甸沈淪。家山奚在。
眷懷故都。積年累載。靈爽相予。收京可待。其四

祭雷夫人文 代台師大賈馥茗教授作（一九七〇）

維

中華民國五十九年十一月十二日國立臺灣師範大學教育學院全體留校服務校友賈馥茗等謹以香花鮮果之儀恭祭於

師母雷夫人之靈前曰：

猗歟師母。載誕三湘。徽昭令範。德著賢良。
贊相夫子。聲垂南疆。甄陶多士。澤被鱣堂。
義方啟後。麟振鳳翔。慈竹暢茂。玉樹芬芳。
萱花難老。愛日方長。天道昧昧。降茲嚴霜。
婺光遽掩。涕淚以滂。

祭台師大人事室許立泰主任文 代臺灣師大校長孫亢曾撰（一九七一）

維

中華民國六十年五月廿九日國立臺灣師範大學校長孫亢曾暨全體同仁謹以香花清醴庶羞之奠致祭於

許故主任立泰先生之靈前曰：

緊維先生。擢秀秦川。清源華族。瓜瓞綿綿。麒麟有種。慕聖希賢。懷傷國難。負笈南泉。學優而仕。樂後憂先。夙夜惟勤。秉心塞淵。懋績卓樹。聲譽遐宣。長才方展。賫志英年。天胡此憒。芝蕙其殘。嗚乎哀哉。尚　饗。

祭夫李漁叔教授文 家祭文・代（一九七二）

維

中華民國六十一年八月二十六日護喪妻傅節梅恭率不孝女允定、允安、允寧謹備香花清酒庶饈之奠恭祭於

漁公夫子之靈前曰：

自公殂逝。羈魂莫追。蓬室寂寂。梅帳淒淒。
鴛盟夢斷。鶴駕西馳。霜華凝戶。月涼侵扉。
風悲露泣。景是人非。今逢逆境。語將訴誰。
幸公友生。敬謹治喪。爰擇佳城。觀音之陽。
孟秋中浣。維辰之良。鸞車發引。玉體斯藏。
赤氛告靖。負骨還鄉。合葬祖塋。默佑梓桑。
靈爽不昧。長護檐甍。俾家不墮。俾女有成。
一門餘慶。指日復興。憑棺號慟。血淚如傾。
蘋蘩侑奠。醴酒清馨。肝腸寸裂。挾恨終生。
嗚乎哀哉。嗚乎痛哉。尚　饗。

⑥祭李漁叔教授文 代業師李曰剛氏撰（一九七二）

維　中華民國六十一年八月二十六日國立臺灣師範大學文學院國文系主任李曰剛偕
全體同仁謹以清酌香花鮮果之儀致祭於
李故教授漁叔先生之靈曰：
巍巍衡嶽。吐符降神。於皇先生。握瑜懷珍。

鸞儔鳳立。性方德純。喬松直上。麗質璘彬。
孤風絕侶。逸翮獨翔。騰芬上國。飛藻扶桑。
學該儒墨。詩備宋唐。士林企軌。文苑挹芳。
坐擁皋比。澤被後生。三舍俊彥。多荷裁成。
笛吹鐸振。華蓋蓬瀛。虞庠大老。文化干城。
天造昧昧。賢愚莫別。芝殘蕙焚。蘭摧桂折。
玉樹長埋。雅音永絕。湘水無聲。楚魂凝咽。

祭兄杜勝雄先生文代（一九七四）

維
中華民國六十三年七月十八日兄煥彩弟錫欽、丕斌妹淑貞謹以清醴香花鮮果之儀
哭祭於
勝雄兄弟之靈而奠以文曰：惟君
明慧早達。慕聖希賢。器宇淹曠。志節芳堅。
負笈台陽。寢饋蟫編。功深磨杵。池水都玄。
鳳翮高翥。猛著先鞭。澤被荒陬。桃李呈妍。
夙夜惟勤。不休不眠。愛遺鱣堂。聲譽遐宣。

長才方展。齎志英年。天胡此憒。芝蕙其殘。
音容笑貌。永隔人天。人亡物在。此恨誰憐。

祭台灣師大程發軔教授文 代（一九七五）

維 中華民國六十四年五月十日國立臺灣師範大學國文研究所所長周何偕同全體師生謹以香花清醴庶饈之奠恭祭於
程故教授旨雲先生之靈曰：

洋洋漢水。郁郁楚鄉。清源華族。肇維軒皇。
賢俊代起。盛德流芳。綿邈克紹。世系永昌。
天衷誕應。大冶降祥。篤生邦哲。卓異尋常。
負笈鄂渚。品質圭璋。雲龍風虎。豐劍騰芒。
旋卒所業。敬恭梓桑。蘆溝釁作。政教贊襄。
夙夜宣勤。未之或遑。避秦南渡。晚節彌香。
坐擁皋比。澤被臺疆。燈傳朱閣。茗銷夜堂。
飫經枕史。國學孔揚。詮正孔誕。華夏之光。

考訂國界。氣懾強梁。一代師表。千古文章。
胡天不弔。降茲嚴霜。魯殿頹圮。少微斂藏。
士林哽慟。學苑惋傷。緬想音容。涕泗以滂。

祭周孟揚老先生文(一九七五)

維 中華民國六十四年二月二日國立臺灣師範大學國文研究所全體校友暨在校研究生謹以香花鮮果庶饈之儀恭祭於
周老先生之靈前而奠以文曰:

巍巍鍾嶽。吐符降神。於皇先生。握瑜懷珍。
鸞儔鳳立。性方德純。喬松直上。麗質璘彬。
新民輔世。丕煥經綸。義方啟後。有子顯名。
璿玉致美。學粹量宏。逸翮高翔。邦國之英。
坐擁皋比。澤被後生。笛吹鐸振。華蓋蓬瀛。
謂天蓋高。胡奪其常。餘慶方納。罹此嚴霜。
魯殿折柱。少微斂芒。追懷清德。神氣摧傷。
哲人逝矣。涕淚以滂。

祭台灣大學戴銘辰教授文 代治喪會撰（一九七五）

維　中華民國六十四年九月十五日治喪委員會全體同人謹以香花鮮果之儀致祭於

戴故教授銘辰女史之靈前曰：

湯湯甌水。巍巍括蒼。篤生邦媛。挺秀含章。
明慧早達。高視珂鄉。雅慕西學。負笈重洋。其一

鳳翮高舉。飛粲霞光。學成歸國。都講鱣堂。
珊瑚樹茂。桃李花香。女界精粹。巾幗豪強。其二

實佐君子。為國儁良。躋秩公輔。廊廟迴翔。
新民淑世。志切弼匡。名動寰宇。功在中邦。其三

義方啟後。蘭桂騰芳。熊膽風徽。今復振揚。
既聖且善。懿德永彰。母儀雍穆。好景榆桑。其四

謂天蓋高。胡奪其常。瑤華匿采。寶婺沈芒。
風盲雨泣。學苑悼傷。德音宛在。彤管流芳。其五

祭台灣大學戴銘辰教授文 家祭文・代台大校長閻振興撰（一九七五）

維

中華民國六十四年九月十五日護喪夫閻振興率男愛德泰德女書青等謹以香花果醴恭祭於

銘辰夫人之靈前曰：

星沈寶婺。雲掩瑤台。傾河作淚。莫喻沈哀。

學術相知。親結其褵。教育英才。同作人師。

遭逢世亂。泛宅浮家。相敬如賓。在此天涯。

教子有方。持家有道。痼疾牽纏。天胡不弔。

同衾共穴。誼所當然。卿如有知。待我重泉。

悼亡有作。徵之安仁。營齋營奠。請學前人。

國運方隆。收京在望。歸葬祖塋。崇封厚壙。

鏡塵琴匣。長簟空牀。緬想音容。益用摧傷。

嗚乎哀哉。嗚乎痛哉。尚　饗。

祭台灣大學戴君仁教授文 代治喪會撰（一九七八）

維

中華民國六十七年十二月二十二日治喪委員會全體同仁謹以鮮花清醴致祭於

戴故教授靜山先生之靈前曰：

錢塘雄浪。會稽靈蒼。雲龍風虎。鳳起鵬颺。

篤生俊哲。挺耀含章。長民翼世。邦國泰昌。

曰若先生。佩玉鳴璜。書窮二酉。業守青箱。

學緣道茂。器以聲彰。逸翮高振。飛粲霞光。

揭來鯤嶠。晚節彌香。學該兩宋。詩逼三唐。

遐荒杞梓。競列門牆。經師人師。慧海慈航。

胡天不弔。降茲嚴霜。魯殿折柱。少微斂芒。

儒林哽慟。文苑惋傷。流風垂範。山高水長。

祭台灣大學屈萬里教授文 代台灣大學校長閻振興撰（一九七九）

維

中華民國六十八年三月十日國立臺灣大學校長閻振興偕全體教職員同仁謹以香

花酒饌致祭於
屈故教授翼鵬先生之靈曰：
鄒魯之邦。載誕哲人。聖賢繼軌。丕煥經綸。
牖民覺世。邦命維新。纘先開後。弘衍傳薪。
於皇先生。偉質挺出。珠玉輝潤。英聲茂實。
學窮酉藏。胸羅數術。勘校祕笈。群欽淵識。
臯比坐擁。鐸音頻宣。汪洋德澤。普被臺員。
杞梓競秀。桃李呈妍。儒林祭酒。名綴青編。

祭台灣大學屈萬里教授文 代臺大文學院作（一九七九）

維
中華民國六十八年三月十日國立臺灣大學文學院院長侯健暨全體師生謹具鮮花
清醴致祭於
屈故教授翼鵬先生之靈曰：
緊維先生。天挺明哲。胸羅甲部。學綜眾說。
名播西海。芬騰上國。三台髦士。咸宗有德。
時運方否。耆英是賴。赤燄蔽天。家山奚在。

天胡不慭。痛失老成。大星乍隕。中外震驚。
繁春風雨。士林惋傷。青編著績。史冊流芳。

祭台灣大學屈萬里教授文代臺大中文系作（一九七九）

維
中華民國六十八年三月十日國立臺灣大學中國文學系主任兼中國文學研究所所長龍宇純暨全體同仁謹以香花清酒之儀致祭於
屈故教授翼公之靈前而言曰：
公以偉質。擢秀魯邦。版本獨步。經學無雙。
識邁許鄭。功蓋乾嘉。名山事業。自成一家。
樹藝桃李。歷時卅年。木鐸高振。譽滿台員。
謂天蓋高。胡奪其常。魯殿頹圮。少微斂藏。
馨香敬薦。來格來歆。明靈長在。默佑中興。

祭王雲五董事長文代中山基金會作（一九七九）

維
中華民國六十八年九月四日中山學術文化基金董事會全體同仁謹以清酌香花之儀敬祭於

王故董事長岫公之靈前曰：

香山毓秀。南宿降精。誕茲賢哲。盛譽揚聲。
器識閎偉。涉獵廣深。博通中外。融貫古今。
仕以學優。霞光飛粲。挺曜含章。樞機參贊。
公忠體國。正論矯時。群倫仰戴。全民欽遲。
越居台員。列槐成市。博士之父。信非溢美。
綰領書館。興文匡治。嘉惠士林。名歸實至。
中山基金。弼佐邦命。學術文化。日新月盛。
國步方艱。善人是寶。胡天不遺。摧此大老。
普天共弔。薄海同傷。笑貌音容。永懷難忘。

祭潘母劉太夫人文代臺灣師大國文系作（一九七〇）

維
中華民國五十九年二月廿二日國立臺灣師範大學國文系主任李曰剛暨全體師生
謹以香花鮮果之儀致祭於
潘母劉太夫人之靈曰：

穆穆太君。秉淑全真。徽昭儀範。德著賢仁。

義方啟後。翥鳳翔麟。甄陶多士。丕煥經綸。
聲高上國。振鐸傳薪。歡承萊綵。大耋祥臻。
璇閨仰鏡。蓬島煦春。天胡此瞶。不與善人。
慈竹遽謝。懿訓常新。

祭潘母劉太夫人文 代臺灣師大國文研究所作（一九七〇）

按潘母劉太夫人係前台灣師大國文系主任潘重規教授之令堂，歿於安徽婺源原籍，享壽九十。潘教授純孝天成，哀痛逾恆，因在台北市設立靈堂遙祭，用表哀思。

維
中華民國五十九年二月二十二日國立臺灣師範大學國文研究所主任林尹暨全體
師生謹以鮮花時果之儀恭祭於
潘母劉太夫人之靈曰：
偉哉賢母。懿德孔彰。大家風範。有子顯揚。
薪傳太學。澤沛南疆。承歡養志。桂馥蘭芳。
萱花不老。愛日方長。謂天眷佑。竟降繁霜。
慈雲飄渺。涕淚以滂。

祭榮民文 代退輔會撰（一九八〇）

維
中華民國六十九年四月十四日行政院國軍退除役官兵就業輔導委員會六十九年
輔導會議全體出席人員謹以香花鮮果之儀致祭於
已故國軍退除役官兵同志之靈曰：
河嶽炳靈。篤生英傑。蒿目時艱。精爽飛越。
保國衞民。操厲冰雪。出生入死。慷慨泣血。
黃沙百戰。奮揚武烈。戎衣既解。復著勞勤。
綢繆生聚。敬業樂群。收京在望。畀賴正殷。
胡天不弔。魂羈台員。掬誠布奠。永念績勳。

祭蔡故副教授朝欽先生文 代中山大學企管系撰（一九八一）

維
中華民國七十年九月二日國立中山大學企業管理學系主任林基源偕全系師生謹
以香花清醴之儀致祭於
蔡故副教授朝欽先生之靈曰：
于維先生。擢秀南疆。聰睿早達。高視珂鄉。

志切淑世。勁翮遠翔。芬騰太學。術盡工商。
龍劍出匣。敬恭梓桑。皋比坐擁。鐸聲振揚。
三台桃李。競列門牆。杏壇垂範。慧海慈航。
謂天蓋高。胡奪其常。風雲變色。草木萎黃。
士林哽慟。學苑悼傷。馨香敬薦。涕淚以滂。

李鎦先生家祭文代（一九八一）

維
中華民國七十年七月二十四日護喪妻王查某敬率全體家屬謹以香花清醴之奠致祭於
鎦公府君之靈前曰：

維公之生。賦性直清。既勤且樸。謹言慎行。
獻身總爺。擘劃經營。休戚與共。甘苦迭經。
邦家榮耀。糖業菁英。義方啟後。遐邇馳名。
諸子事業。粗有所成。孫枝繁茂。足保家聲。
公歿經時。光陰徂逝。緬想音容。恍疑隔世。
靈未即安。時縈夢寐。茲獲佳城。南台勝地。
相度既虔。禮儀攸備。永隔人天。泣血灑淚。

松柏飛光。川靈表瑞。長佑後人。德音毋替。

嗚乎哀哉。尚　饗。

祭基隆醫院郭進財院長文代中山大學林基源教授撰（一九八二）

維

中華民國七十一年二月十六日親戚代表林基源等謹以香花清酌之儀致祭於

郭故院長進財先生之靈曰：

繄維郭公。奕葉有聲。幼承庭訓。學冠群英。

質直天賦。器識恢宏。襟懷磊落。才氣縱橫。

既負大志。遠渡東瀛。寢饋醫學。竭智殫精。

榮獲博士。灼灼殊榮。載譽返台。頭角崢嶸。

造福桑梓。弗辭艱辛。仁心仁術。妙手成春。

主持基院。尤著勛勤。十年慘淡。院務革新。

博愛濟眾。誠格同仁。高風亮節。名在寰塵。

天不憖遺。遽爾歸真。杏林哽慟。姻戚傷神。

掬誠致奠。旨酒斯陳。靈爽不昧。來格來歆。

彭氏宗親會祭祖文（一九八二）

維

中華民國七十一年十月十四日臺灣彭氏宗親會理事長展章偕全體宗親潔治香花清酌庶羞之儀祭告於我

彭氏列祖列宗在天之靈曰：

赫赫彭氏。九州令望。清源華族。源自軒皇。
賢哲代出。懿德孔彰。邦國若否。乃斡其祥。其一
於皇元祖。受封大彭。建國命氏。屏翰殷商。
導引行氣。矍鑠康強。壽年八百。名動八荒。其二
既遷隴西。奕祀芬香。英豪繼軌。挺耀含章。
牖民覺世。載譽四方。纘先開後。飛粲霞光。其三
中原板蕩。國事蜩螗。靈爽不昧。默佑編氓。
赤氛告靖。再建邦鄉。流光垂裕。萬世其昌。其四

祭林尹先生文

代台灣師大撰（一九八三）

維　中華民國七十二年七月五日國立臺灣師範大學校長郭為藩暨全體教職員生謹以香花清酒庶饈之儀恭祭於林故教授景伊先生之靈曰：

錢塘雄闊。雁蕩嶙峋。間氣絪緼。載誕哲人。命世作霖。來秉國鈞。障川挽瀾。匡時濟民。於皇先生。系出儒門。風情倜儻。學術精淳。牢籠今古。盧牟乾坤。森森魯殿。巋然獨存。坐擁皋比。倏逾半紀。咳唾皆珠。散霞成綺。三臺俊英。多入籠底。博士之父。信非溢美。天造昧昧。賢愚莫別。岳頹光隕。梁摧棟折。玉樹長埋。雅音永絕。甌水無聲。越魂凝咽。

大千居士誄（一九八三）

維　中華民國七十二年四月二日國畫大師張大千居士以疾卒於臺北榮民總醫院。春秋八十有五。巨星隕落。舉世同悲。值國步之艱屯。痛耆英之徂謝。仰止道範。欽挹良殷。緬想音容。情何能已。爰綴蕪辭以誄之曰：

嘉陵浩蕩。大巴碧蒼。篤生俊乂。挺耀含章。
既岐且嶷。獨秀一鄉。鉤深探賾。克紹青箱。
敦煌面壁。畫境拓張。上規二李。金碧輝煌。
旁擷董巨。煙雲迴翔。融會貫通。兼備眾長。
學緣道茂。器以聲彰。萬流企軌。藝苑瓣香。
震耀寰宇。蔚為國光。導揚文化。實有厚望。
謂天蓋高。胡奪其常。魯殿折柱。文曲斂芒。
哲人往矣。薄海同傷。丹青長在。卷帙流芳。

尹殿華烈士殉國七十週年哀辭 代（一九八四）

鄒魯之鄉。篤生邦傑。繄維先生。天挺峻德。
東瀛加盟。遐思飛越。心存倒滿。氣吞胡羯。
揮戈討袁。誓搗虎穴。兇豎肆虐。濟南喋血。
壯志未酬。齎恨以歿。草木含悲。天雲黯色。

眷言國殤。愴懷曷極。斯人往矣。風徽永式。

孫雨航先生哀辭代退輔會撰（一九八四）

於皇先生。英儀高亮。早預黨盟。邦國屏障。
心眷蒼生。身在江湖。惟忠與敬。為世楷模。
考槃在澗。碩人之寬。菊香晚節。松勁歲寒。
蟬蛻塵表。魂羈海疆。靈氛長在。明德流芳。

祭張金藻將軍文代退輔會主委鄭爲元氏撰（一九八六）

維
中華民國七十五年元月十七日治喪委員會主任委員鄭為元暨全體委員謹以清醴
香花之儀致祭於
張故處長金藻將軍之靈曰：
緊維將軍。燕趙之英。弱歲岐嶷。志切澄清。
學劍西蜀。矢繫終纓。躍馬榆塞。磨盾柳營。
龍韜諳練。豹略熟精。揚旌横槊。武緯文經。
駐節美越。益修舊盟。皇華有耀。敦槃著聲。

戎馬既放。迴翔廊廟。鯁亮端貞。
梯航四洎。績懋勛宏。河山再造。實賴老成。
昊天不憫。遽隕大星。風徽長在。蘭桂滋榮。
馨香敬薦。藉慰英靈。神兮彷彿。來格來歆。

祭夫成惕軒先生文

家祭文・代師母徐文淑女史撰（一九八九）

維　中華民國七十八年七月十六日護喪妻徐文淑敬率男中英、中傑。媳潘玉芬、賀敏華。女中平。壻穆締福。暨孫男、孫女等謹具香花醴酒庶饈之儀。哭祭於

楚望府君之靈前曰：

惟公峻德。天挺俊英。丹山桐茂。雛鳳聲清。
識淵學粹。筆精道宏。靈光一殿。海外長城。
宣勤廊廟。訏謨頻陳。迴翔棘院。掄才新民。
藥籠廣貯。無間宵晨。摩挲駿骨。說士甘醇。
義方啟後。蕃衍徵祥。珠玉聯輝。蘭桂競芳。
名震寰宇。譽滿邦鄉。維我成門。奕葉有光。
胡天不憖。竟生慘變。幽明相隔。疾逾星箭。

撫棺號慟。涕淚如霰。魂兮歸來。鑒此淒戀。

天安門死難同胞百日祭代中山大學校長林基源撰（一九八九）

維　中華民國七十八年九月十二日國立中山大學校長林基源偕全體教職員生謹以香花清酌庶羞之儀遙祭

北京天安門死難同胞之明靈曰：

禹跡波蕩。山岳崩隤。城狐社鼠。作此袄災。

毒亂國經。群生失寧。凶焰載煽。惡貫滿盈。

吮血磨牙。視民如草。人神共憤。尚稽天討。

惟我義士。起攖其鋒。奮臂疾呼。遐邇景從。

淬勵堅貞。高標奇節。碧血丹心。永昭英烈。

神州一統。指日可期。氛埃掃卻。明靈安歸。

茲當百日。愴悼彌深。馨香敬薦。雲車下臨。

陳毓祥烈士哀辭代香港珠海學院撰（一九九六）

皇皇華胄。虎賁龍驤。氣吞倭奴。威震海疆。

黃魂招復。青史留芳。中夏之英。南方之強。

按陳氏係香港僑民，爲保衛釣魚台，不幸罹難。

祭蘇文擢教授文 代香港珠海學院撰（一九九七）

維　西元一九九七年五月十一日香港珠海學院校監江可伯、校長田震亞偕全體教職員生謹以香花鮮果庶饈之儀致祭於

蘇故教授文擢先生之靈曰：

珠江炳靈。粵秀巍峨。載誕賢哲。飛粲綺霞。
公以偉質。崛起順德。璿玉致美。文章華國。
道承洙泗。弘衍傳薪。鐸聲遠播。教澤揚芬。
天造昧昧。不憖一老。雲暗南疆。星隕香島。
儒林哽慟。文苑惋傷。聲華長垂。卷帙流芳。

祭徐文珊教授文（一九九八）

維　中華民國八十七年元月二十五日國立中山大學中國文學系主任孔仲溫偕全體同仁暨全系學生謹以鮮花果醴之儀致祭於

徐故教授文珊先生之靈曰：

燕山巍巍。易水湯湯。載誕英哲。奕葉流光。
穆穆徐公。挺耀含章。秀出瓊林。北方之強。
道纘洙泗。業守青箱。心醉惇史。情寄縹囊。
黌宮典教。鐸聲遠揚。楩楠杞梓。競列門牆。
人師望峻。學海慈航。等身著作。譽滿南疆。
耆年德劭。晚節菊香。詩禮昭訓。蘭桂騰芳。
方冀百齡。摳衣稱觴。胡天不憖。降茲嚴霜。
靈光遽圮。哀此國殤。典型在邇。永式八方。

祭龔丕芳先生文（代中山大學中文系撰）（一九九九）

維

中華民國八十八年五月十三日國立中山大學中國文學系主任孔仲溫偕全體師生

謹以香花清酌庶饈之奠致祭於

丕芳先生之靈曰：

緊維先生，載誕南疆。山川毓秀，奕葉鍾祥。
恪守睿訓，恭儉溫良。義方啟後，華族有光。

令子俊秀，如鷹之揚。孤風絕侶，逸翮獨翔。
澤沾棫樸，聲溢膠庠。蟬蛻之高，足榮梓鄉。
胡天不弔，竟奪其常。卿雲黯色，極星斂芒。
闤闠悲愴，士林惋傷。典型永在，山高水長。

按龔丕芳老先生係中山大學中文系教授龔顯宗博士之封翁。

祭孔仲溫教授文

代中山大學校長劉維琪氏撰（二〇〇〇）

維

中華民國八十九年四月二十六日，治喪委員會主任委員劉維琪偕全體同仁謹以

清醴庶饈之奠，致祭於

孔故主任仲溫博士之靈曰：

于維先生。載誕高門。西江華族。至聖裔孫。
弱歲岐嶷。澎海翥軒。心嚮鵬舉。情在駿奔。
京華問字。拜手耆賢。漁獵百氏。兀兀窮年。
微闡韻鏡。賾探類篇。乾嘉音學。緒脈綿延。
西灣設帳。杞梓廣栽。勤宣高鐸。樂育英才。
陶甄績懋。桃李花開。洙泗遺風。復扇南台。

昊天不弔。竟奪其常。邦國殄瘁。斯人云亡。
風雨盲晦。中外惋傷。玉樹長埋。德音不忘。

祭孔仲溫教授文 代國立中山大學中國文學系撰（二〇〇〇）

維 中華民國八十九年四月二十六日國立中山大學中國文學系代理主任林慶勳偕全體師生謹以清酌時饈花果之儀致祭於
孔故主任仲溫博士之靈前曰：

匡廬橫翠。澎海炳靈。篤生邦傑。勵俗化民。
曰若先生。詩禮門庭。宣聖苗裔。文德芳馨。其一
丹山雛鳳。影落台陽。翺翔書圃。欲窮酉藏。
音韻抉隱。訓詁瓣香。名高雁塔。譽滿珂鄉。其二
振鐸南服。聲華卓懋。杞梓楩楠。含章挺秀。
花筆金針。傾囊相授。游藝弘儒。纘先啟後。其三
皇天昧昧。遽摧梁棟。生寄死歸。蕉鹿同夢。
先生之逝。士林哽慟。先生之風。士林歌頌。其四

祭胡秋原先生文 代治喪會撰（二〇〇四）

維　中華民國九十三年五月二十四日。第一屆立法委員胡秋原先生以疾卒於新店耕莘醫院。麟亡星落。月死珠傷。四海追慕乎風徽。三台倍殷於雨泣。治喪委員會主任委員梁肅戎。副主任委員王金平、李煥、劉松藩、馬樹禮、許歷農、趙自齊、江丙坤暨全體委員或苔岑夙契。情邁等倫。或久託同寅。齊司邦憲。追憶生平。宛然心目。悽愴哽慟。寧有紀極。爰於同年六月二十三日敬具清酌庶饈之奠。濡淚摛辭以告其在

天之靈曰：

漢江浩浩。黃陂莽莽。天鍾靈秀。地蘊禎祥。
代生賢哲。名溢縹囊。寰區景仰。薄海瓣香。其一
穆穆明公。邦國瑤光。睿智天挺。器宇軒昂。
登車攬轡。志切一匡。經綸早裕。譽滿珂鄉。其二
東瀛負笈。勁翮振翔。西海遠遊。意氣騰驤。
掇英擷華。備歷星霜。學術報國。中心斯藏。其三
越居巴蜀。氣懾扶桑。播遷海隅。盡瘁巖廊。
讜論流徽。漢祚愈昌。群倫仰鏡。三楚儁良。其四

中華雜誌。慧海慈航。超越前進。正言煌煌。自由民主。騰布八方。梓行卅載。美溢臺疆。其五

蒼昊昏憒。台星韜芒。書種將絕。大雅云亡。淵渟岳峙。儀型難忘。永標青史。奕祀貽芳。其六

故海軍上將王恩華墓誌銘 代參謀總長撰（一九六一）

君諱恩華，字澤中，姓王氏，江西南康人也。其先世居浙之山陰，後有宦遊南贛者，因家焉。父鴻祿，樂善好施，秉心淵塞，外而宣力公益，敬恭桑梓，內而壹持儉德，作範彝倫。君質比和玉，性擬椒蘭，灼灼美其聲芳，英英照其符彩，既承靈椿過庭之訓，復紹先德奕葉之光。稍長，從鄉賢王肇元氏遊，耽玩墳典，寢饋縹緗，研揣礱砥，移晷忘倦。此則君學基初奠之時也。

民國二十年九一八事變起，燕雲告警，值倭虜猾夏之秋，海岱馳驅，正壯士請纓之會。君企伏波裹屍之志，慕定遠投筆之風，考入海軍電雷學校，潛心鑽研，盡窺其奧。旋復以學行優異，遴送德意志海軍專門學校，王士治之偉略，半由天生，周公瑾之雄姿，獨與眾異。當學成歸國之日，正四郊多壘之時，君奉命參與淞滬諸役，舳艫所臨，每寒敵膽。二十六年抗戰軍興，君率部用命，負弩前驅。及三十二年，中樞為擴建海軍，早靖寇患，擇優秀幹部赴美國邁米亞海軍訓練團深造。君策名金籍，負笈重洋，越三年率永泰艦返國，旋調長永寧艦，巡弋渤海，汗血兜鍪，申攘夷之大義，揚皇漢之天聲，故得屢奏凱歌，迭建勳績。

三十八年平陸波翻，中原鼎沸，浮雲變幻，歎舟壑之潛移，國運乘除，傷樞庭之播蕩，君奉命危難，遠戍瓊海，炳生平之毅烈，遏赤氛之進窺，裹創拒敵，瀕死者屢。四十七年擢任海軍艦隊指揮部中將指揮官，八二三之役，奮天黥之驍師，支前哨之聖戰，名動寰宇，聲高上國。其後累擢海軍軍官學校校長、海軍艦艇訓練司令。四十八年任參謀總長辦公廳主任，弘其嘉猷，彌多獻替。及調訓國防研究院，尤矻矻孜孜，勤力逾恆，益以生平勞瘁，竟嬰宿疾，五十年六月四日捐館於陸軍第一總醫院，春秋五十有一。

綜君生平，據德依仁，居貞體道，在戎二十六年，稽勳一十二次，身死之日，家無餘財，畢世經營，厥貽明德。總統眷念勳勞，特追贈海軍二級上將，彰生前之偉績，極身後之殊榮，嗚呼尚已。

淑配路夫人，系出華宗，誕生望族，懿行著於閨庭，賢聲溢於里巷。子四女二，均在學，厥後克昌，無待蓍卜。五十年八月五日葬君於陽明山之陽，乃綴其事蹟諸繫大計者列於碑，用昭來葉。而為之銘曰：

炳炳文德，煜煜武烈，偉績豐功，永垂不滅。

陽明之陽，瘞此忠骨，鬱鬱兮佳城，並高峰而突兀。

西螺硯銘（一九六六）

美哉片名。擢秀炎陬。姿掩絳縣。潤逼青州。
甄后充奩。元章拜寵。抵鵲聲高。籠鵝價重。

梁母凌太夫人墓誌銘（一九九三）

太夫人姓凌氏，諱秀嬌，廣東寶安縣人。系出華族，秀毓雪枝，幼習女訓，長嫺內則。及笄之歲，來歸鶴山望族梁廷業先生，於時梁氏貨殖香江，藍篳維勞。太夫人則中饋獨操，眾務咸理，敦睦親鄰，勤宣公益，期使梁氏略無內顧憂，得以專志經營，丕展雄圖。曾不旋踵，而駿業大興，徽聲遠播，卓然稱珠寶界之鉅子矣。

舉丈夫子三，長君以信，仲子以仰，季子以託；女公子一，曰同貴。溥以春暉之愛，弛其夏楚之威，昭示義方，勖成令器。除以仰僑居英倫，從事餐飲業外，餘均任教於九龍都庠，聖鐸廣宣，裁成極眾，斯皆仰體太夫人之提命有以致之。詩曰：「鳲鳩在桑，其子七兮，淑人君子，其儀一兮。」夫人有焉。

平居篤信教義，拳拳惟基督是依，研習《舊約》，奉行不怠。方期金萱叢開，上臻大耋，而天不憖遺，竟以中壽安息主懷。以西元一九九〇年八月二十四日怛化，距生於一九一四年夏正甲寅九月初三日，旅世七十有七年。以信純孝天成，哀毀逾恆，因屬予為銘幽之文，爰撮述其淑德懿行，勒諸貞珉，用詔來葉。銘曰：

緊維賢母，擢秀珠江，學循詩禮，聲溢梓桑。其一

嬪歸君子，和鳴鏘鏘，相夫有道，駿業發皇。其二

義方啟後，繁衍徵祥，溫良恭儉，門第含光。其三

芝蘭競秀，性行淳良，既聖且善，母教振揚。其四

基督真理，篤信不忘，榮歸天國，懿德流芳。其五

台灣國立中山大學
香港新亞研究所 教授 張仁青拜撰

西元一九九〇年九月二十四日立碑

㈣題辭類

謝鴻軒教授近代名賢墨蹟展覽題辭 代業師臺灣師大國文系李曰剛主任作（一九六九）

藝林淵藪。墨海慈航。
麟麟炳炳。華夏之光。

《中國經濟評論雙月刊》創立十週年題辭 代（一九七九）

研精貨殖。十載揚輝。
利民富國。讜論流徽。

民國六十八年一二三自由日特刊題辭 代（一九七九）

正義之果。自由之花。
氛埃掃卻。再建邦家。

美洲至孝篤親總公所懇親會題辭代（一九八〇）

人倫攸敍。繼繼繩繩。
炎黃華胄。默佑中興。

全美黃氏宗親會題辭代行政院退輔會作（一九八一）

宗親敦睦。彝倫恢張。
煌煌世胄。西海揚芳。

《黃埔月刊》題辭代退輔會作（一九八二）

黃埔健兒。功侔凌煙。
揚旌河洛。勒石燕然。

黃埔軍校香港校友會七十二年會刊題辭代（一九八三）

黃埔健兒。邦國之雄。安民保境。名震亞東。
和衷共濟。竭知盡忠。智存老馬。終復華封。

全國詩人聯吟大會題辭代（一九八四）

生花綵筆。振藻揚葩。中興鼓吹。端賴名家。
湘纍遺響。絢蔚雲霞。雄章麗曲。美化中華。

香港《黃埔會刊》題辭代（一九八四）

濟濟多士。國之干城。胸羅韜略。志切澄清。
故國故都。魂夢牽縈。九域一統。重返漢京。

平江歐陽氏族譜題辭代（一九八四）

歐陽華族。源遠流長。綿綿瓜瓞。奕葉騰光。
永懷列祖。明德貽芳。守先待後。百世隆昌。

僑資事業協進會成立卅年題辭代（一九八四）

僑資事業。慘淡經營。卅年程效。寰宇騰聲。
富裕邦國。樂利民生。虞絃協化。澤惠蓬瀛。

印度中國之友社題辭代（一九八五）

中印兩國。並峙亞洲。鯤瀛遙接。情意交流。聲明文物。世罕匹儔。揚光垂裕。無疆之庥。

民國七十四年自由日特刊題辭代（一九八五）

兩間正氣。隱恃風雷。重光夏甸。自由花開。

中華棒球協會特刊題辭代（一九八五）

棒壇競技。龍驂躍鳴。樂群進德。志高氣宏。鯤海遙接。情貫八紘。萬邦和協。寰宇永寧。

菲律賓三姓成立百年專刊題辭代（一九八五）

赫赫三姓。蜚聲南洋。綿延百載。緒纘炎黃。敦親睦族。翼善揚芳。同心匡濟。劫銷紅羊。

黃埔軍校香港校友會七十五年會刊題辭代（一九八六）

黃沙百戰。武烈奮揚。戎衣既解。操厲冰霜。
再賈餘勇。拓業香江。重光九域。作伴還鄉。

重修廣東省平遠縣張氏族譜題辭代（一九九七）

維我宗族。源遠流長。綿綿瓜瓞。奕葉騰光。
明賢睿哲。漱潤承芳。德隆輔世。勛業輝煌。
名震寰宇。華夏之強。重修譜牒。永誌弗忘。
靈爽不昧。長護梓桑。福蔭裔孫。萬世其昌。

（三）駢體文

山房尋夢記（一九六〇）

粵以壬寅之年。黃鍾之月。沈形員嶠。滯跡鴻都。野蔓縈煙。江雲已夕。悲哉。日月逝於上。體魄衰於下。青衫忽其再溼。黝廬設於傳舍。犬馬之齒。忽値終軍之生年。羈旅之期。甫踰元稹之厄歲。距二毛之日。尚復八年。上亦冀展尺寸之效。竭志力以追玄靈。下庶幾博竹帛之榮。傳姓名以報生我。而人事坌雜。韶光蹉跎。尠一簣之未成。行百里而靡半。青緗數篋。既不足以銷憂。墨淚三升。亦何與乎瀉意。微金石不流之質。有蒲柳先衰之姿。閒宵自撫。顧景無儔。對此日上庠之膏火。憶當年山房之螢燈。睹景物之蕭條。嗟江關之黃落。颸風晏起。魂夢頻驚。蓋有不勝其棖觸懼愕者焉。試尋舊夢。用志前蹤。

余家世貧薄。負郭無田。藿葭為牆。蓬蒿作室。製荷露壑。牽箬霜洲。螺言謝氏之窮。鬼笑劉公之拙。蝸居累歲。等子夏之鶉衣。爨息終朝。幾淵明之乞食。況乃陽九百六。相踵薦臻。甫號勝衣。便逢多難。纔離毀齒。更歷百憂。每傷時運難齊。益悵命塗多舛。詠李華之孝讚。棘薪增酸。御閔損之馬車。蘆褐忍凍。望萱草以興思。瞻慈烏而動懷。聞聖善於鴻經。廢義方之叡訓。是以中情散懶。嵇康恨不同時。野性難馴。容甫見知後世。此則余生世之不諧也。

余夙懷慷慨。有燕趙兒女風。雖長不滿七尺。而心雄萬夫。雅慕郭解之名。頗讀范滂之傳。於是習拳擊劍。欲以此馳騁當世。無如體素羸弱。難任風霜。志遂寢焉。已而折節讀書。沈酣墳典。寢饋縹緗。屢登江泌之檐。恆鑿匡衡之壁。勤雕蟲於九夏。瘁文史於三冬。二日一餐。三旬九食。高文通庭中雒誦。漂麥坦然。朱翁子道上謳吟。負薪自若。此則余學基初奠之時也。

無何而天意佳兵。波揚東溟。鯨鯢猖披。沈我舸艦（民國四十三年十二月，中共以魚雷快艇襲我太平艦於東海，我軍敗績。）。山川蹙恨。日月寢光。四海殷報韓之心。三臺起沼吳之志。爾時余年未冠。血氣方剛。蒿目時艱。遙掬越石之淚。舉頭日近。彌切典午之思。宋微子之興悲。載歌麥秀。蔡威公之銜痛。飲泣蓬門。遂乃揮祖逖之鞭。擲班生之筆。投入陸軍通信兵學校。習黃石之素書。究鬼谷之蘊祕。逮卒所業。輒赴戎機。從此玉壘棲遲。金柝驚夢。圜頭灣外。奮鼓角以殪兇。金門島中。喋汗血而靡顧。讀仲宣從軍之賦。對明月而望玉關。吟子羽涼州之詞。臥沙場而醉美酒。此則余側身軍旅之時也。

戊戌小春。奉准退役。以學殖久荒。未敢更求干進。爾乃寄情山水。鮮接塵閈。漱石枕流。馴猿放鶴。詠四皓之芝曲。揖七賢於竹林。弘景層樓。聽松風之交作。蔣生三徑。任蓬藋之常遮。弋獵灞陵。夜驚醉尉。倦遊盤谷。情託文公。風雨忘歸。飛玄真之浩唱。柳楊競豔。開叔夜之山庭。此則余縱情象外之時也。

未幾而先德託夢。懇切相勗。以為解體世紛。結志區外。非所以盡孝。男兒惟直摶鵬翼。載躍蘭臺。飛騰雁塔之名。永著淩煙之錄。乃為無忝於所生。余時似醉初醒。如夢方甦。月下遶欄。望青雲而象瑞。窗前徐步。嗟來軫之方遒。自惟朴惷。要無大礙。見兔顧犬。猶未為遲。亡羊補牢。夫豈云晚。因擇吉日。仰告蒼旻。剃髮入山。覓浪仙之芳躅。韋編數絕。挹元聖之清芬。夏則以瓜鎮心。冬則以水沃面。跬步無忘。寸陰是惜。曲肱而枕。陶然自樂。與前番落拓之狀。幾判若兩人矣。

曾幾何時。射狗兆夢。夜入山房。傳臚報奎。班隨玉筍。陪孫山於末榜。笑劉蕡之下第。趁櫻桃而開宴。摘紅杏以宜簪。既而負笈台陽。重拾舊夢。受經絳帳。鼓篋鱣堂。乃見靈光巋然。杏壇振孔門之鐸。風流未沫。芹泮報正始之音。虎觀雖深。幸問奇之有自。平原謬賞。冀脫穎其匪遙。此則當年束髮之初所不及料。而在今日亦得以自慰藉者也。

（原載民國四十九年十二月台北・台灣師大《師大青年》）

瀛海新聲弁言（一九六一）

國立台灣師範大學國文系二年級全體學生古典詩歌習作選輯

自新潮陵蕩。文苑塵霾。風雅斂跡。緣情已替。其尤桀黠者。且倡為新奇荒誕之說。譁世取寵。以盜大名。詆毀前修。侈言創作。市閈俚語。奉之若明珠。奕世鴻篇。束之於高閣。於是風流蕩盡。舉朝惟效夫鮮卑。鄭衛橫流。元音不聞於正始。泚筆述此。寧有不扼腕太息者乎。

我台灣師範大學國文系素以衛道宏文。牖民濟世為職志。是以飛絮縹纓之士。群集一堂。懷蛟夢鳥之徒。咸依三舍。莫不藉彤管以攄思。託箋繒而述志。或源傾於三峽。或采錯乎十華。座中巴吟。聊亦當於歌吹。功成飲至。信可被之管絃。頃經任課教授滁縣巴壺天先生詳加評騭。曲為郢正。作者都若干人。計詩凡若干首。琉璃滿篋。還薰荳蔻之香。菡萏盈篇。仍襲葡萄之錦。亦曰盛哉，猗歟偉矣。

茲就東閩黃淑瑾等如干首刊布於次。傳之庠上。播在騷壇。今日曲暢陽春。御蘭芬於絕代。明歲歌颺出塞，慶禹甸之重光。

（原載民國五十年十二月台北・台灣師大《人文學報》）

為開平中學十週年校慶募捐啓（一九六二）

杜陵廣廈。萬間無厭其多。陸氏荒莊。百代猶歌其美。杏壇亦愁太狹。教止三千。絳帳正待弘開。朋來無數。本校自民國四十二年刱辦以來。藍篳惟勞。艱辛備歷。僅佔一廛之地。原非百畝之宮。陶甄之事雖勤。棫樸之陰未盛。譬如善賈之用。以多財為能。農家者流。以有田為主。湫校牆惟四堵。僅可及肩。局處一隅。以嫌促膝。學子望門而興歎。同人繞室以思維。每念及斯。汗未嘗不發背而霑衣也。爰於今夏籌款興建校舍三棟。用拓士林之勝境。期成蓬島之雄瞻。行見菁莪所歌。無非禮樂。雲天絢彩。即現樓觀。

今者十週年校慶在屆。所冀是邦通德。海內名賢。鑒茲創校之多艱。共贊育才之盛事。或就指間而雨寶。或從掌上以舒金。或貺圖書以實庫存。或賜儀器以溥教澤。既供觀覽。尤利切磋。將使琅琅書聲。繼往聖之絕學。巍巍黌舍。開萬世之太平。

（原載民國五十一年十月台北・台灣師大《人文學報》）

慈谿顧崇庵先生七十壽序（一九六二）

朗照文昌。應長庚而呈象。歡騰白屋。笑桃李之盈門。是以壽介期頤。〈洪範〉陳康寧之福。容昭雲日。周詩歌〈天保〉之章。玉樹與園柳齊輝。南極偕朱明並轉。旗亭勝會。中宵憶風月之交。蓬島春風。多士獻仙芝之瑞。

粵若慈谿崇庵顧先生者。越國詩老。天台仙人。廿年祕笈。風雨致其邃思。萬里行縢。雲霞涵其殊狀。加以氣吞八極。手捫四冥。逸德承熙。高風蓋代。蟬嫣門第。荀龍薛鳳之標。膏肓林泉。孔思周情之表。孝友篤於天性。言行根自古人。業守青箱。泥塗黻冕。三餘勤學。慕方朔之雄才。萬卷常披。習鄭玄之逸氣。此實書生之深致。抑亦達士之曠懷已。

無何而靈椿遽謝。慈竹云摧。先生泣〈誓墓〉之什。未足喻其沈哀。廢〈蓼莪〉之吟。更已悲夫莫贖。逮守廬之期已畢。而皋比之聘遙臨。於是虎出匣中。龍飛海澨。蜚聲文苑。擅藻坫壇。陳思王之博學。七步即成。桓靈寶之捷才。五版不雜。所以貴紙求抄。家誦洛陽之賦。填街相湊。人觀太學之碑。碩德名高。經師望重。昔柳屯田之妙典。處處能歌。陸務觀之清標。家家入畫。可謂古今同揆。前後相輝。此則先生扶翮布華之時也。

粵以庚寅之年。仲秋之月。烽傳區脫。刼墮紅羊。先生淚別武林。間關蜀道。走巴滇之嶮。若上青天。痛華夏之淪。鞠為茂草。已而客流香島。揭來瀛壖。雲海茫茫。難斷新亭之淚。星河耿耿。輒銜典午之悲。魯酒曷足以忘憂。楚歌非關乎取樂。先生意殊不自愜。徒以握瑜懷瑾。蘊秀含芬。宣鐸上庠。育才橫舍。揚洙泗之遺緒。距楊墨之詖辭。俾我傳統之文物聲明。翼世之綱常名教，仍有塵於廣宇。庶無廢於世間。如此而已。如此而已。

今歲夏初穀旦。欣逢先生七十懸弧之辰。同人等才非繡虎。技等雕蟲。仰止斗山。載歌晉頌。借東海痲姑之酒。奉延陵季子之觴。蓬萊匪遙。沃洲在望。此日籌添海屋。會高朋傾梁苑之樽。他年星照枌楡。開瓊宴於蘭亭之上。

（原載民國五十一年十二月台北・國立政治大學《大學生》二十四期）

林子靖先生八十嵩壽徵文啓（一九六六）

人登壽域。海屋添籌。節届青陽。仙芝獻瑞。古經崇養老之禮。盛世獻華封之辭。如我梧州林君東輊之封翁子靖老先生者。系出華宗。姓推望族。早歲肄業梧州初級中學。先後師事廣西太守莊蘊寬、黨國先進胡漢民諸先生。天鍾靈秀。成希世之文章。地蘊神奇。作中華之柱石。遺規所自。遂典儒風。聲采長垂。足徵師德。先生秉山岳之靈。縕煙霞之秀。聲蜚兩廣。早成黼黻之章。華蓋三江。實有風雲之氣。歷任梧州統稅局局長。廣西榷運總局總稽核。大桂山鎢礦公司礦場主任等職。莫不夙夜宣勤。晨昏盡瘁。至今績勒萬碑之上。名留四境之中。去思倍殷。遺愛彌永。固其宜也。哲嗣東輊先生襟神俊茂。識度淹通。孝悌自表於天資。才略悉承於庭訓。現任臺灣省農林廳簡任科長。瓜瓞綿綿。書香裊裊。德門遠蔭。其興正未有艾也。

今歲國曆三月九日欣介先生八秩榮慶。同人等久叨冬愛。夙仰鴻儀。藿悃應輸。葵忱齊向。爰於是日上午九時至十二時。假中興新村舉行酒會。共申賀忱。所望文駟雕軒。聯翩蒞止。鴻篇麗製。揚茲洪庥。春臺熙熙。卿雲靄靄。此日稱觴祝嘏。會高朋

傾北海之樽。明年奏凱還鄉。拜鳩杖於東山之麓。謹申小引。佇迓 高軒

林子靖先生八十華誕籌備委員會 敬啓

民國五十五年三月二日

蕭母黎太夫人九十壽序

代業師林尹先生撰（一九六七）

式觀彤管。人誦女宗。載繹緗編。群推母道。蓋閫訓之克隆。為家門之由盛。是以《左氏》垂義方之訓。《毛詩》著聖善之徽。魯地敬姜。扇芳風於絕代。鄒國孟母。揚令問於遙年。或畫荻以傳書。或隔紗而受業。柳家訓子。非無丸膽之仁。湛氏課兒。時有封鮭之誡。王清河之堂上。勿納於邪。范孟博之慈君。以永終譽。姬周以降。代有流芳。若蕭母黎太夫人者。即其人焉。

太夫人系出華宗。夙嫻姆訓。禮不愆於內則。家自守其荒莊。薄華鈴之飾容。結琦璜而表度。善心為窈。應流荇之風。靜女其姝。稱歸荑之美。可謂柔嘉允蹈。徽爔載凝者也。年二十。歸同邑蕭先生。先生早歲負笈國立武昌法政大學。荀門高第。厥

有李韓。上庠諸生。允推郭賈。越四年畢業。即出宰湖北鄂城縣。甘雨隨車。福星載道。曉看雲中之舃。鳧帶影以齊飛。夜彈月下之琴。鶴聞聲而自舞。雖負山阻溪之敝邑。向號巖疆。而經天緯地之雄才。實優遊刃。無襦有袴。歌廉范以來遲。馴雉驅蝗。為魯恭而表異。其後歷任司法行政首長凡三十年。莫不信孚比戶。訟息鼠牙。惠及窮閭。冤清肺石。至今績播萬碑之口。甘留四境之棠。去思倍殷。遺愛彌永。太夫人中饋獨操。眾務咸理。勤修婦職。善博親歡。急公則乾葚為懷。惠人則焦飯是念。壺餐濟士。扇蔭栟人。寫悃款於宗姻。酒漿必腆。篤攜持於煢獨。穀帛頻蠲。洵美展如之人。無忝任只之德。固足以聯鑣淑媛。紀美苕華者矣。

生丈夫子一。曰運堯。卒業國立交通大學後。西渡美邦。專治航空機械工程。學成歸國。歷居要職。卓蜚清譽。現奉太夫人僑居南美洲之阿根廷。女公子二。曰運貞。曰運潔。運貞幼承慈訓。善讀父書。步障青綾。無媿東山之世第。集灌黃鳥。堪稱南國之佳人。民國三十六年榮膺第一屆國民大會代表。下求民隱。上達輿情。丕展嘉謨。勤昭讜論。渡海以後。且斥其私蓄。創設新民小學於臺北。懸衡鑑以作人。揉鉅鐘而造士。生徒雲集。爭聞絳帳之音。遐邇景從。共霑時雨之化。斯乃仰體太夫人之提命。推其己立己達之心。樹此可大可久之業。賢壻譚君嶽泉。為我國交通事業屈指可數之專家。曾任臺灣省公路局局長十有餘年。身瘁藍篳。暢全島之交通。美盡湖山。騁四時之車騎。勳猷卓懋。世論多之。昔人所謂積善之家。必有餘慶者。於此見之矣。

今歲十月十二日。欣介太夫人九秩大慶。星輝南極。三臺沾壽域之光。月朗東溟。萬里著澄波之象。冠裳衍慶。山海騰歡。洵人世之極榮。而有生之至樂也。尹與運貞代表同寅協恭。齊司邦憲。猥承屬序。義弗敢辭。爰綴蕪文。用彰懿範。國家方抒戡定之宏猷。策復興之至計。待樓船渡海。禹甸重光。旌旆還鄉。故廬無恙。鳩笻益健。同泛赤壁之舟。鶴算頻添。再獻南山之頌。

（原載民國五十六年十月台北《現代國家》）

周樹聲立法委員八十壽序

代行政院院長嚴家淦撰（一九六八）

開封古稱人文淵藪。自大梁宅都以還。桀才挺生。名世間出。中郎博洽。六經刊太學之碑。鄭子清奇。三絕擅廣文之館。韓維韓絳。並為玉署之英。宋祁宋庠。都入瓊林之選。劉師道以詩學著。李川父以古文鳴。接踵代興。僂指難數。洎乎晚近。運際維新。則有澹廬周樹聲先生紹前修之芳躅。成不世之令名。捫腹儲經。侔孝先之儒雅。園花作縣。等潘岳之風華。可謂前後相輝。古今同揆者已。

先生毓自華宗。美承乾蔭。丹山桐茂。早聞老鳳之聲。玉砌蘭芬。無忝神駒之譽。道探洙泗。積黌舍之深功。學究申韓。明法家之精義。清社既屋。漢幟方張。先後應高等司法官暨全國縣長考試。均以優等獲雋。遂乃陳臬珂里。出宰偃師。簿領殫勤。昕宵匪懈。志除害馬。式賡拔薤之規。惠及雛雉。載表依桑之異。嘉祥屢致。來暮頻歌。麥秀田疇。野有豐登之樂。草生囹圄。庭無爭訟之喧。此一時也。

既而龍躍靈津。鶯遷喬木。出任外交部特派河南焦作交涉員。與英人商榷黃河以北礦權等事。論難坫壇之上。折衝樽俎之間。剖析事理。則群欽淵識。調協中外。則煞費苦心。唐雎使秦。不辱大君之命。毛遂懾楚。強於傾國之師。遂得收回已失之利權。重訂平等之新約。尋受聘為福中大學校長。暨中原煤礦公司董事長並兼總經理。懸絳帳以作人。聚丹砂而利世。直使礦工鉅子。無非河洛之英髦。貸殖長才。盡屬門牆之桃李。閭閻流詠。枌梓蒙庥。此一時也。

南都再宅。政體聿新。本民主之常規。頒憲政之良制。先生榮膺制憲國民大會代表。嗣當選河南省第一區立法委員。綿召杜之遺愛。作喉舌於斯民。弘抒訏謨。默宣元化。朝陽采鳳。揚清議於明廷。大呂黃鐘。張正聲於炎徼。越居海澨。載更歲華。昌黎懼吾道將衰。狂瀾是障。孟氏以斯文自任。浩氣彌充。我傳統之文物聲明。翼世之綱常名教。猶克永葆其漢臘。無廢於秦坑者，先生實與有力焉。此又一時也。夫介福乃純仁所致。修齡必碩德始膺。綜覽先生之生平。益徵斯言之可信。至若精研翰藻。每增鄴水之光華。富積篇章。當侯蘭臺之著錄。畫傳團扇。歌續旗亭。忠愛之忱。老而彌篤。抑戒有作。謙而益光。繼今以往。羽儀多士。鼓吹中興。其為洛社之耆英。虞庠之大老乎。德配朱夫人柔嘉維則。敬慎無違。喜象服之攸宜。協鸞紘而永吉。哲嗣肇熙等。夙秉義方。咸成佳器。子舍既恢張門業。紹厥箕裘。孫枝亦挺秀庭階。蔚其蘭玉。王氏三槐之第。于公駟馬之門。其昌熾正未有艾也。

戊申四月十九日即國曆五十七年五月十五日。實為先生八十嵩慶。家淦等或叨陪末席。夙接光儀。或久託同僚。彌敦氣類。議效華封之祝。載歌〈天保〉之章。禮也。國家方展蕩寇之壯圖。策收京之至計。指日蜺旌渡海。赤縣重光。及時鳩杖還鄉。青春作伴。浯溪揬藻。長歌元結之雄篇。商嶺茹芝。更祝黃公之遐壽。

（原載民國五十七年六月六日台北《建設雜誌》十七卷一期）

瑞安林尹先生六秩壽頌幷序（一九六九）

雁蕩天台之際。靈秀早鍾。右軍康樂以還。英賢輩出。伯恭博洽。扇東浙之儒風。君舉淵深。成永嘉之學派。四靈才調。遠祧武功。三老音徽。上嗣彭澤。龜齡敷美善之政。水心倡功利之文。後先相輝。僂指難數。洎乎晚近。文運愈昌。仲容集樸學之大成。諦閑窺鷲峰之奧蘊。林氏昆仲。並譽於燕京。陳門師徒。聯鑣於珠海。莫不術窮宙合。學究天人。朝野挹其風猷。中外羨其聲采。若乃吐納百氏。頡頏群儒。挺棟幹於鄧林。飾羽儀於鳳穴。厲松筠之雅操。守鐵石之深衷。赴鼎鑊其如歸。履危亡而不顧。則要以林公景伊為尤著焉。

公志氣縱橫。風情倜儻。蟬嫣門第。荀龍薛鳳之標。杼軸清英。陸海潘江之表。故能包生民之睿智。步先德之高蹤。傳蘄春之絕學。振永嘉之墜緒者也。民國十九年畢業國立北京大學國學研究所。即受聘為河北大學教授。雄才逐日。共驥騄而齊驅。迅翼搏風。與鵷鴻而並翥。鄭玄歸魯之後。道藝遂東。陸機入洛之年。聲華丕著。言音韻。則溯厥師承。陋段王之匪精。說蒙莊。則闡其家學。屏向郭之舊注。固已潤逼餘杭。秀掩玄英者也。其後歷任金陵女子文理學院、北平師範大學教授。懸衡鑑以作人。揉鉅鐘而造士。生徒雲集。爭聞馬帳之音。遐邇景從。如入華陰之市。

無何而櫻海鯨翻。蘆溝鶴唳。茫茫華夏。慄慄黎元。琬琰與土礫以俱流。魚鼈雜蛟龍而共盡。樞府定禦侮之宏謀。策安邦之至計。以公為中國國民黨漢口特別市黨部主任委員兼綰游擊。公橫劍泣血。枕戈嘗膽。坐揮三略。遙制六奇。作西蜀之雄藩。支前哨之聖戰。四年之間。凡六蒙總裁嘉獎。功在邦國。時論多之。方將丕展鴻猷。徐圖豹變。乃不幸為敵偽所劫持。由漢而寧而滬。幽囚半稔。脅誘百端。而公則斥井底之蛙。笑冢中之骨。申《春秋》攘夷之義。堅文山殉國之心。氣作山河。光爭日月。卒使姦諛改轍。金石為開。昔人所稱見貞心於歲暮。標勁節於嚴風者。其公之謂乎。

南都再宅。政體聿新。本民主之常規。頒憲政之良制。公既得勝利勳章。復以眾望所歸。膺選第一屆國民大會代表。道協邦衡。義尊國憲。綿召杜之遺愛。作喉舌於斯民。正色而自具陽秋。發言而深切時弊。可謂才兼學行。志蘊公忠者也。

天不佑漢。海又揚波。暫別枌鄉。埸來圓嶠。白雲迴望。玄鬢頻凋。春日遲遲。難斷新亭之淚。星河耿耿。彌切典午之思。魯酒不足以忘憂。楚歌非關乎取樂。遂乃忘情黻冕。娛志縹緗。遠挹朱陸之清芬。默纘顧黃之盛業。旋受聘為臺灣師範大學教授兼國文研究所主任。十餘年來。並先後執教於政治大學、東吳大學、中國文化大學、淡江大學。網珊瑚於海底。收翡翠於炎洲。化雨均霑。雅著龍門之望。春風廣被。高揚鹿洞之光。直使牖民鉅子。無非邦國之英髦。輔世長才。盡屬門牆之桃李。昔河汾授業。纓緌之士如林。蘇湖談經。紳佩之徒成市。四海慕其清采。萬流仰若斗山。方之我公。彼獨何人。韓國建國大學以公性行英邁。學術湛深。巋然為文界之楷模。作士林之師表。因於今年二月特贈予榮譽文學博士學位。固實至而名歸。宜鳶飛而魚躍。亦曰休哉。猗歟美矣。

綜公生平。英敏而沈毅。嚴肅而恢宏。體道居貞。含和育粹。器宇淹曠。風神秀偉。煙霞之涯際莫尋。江海之波瀾不測。其門如市。其心若水。言論扇乎四裔。著作等於一身。其已梓行者有《莊子通釋》、《經學略說》、《切韻韻類考正》、《兩漢文彙》、《中國學術思想大綱》、《中國聲韻學》等。率言前人之所未言。發前人之所未發。而其所主纂之《中文大辭典》。尤為學海之津梁。儒林之瑰寶。實伊古所未有。亦舉世所稀聞。繼今而往。其沾溉菁莪。雕琢棫樸。弘揚國粹。煥蔚人文者，又寧有涯涘也哉。

民國五十八年十二月十三日夏正十一月初五日。恭逢六秩覽揆之辰。星輝南極。三臺增壽域之光。月朗東溟。萬里著澄波之象。冠裳衍慶。山海騰歡。洵人世之極榮。而有生之至樂也。生等才均螢爝。何益麗明。質本涓埃。無補川岳。銘心刻骨。永懷闕里之恩。抒素披丹。恭進侯芭之酒。爰再斂衽拜手而獻頌曰：

茫茫浙水。世載其英。碩儒間出。槃才挺生。丹山雛鳳。來翔上京。文驚老宿。名動公卿。其一

屬國行芳。文山志潔。曰若先生。操厲冰雪。禁錮京滬。慷慨泣血。亮節高風。埒美前哲。其二

坐擁臯比。倏逾卅年。門牆桃李。奚止三千。開來繼往。啓後承先。邪說遠遁。眞學斯傳。其三

道貫洙泗。術盡老莊。乾嘉緒脈。得公而張。章黃絕學。得公而揚。弘開壽域。永卜康彊。其四

國立台灣師範大學國文研究所
國立政治大學中國文學研究所　全體校友暨在校研究生拜祝
中國文化大學中國文學研究所

門人張　仁　青　頓首恭譔

（原載民國五十八年十二月台北・華岡書局
《慶祝林景伊先生六十華誕紀念論文集》）

日月潭玄奘寺擴大文物建設募緣啓（一九七〇）

原夫金輪東轉。肇建叢林。白馬西來。是興蘭若。於是玉毫流照。甘露灑於大千。金鏡揚輝。薰風被於中土。維我三藏法師玄奘擢秀檀林。實稟純懿。慈輝夙照。縱情俱舍之經。真假先知。遊刃桑門之籍。九州載譽。四海揚聲。既而見佛法之沈淪。發憫人之願想。欲開象教。丕振禪風。遂以不壞之金身。曳芒鞋而獨遠。捫天梯而窮鳥道。臨斷壑以拂嵐光。竟登靈鷲之峰。直入戒賢之室。文傳貝葉。聿歸上都。厥功顧不偉歟。

惟自神皋沈陸。碧海揚塵。聖跡湮微。瞬踰廿載。不有正法之宏揚。安出世人於迷津。每一念至。汗未嘗不發背而霑衣也。爰擬就日月潭玄奘寺原址擴大文物建設。廣拓淄流之勝境。期成蓬島之雄瞻。行見瀛海所歌。無非釋典。雲天絢采。即現樓觀。亦曰盛哉。猗歟美矣。所冀域中善士。海外名賢。共傳日月之燈。競種菩提之果。或就指間而雨寶。或從掌上以舒金。或貺圖書以實庫存。或惠儀器以利教澤。庶使寶筏普渡。脫苦海之眾生。花雨繽紛。揚梵音於香界。

（原載民國五十九年十月台北《菩提樹》九卷三期）

程發軔教授八十華誕紀念論文集序 代臺灣師大國文研究所撰（一九七〇）

天宇呈露。斗樞開八曜之祥。海屋騰歡。門牆適三千之士。瑤章紛晉。壽域榮登。今歲四月四日實為大冶程旨雲教授八秩覽揆良辰。先生河山粹氣。禮樂清英。學研精以匡邦。文體要以經遠。群書博覽。九譯兼通。義理之醇。足以比隆濂洛。儒術之茂。尤堪方駕朱王。識者想聞其清聲。士流共推其雅望。老聃云。天道無親。常與善人。嗣是以往。其將益荷天庥。受景福。錫純嘏。邁期頤。蓋可必也。

本所師生久欽高躅。共掬丹忱。弧耀同瞻。葵忱齊向。借東海麻姑之酒。奉西池王母之桃。願稱介壽之觴。以迓興邦之瑞。

民國五十九年四月　穀旦

（原載民國五十九年四月二十日台北學生書局《慶祝程旨雲教授八十華誕紀念論文集》）

孫科先生言論集序 代考試院撰（一九七〇）

昔司馬長卿有言。蓋世必有非常之人。然後有非常之事。有非常之事。然後有非常之功。夫非常者。固常人之所異也。今考試院孫院長哲生先生學窮閫奧。迭膺重寄。啟沃之謨。酌泉源而不竭。忠公之節。貫霜雪而罔改。衣冠以為蓍蔡。樞府資其柱石。可謂風雲元感。川岳粹靈者已。

溯自滄海橫流之會。正真人革命之秋。先生仰稟庭訓。志切澄清。負笈北美。主編報刊。宣民族之大義。揚大漢之天聲。以弱冠之英年。贊光復之偉業。宜其譽擅龍超。名隨鵲起。非常之事功。即植基於此焉。

清社既屋。民國肇建。三十餘年間。先生自廣州市長而交通、財政、鐵道三部部長。而立法、行政兩院院長。直道正身。含和育粹。弼諧庶政。亮采有邦。汪洋負大雅之名。明敏得至公之操。坦然之量，群物不干其靜。穆如之風。九流不測其度。故能紀綱庶類。表率群倫。渡海以後。復以齒德之尊。來作木天之長。秉玉尺以量才。握金鍼而度士。夙夜勞瘁。高舉珊瑚之網。藻鑑精明。盡選廊廟之器。繼今而往。先生之所為造福邦國。翊贊中興者。誠未有艾也。

今歲十月十七日即夏正九月十六日。欣屆八秩雙慶。台北各界人士纂輯先生生平言論著作。為之刊行。以介眉壽。觀其風儀似玉。咳唾成珠。摛掞天之雄文。蘊擲地之清韻。其立功也既如彼。其立言也又如此。謂非當世非常之人可乎。

（收入民國五十九年考試院編《孫科先生言論集》）

陽新成惕軒先生六秩壽頌并序（一九七一）

藏山著作。馳一代之弘聲。華國文章。立千秋之盛業。振高情而獨秀。棘院翔芬。挺峻節而孤標。膠庠漸德。先憂後樂。襟懷弗讓於希文。物與民胞。志慮且侔乎子厚。其智足以經緯天地。其行足以綱紀人倫。連衡孔門。貽範儒士。其惟吾師成公楚望乎。公誕德高門。鍾祥累葉，稟嵩華之琰石。潤江漢之波瀾。桐茂丹山。早聞詩禮之訓。芳挹瑤圃。遂成錦繡之章。故得擢秀鄧林。騰名雎苑。南金東箭。豈資晉史之言。龍躍鳳鳴。無勞張華之識。既而拜辭枌鄉。停蹤鄂渚。從羅田大儒王葆心先生遊。益復肆力群經。殫精百氏。鸚鵡洲上。諦聽奏雅歌詩。黃鵠磯頭。重覩授玄稽古。過大禹之廟。縣興飢溺之懷。登太白之樓。想見雄豪之氣。此其奎爛荊楚。軒翥漢皋。世不可及者一也。

民國建元以來。考試尚已。服官則有銓選之格。入仕則有貢舉之料。蕊榜高張。多士煥槱薪之彩，蛇珠賡燿。中邦增日月之輝。公持握朱繩。摩挲駿骨。歷時卅年。校士數萬。中間曾奉總統派令。榮膺軍法人員特種考試、警察人員特種考試、金融事業人員特種考試、財務行政人員特種考試、社會工作人員特種考試、中央公務人員升等考試、中央派用人員暨臺灣省臺北市簡派人員銓定任用資格考試等典試委員長。藻鏡澄懸。喬松直上。蒲梢名馬。都入天閑，閬苑瓊瑰。更登璧府。鳶飛魚躍。欣彈貢禹之冠。鶚翥鵬搏。競折月宮之桂。昔歐陽知舉。丕變場屋之風。陸贄掄才。精選瑚璉之器。汜濩群倫。楷模萬世。方之我公。可謂前後相輝。古今同揆。此其名高雁塔。望繫龍門。世不可及者又一也。

自新潮陵蕩。文苑塵霾。舉朝惟效夫鮮卑。元音不聞於正始。公乃於世亂紛乘之時。人心陷溺之會。綆汲千載。牢籠百家。獨扶大雅之輪。用峙中流之柱。佩香荃於楚澤。散綃縠於人間。於是有《汲古新議》、《考銓文彙》、《楚望樓詩》、《藏山閣詩》、《藏山閣駢體文》、《楚望樓駢體文》之作。激南皮之高韻。寫元結之雄篇。

縟綵鬱於雲霞。逸響振於金石。丕揚忠愛。杜陵夔府之心。嚴辨夏夷。顧氏崑山之戒。度江南之舊曲。頻裂肝腸。擷夢裏之新花。都含霖雨。是以周情孔思。洋溢乎篇章。非徒鮑俊庾清。紛蕤於楮墨已也。此其蹤繼開府。殿餘靈光。世不可及者又一也。

夫經邦軌物。有賴於卿才。而琢璧披金。端資乎教澤。公歷任國立中央大學、國立政治大學、國立臺灣師範大學、私立正陽法學院、私立中國文化大學教授。操持風教。獎進寒微。都講近四十年。成材逾三千士。荊州設帳。龜山之德望日隆。槐市傳經。伯起之風猷懋著。鏘振美璞。壺嶠增華。若乃握髮英髦。片言之善必舉。嘉惠俊乂。一藝之長必稱。尤足以方駕昌黎。駢肩永叔。庾徐健筆。振麗藻於一朝。李杜鴻篇。揚芳聲於百代。善惟止乎其身。澤靡被乎後進。持較今日。其氣象固不侔矣。此其芬扇藻芹。澤沾棫樸。世不可及者又一也。

綜公生平。襟靈夷雅。氣識沈和。性方德純。量閎學粹。溢聲華於文藻。潤治體於經術。匡濟之抱。至晚節而逾堅。松柏之姿。履嚴霜而益茂。卿雲南集。炎運方興。嗣是以往。公之所為揚麻邦國。加裕後生者。又寧有紀極耶。

師母徐文淑夫人。內行淳深。天情溫潤。相我夫子。貊其德音。播嬀汭之芳徽。著彤華之清譽。長君中英。季子中傑。均美國哈佛大學博士。中英現任國立臺灣大學哲學系教授兼主任。而中傑則為美國太空總署研究員。芝蘭並秀。蔚謝傅之階庭。驥騄齊驅。懋陸家之德業。名震西海。聲高上國。彼燕山之五桂。王氏之三槐。又烏可同年語哉。

辛亥正月初四日即國曆六十年一月二十八日。為公六秩嵩慶。景麗青陽。淑氣煥椒花之色。月旅大簇。融風飛柏酒之香。襟期與海屋同春。華蓋共壺樓（成氏新建藏書小樓）並壽。此其非蒼昊降榮庥於至善。黃花至晚暮而彌香也耶。

青海表庸流。衡門下士。孤舟獨泛。空涉學海之波瀾。殘卷常披。欲叩麗辭之堂奧。名非千里。竟蒙伯樂之憐。才謝九峰。遂侍考亭之坐。既循循以善誘。復切切而為前。教看鴛鴦。廣度金鍼於朱閣。標示津逮。更傳花筆於幽莊。故得踵武前修。預名山之勝業。敷教東序。分絳帳之餘春。附驥尾以馳驅。又駒光歷年載。欣值懸弧之慶。長懷化雨之恩。南極輝騰。東溟浪靜。祥雲送色。晉蘭觴於楚望樓中。明歲還鄉。開瓊宴於藏山閣上。爰薰沐拜手而為之頌曰：

洋洋漢水。載毓禎祥。綿綿瓜瓞。肇自軒皇。
惟公逸德。漱潤承芳。新民輔世。每飯不忘。其一
璿玉致美。奎星照爛。杜陵高才。霞光飛粲。
咸陽鴻筆。聲沸天半。魯殿獨存。邦國楨幹。其二
斯文殆喪。吾道難行。乃擁皋比。陶鑄群英。

式宣六藝。載張五倫。大哉夫子。海外長城。其三

藥籠廣貯。珊網高懸。琴尾不焦。蕊珠自妍。

憐才好善。埒美前賢。周詩曼頌。君子萬年。其四

中華民國六十年一月　吉日

（原載民國六十年元月台北《學粹雜誌》三卷六期）

慧炬月刊社創立十二週年頌並序（一九七三）

慈航廣濟。匡援中土之眾生。慧炬長明。普照大千之世界。拯苦海之沈溺。救火宅之焚燒。屏斥詖辭。昌明正學。誕敷文德。安勸庶邦。既無悖於國經。且有裨於王化。澤沾多士。衣被青衿。亦曰盛哉。猗歟偉矣。

中華民國六十二年十一月十五日。欣逢《慧炬月刊》創立十二週年。慈雲吐澤。彌天灑慧日之光。法雨垂涼。大地著清華之象。青仰止鷲峰。葵忱獨向。踴躍之懷。靡有紀極。所願域中善士。海外名賢。共傳日月之燈。競種菩提之果。庶使金繩輝耀。

開覺路於諸天。花雨繽紛。揚梵音於香界。爰獻頌曰：

三辰赫赫。九土茫茫。皇矣慧炬。飛粲明光。
耕耘一紀。儒佛顯揚。弘宣聖化。普渡慈航。
道濟眞俗。學溯漢唐。昭蒙啓惑。翼善搖芳。
欲出穢土。遊息淨方。牖民淑世。涵濡八荒。其一

繫維佛祖。說法鷲嶺。心眷蒼生。有懷悲憫。
化導群類。備歷艱窘。慧日西沈。慈波東騁。
白馬馱經。青鸞入境。鎔鑄儒道。詞采煥炳。
理芭聖愚。義歸寂靜。眞如智海。寶藏無盡。其二

天祚中國。載誕聖人。尼山降彩。泗水涵春。
業紹公旦。志切覺民。笙簧禮樂。綱紀人倫。
誕敷聖教。弘衍傳薪。悠哉化主。邈矣能仁。
曰儒曰佛。俱在求眞。中外一揆。萬古常新。其三

天綱解紐。世變物遷。釋典蒙塵。眞諦莫傳。
乃張巨纛。教義廣宣。高擎法炬。燭照大千。
拯彼陷溺。勇著先鞭。邪說遠遁。眞學漫延。

欣逢佳慶。歡動臺員。摛辭晉頌。億萬斯年。其四

（原載民國六十二年十一月台北《慧炬月刊》）

俞國華總裁六十壽頌並序・代中央銀行撰（一九七三）

粵稽載籍。眇覿古先。凡命世之聖王。創業之英主。於國賦軍儲之佐。運漕廟算之官。未有不思慮周詳。考覈精審。然後畀以重任。委以大權者。蓋財政金融之克隆。為天下國家之由盛。是以張蒼之善算國用。調鼎鼐於明廷。馮勤之力計軍儲。著聲華於遠代。他若晉之張華杜預。唐之韓滉楊炎等。並達識含精。長材致遠。故得含雞伏省。鳴鶴登朝。霖雨蒼生。固強邦本。然則財政金融之關係國脈民命者。顧不重歟。今中央銀行俞總裁國華先生。高才逸群。懿聲滿聽。啟沃之謨。酌泉源而不竭。公忠之節。貫霜雪而罔改。底慎財賦之殷。校計軍國之用。衣冠以為蓍蔡。樞府資其柱石。蓋即今之杜元凱楊公南也。

公澤衍高門。熙承奕代。稟華山之玉石。潤浙水之波瀾。桐茂丹山。早聞詩禮之

訓。蘭芬玉砌。無忝經濟之才。民國二十三年畢業國立清華大學。即邁蹤西海。飛渡遐邦。先後入美國哈佛大學研究院及英國倫敦大學政經學院深造。格物極運摶之術。研幾兼體用之能。經國之弘謀。齊民之要術。皆植基於此焉。

三十六年出任世界銀行副執行董事。嗣改任國際貨幣基金會副執行董事。維時赤焰滔天。方州瓦解。錢幣淆亂。國脈阽危。公載馳載驅。殫精竭慮。論難坫壇之上。折衝樽俎之間。剖析事理。則同欽淵識。調協中外。則煞費苦心。唐睢使秦。不辱大君之命。毛遂懾楚。強適傾國之師。遂使國家轉危為安。否極泰來。既而龍躍靈津。鶯遷喬木。十餘年間。迭膺重寄。由中央信託局局長而中國銀行董事長。而中國產物保險公司董事長。而財政部部長。而中央銀行總裁。雄才逐日。共驥騄而齊驅。迅翼摶風。與鵷鴻而並翥。經綸日布。計慮恢宏。曹司競號名卿。位望遠同計相。富平有術。市圜之甲帖常均。籌策無遺。海表之軍儲益裕。綢繆臺衡。亮采有邦。美國聖若望大學以公性行英邁。學術湛深。巋然為政界之楷模。作邦國之楨幹。因於今年(一九七三)十月特贈予榮譽商學博士學位。彰生平之偉績。極人世之殊榮。國步艱屯。靖獻方資。繼今而往。公之所為宣惠生民。翊贊中興者。又寧有紀極耶。

時屆清秋。誕逢花甲。星輝南極。三臺增壽域之光。月朗東溟。萬里著澄波之象。同人等才均螢燭。何益麗明。質本涓涘。無補川岳。爰歌〈天保〉之六章。用效華封之三祝。麻姑獻酒。喜樞廷有昌國之英。青鳥翔雲。看華夏啟中興之運。頌曰：

洋洋浙水。郁郁秦望。清遠世族。肇維軒皇。惟公逸德。漱潤承芳。長民輔世。每飯不忘。其一

璿玉致美。霞光飛芒。焚膏繼晷。志切弼匡。綜獵西學。逸翮獨翔。思潮激蕩。意氣騰驤。其二

學優則仕。育粹含章。經綸丕煥。達變守常。弼諧計政。盡瘁巖廊。裕民富國。愛遺甘棠。其三

南極輝騰。北海酒香。冠裳中慶。詠樂華堂。弘開壽域。永卜康強。明年奏凱。再獻瓊觴。其四

陳翰珍委員八秩雙壽序 代中國青年黨撰（一九七六）

巴蜀古稱天府。世蘊瑰材。錦水澄鮮。光耀杜陵之筆。巫山聳峷。秀傳酈子之篇。諸葛臨民。恩威並用。文翁駐節。教化弘宣。通夷誦司馬之辭。問字慕子雲之學。蘇家伯仲。並轡於汴京。李氏宗親。聯鑣於唐季。乃至嚴遵、陳壽、文同、楊慎之儔。

莫不擅藝苑之勝場。揚英聲於異世。山川靈炳。賢俊代生。偉矣盛矣。逮夫晚近。邦命維新。則有香貽陳翰珍先生。踵美前修。增華上國。稽其行誼。足式群倫。民國六十五年國曆八月二十二日。欣逢先生暨德配劉夫人八十雙壽。瑞鍾弧帨。慶溢冠裳。宜述清芬。用彰勝概。

先生擢秀蠶叢。承熙燕翼。靈椿早謝。不聞老鳳之聲。晝荻長劬。遂博神駒之譽。攬浮雲於玉壘。志在四方。看曉日於金川。懼荒寸晷。民國八年。卒業富順中學。旋奉慈命。轉學外省。歷入國立南京高等師範學校、浙江省立蠶業學校、南京金陵大學、南通大學、北京農業大學、國立京師大學。俱以農科為主。程門高第。厥有游楊。漢志農家。爭推董尹。志研食貨。抒經野之宏謨。學貫中西。精齊民之要術。此其高才博學。特重農桑。可得而述者一也。

既而龍躍靈津。鶯遷喬木。迭任國民革命軍第二十一軍軍區建設督察主任、四川督辦公署行營政務處處長、四川省政府民政廳視察、四川省政府視察室組長等。達二十年。雄才奮世。共驥騄以齊驅。壯志騰霄，與鵷鵬而並翥。具王尊之膽識。振凌策之風徽。善導輿情。廣紓民瘼。劉繪愛士。巴郡之人文聿興。包拯察奸。開封之風氣丕變。棠甘競頌。蓮瑞入圖。雖東郡之思耿君。南陽之歌召父。無以過之。此其策勳梁益。造福鄉邦。可得而述者二也。

倭虜既降。神州再造。奉中山之遺教。還大政於編氓。先生以長德清望。榮膺制憲國民大會代表。嗣當選第一屆監察委員。於是飭法蘭臺。提綱柏府。軫瘡痍於歷劫。作喉舌於斯民。正色而自具威稜。發言而深中時弊。馳繡衣則政隨風肅。飛白簡則人懍霜寒。一唱音遺。曠若大呂黃鐘之奏。萬仞壁立。聳然孤峰絕岸之姿。此其糾繩百僚。職司風憲。可得而述者三也。

中國青年黨夙以撥亂反正。捄國安民為職志。五十餘年來。道協邦衡。義尊國憲。於推行民主政治。建設現代國家。獻替孔多。聲名遐播。先生以齒德俱崇。膺任中央委員會第二任幹事長。綜持黨務。極盤錯之多艱。隱弭群紛。更寅恭之允協。松柏彌堅於晚歲。風雨實勵其同舟。此其卓識淵懷。利群愛國。可得而述者四也。

昔人有獻縞贈紵之歡。適館授餐之誼。儒林傳誦。歷久不衰。而先生則秉其仁慈。憫彼窮乏。節移鶴俸。創設「陳翰珍清寒學生獎學金」。資助多士。踰四十年。其賴以完成學業者。先後達百餘眾。涸轍珍鱗。得甘泉而忭躍，蓬山俊鶻。望雲漢以高騫。譬拂春風。煦茲白屋。平仲養士。待舉火者百家。孟嘗疏財。游其門者千輩。後先輝映。若有同符。此其獎掖寒微。護持孤孑。可得而述者五也。

德配劉夫人。懿稟高門。賢稱上邑。修儀中禮。吐語成章。玉臺和以新聲。苕華紀其淑德。白首協金蘭之好。青琴作鸞鳳之鳴。其同登大耋。並膺景福。不亦宜乎。

金風送爽。玉宇祛塵。爰歌〈天保〉之雄章。用代麥丘之美頌。觴傳綠蟻。喜樞廷有壽國之英。劫挽紅羊。看華夏啟中興之運。

（原載民國六十五年五月台北《現代國家》一三六期）

錢思亮院長七十壽序 代中央研究院撰（一九七七）

鴻樞鶴相。奠中興大業之基。柏葉松身。介一代老成之壽。蓋自赤燄蔽天。神皋沈陸。中樞拓業瀛臺。恢基宸府。荏苒二十有七年。而我中央研究院錢院長思亮先生亦壽登大耋矣。同人等久親謦欬。夙接光儀。議歌〈天保〉之章。用效華封之祝。禮也。

先生東越騰英。南州纘緒。稟嵩高之玉石。潤浙水之波瀾。丹山桐茂。早聞老鳳之聲。鄴水蘭芬。無忝神駒之譽。觀扶桑之日出。襟抱恢宏。仰溟渤而雲騰。意氣橫厲。民國十六年負笈北平清華大學。程門高弟。厥有游楊。太學諸生。允推郭賈。逮卒所業。輒冠其曹。旋即邁蹤西海。飛渡遐邦。入美國伊利諾大學深造。格物極運摶之術。研幾兼體用之能。殫精化學。盡窺其奧。越三年獲哲學博士學位。遂返國任國立北京大學教授。雄才逐日。共驥騄而齊驅。壯志凌霄。與鵷鴻而並翥。鄭玄歸魯之後。道藝遂東。賈誼上京之年。聲華丕著。英髦凝望。庠序虛筵。見於斯矣。

無何而櫻海鯨翻。蘆溝鶴唳。茫茫華夏。惵惵黎元。琬琰與土礫以俱流。魚鼈雜蛟龍而共盡。樞府為延續學術之命脈。培植經濟之人才。乃於昆明成立西南聯合大學。先生即奉命間關南下。坐擁皋比。仰武侯之清采。輒歎天威。緬司馬之高風。大開文教。故雖警訊頻傳。毒鳶臨空。猶能講席相連。絃歌不輟者。先生實與有力焉。

倭虜既降。神州再造。先生仍任北京大學教授兼化學系主任。方欲發展科學。建設國家。與西歐學界角力。為中邦科技奠基。俾盡書生報國之天職。詎意天不厭亂。海又揚塵。遂別故都。揭來圓嶠。受聘為國立臺灣大學教授兼教務長。嗣又接任校長。歷時凡十有九年。直使牖民鉅子。無非壺嶠之菁英。輔世良才。盡屬門牆之桃李。名震寰宇。聲高上國。昔河汾授業。纓緌之士如林。蘇湖談經。紳佩之徒成市。四海慕其風采。萬流仰若斗山。持較今日。其氣象迥不侔矣。

中央研究院以先生學術湛深。中西淹貫。乃於民國五十三年推選為院士。夫惟實至。所以名歸。既而龍躍靈津。鶯遷喬木。五十九年轉任院長。六十年十二月起。又兼任行政院原子能委員會主任委員。以迄於今。本院為全國最高學術機關。集海內外學者專家於一堂。各部門研究成果。對國家貢獻良多。固夫人而知之者也。苟非先生之盛德大雅。攸乎眾望。曷克臻此。

綜覽先生之生平。襟靈夷雅。氣識沈和。性方德純。量閎學粹。忠愛之忱。老而彌篤。抑戒有作。謙而益光。國步維艱。耆英是賴。繼今而往。先生之所為揚厤邦國。翊贊中興者。又寧有紀極耶。長君純。美國明尼蘇達大學經濟學博士。現任中央銀行副總裁。運籌闤府。調劑金融。綢繆臺衡。亮采有邦。仲子煦。美國哥倫比亞大學醫學博士。為國際傑出之生理學家。現任哥大教授。本院院士。季子復。美國耶魯大學政治學博士。現任外交部常務次長。識度淹通。長才達遠。獻替密勿。敦睦邦交。有足多者。芝蘭並秀。蔚謝傅之庭階。珠玉齊輝。懋陸家之德業。彼燕山之五桂。王氏之三槐。又烏可同年語哉。

國曆六十六年一月九日。實為先生七十初度。松耐歲寒。梅知春近。學林雜沓。冠蓋爭趨。積慶溢乎華堂。餘榮洽乎黎獻。詩傳降嶽。共上北海之清觴。凱奏收京。更祝虞庠之大老。

中央研究院全體院士暨全體同仁拜祝

（原載民國六十六年元月台北《現代國家》）

王雲五博士九秩華誕頌詞並序（一九七七）

蓋聞居非常之時。欲建非常之業者。必待非常之人。所謂非常之人者。獨具非常之識。且有非常之勇。能立非常之功者也。今總統府資政、中山學術文化基金董事會主任委員王公岫廬總元精之和。覽生民之秀。學究天人。術窮宙合。七十年來。迭膺重寄。啟沃之謨。酌泉源而不竭。公忠之節。貫霜雪而罔改。朝野挹其風猷。中外羨其聲采。著述之富。與山海爭宏。斧藻之華。共星雲併列。稽諸往古。固代不數覯。求之今日。亦罕值其人。非當代非常之人也耶。

公志氣縱橫。風情倜儻。道探儒法。積仰屋之深功。文擅歐西。是譯壇之健筆。學術既優。遂登仕版。其為經濟部部長也。利民豐國。雖一飯而弗忘。航海梯山。斯萬商其來集。貿易有無。固強邦本。功莫大焉。其為財政部部長也。富平有術。市圜之甲帖常均。籌策無遺。邊徼之軍儲益裕。位望遠同計相。曹司競號名卿。其為考試院副院長也。持握朱繩。摩挲駿骨。夙夜勤慎。高舉珊瑚之綱。藻鏡清明。精選廊廟之器。其為行政院副院長也。弼諧庶政。亮采有邦。汪洋負大雅之名。明敏得至公之操。經綸不煥。獻替彌多。若乃選充國民大會代表。則道協邦衡。義尊國憲。綿召杜之遺愛。作喉舌於斯民。正色而自具陽秋。發言而深中肯綮。主持商務印書館。則歷時六十年。出書數百萬。沾溉士林。譽滿中外。昔《隋書》〈經籍〉之志。乾隆《四庫》之編。籠罩千秋。光被四海。舉以方此。差堪遠譬。而指導及門研究生。則循循善誘。切切為前。既度元氏之金鍼。更傳江郎之花筆。其經教育部博士學位評定考試通過者。凡十有七人。實振古所未有。亦舉世所罕見。咸尊為「博士之父」。不亦宜乎。

公自民國五十四年榮膺中山學術文化基金董事會主任委員。凡一十二載。以迄於今。則又遵奉中山遺教。弘揚學術文化。其犖犖大者。一曰獎勵研究生三百二十六人。二曰獎勵學術著作二十四人。三曰獎勵文藝創作二十四人。四曰獎勵技術發明三十六人。五曰獎勵當代名著編譯五十六部。六曰補助學術著作出版六十四部。七曰補助文藝創作出版八十九部。八曰補助文藝創作演出二十五次。涸轍珍鱗。得甘泉而忭躍。蓬山俊鶻。望雲漢以高騫。恩翔春風。澤及碩彥。其增華邦國。振興文教之功。固昭昭在人耳目。懸日月而不刊者矣。韓國漢城大學以公學貫中西。造福社會。巋然為人倫之師表。多士之楷模。因於西元一九七二年九月特贈予榮譽法學博士學位。彰生平之偉績。極人世之殊榮。

丁巳夏正六月一日。欣逢九秩嶽降良辰。英賢畢至。冠蓋爭趨。積慶溢乎華堂。餘榮洽乎黎獻。嗣是以往。其將益荷天休。受景福。錫純嘏。邁期頤。蓋可必也。某等久親謦欬。夙仰儀型。爰稱介壽之瑤觴。以迓興邦之禎瑞。頌曰：

珠江浩浩。粵秀峨峨。河嶽炳靈。篤生大家。
名賢作哲。翼扶中華。滄海橫流。乃制頹波。其一

公以偉質。崛起香山。少蘊奇志。鵾翥鵬颺。
學術淹貫。蔚爲國光。長民輔世。每飯不忘。其二

仕以學優。霞光飛粲。挺曜含章。樞機參贊。
訏謨丕顯。勛猷炳煥。元弼推心。邦國楨幹。其三

朅來鯤嶠。繼以忠貞。如山如磐。民主是行。
綢繆生聚。鼓吹中興。歛歷臺閣。華蓋蓬瀛。其四

坐擁皋比。倏逾半紀。咳唾皆珠。散霞成綺。
三臺群英。多入籠底。博士之父。信非溢美。其五

中山遺教。學術爲先。乃設基金。薪火相傳。
夙夜宣勤。一十二年。弘揚文化。力挽狂瀾。其六

中原板蕩。樂崩禮壞。剝極必復。耆英是賴。

唯公逸德。搢紳著蔡。商山四老。磻溪一瑞。其七

欣逢大慶。海屋添籌。南極輝騰。歡動九流。

周詩曼頌。韻遶層樓。受天純嘏。與國同庥。其八

（原載民國六十六年五月台北商務印書館《東方雜誌》）

何應欽上將軍九秩華誕頌詞 並序・代中山基金會撰（一九七九）

天開鴻業。必生英傑之雄。斗耀奇光。宜邁期頤之壽。民國六十八年三月十一日即夏正二月十三日。為今總統府戰略顧問、中山學術文化基金董事會董事及技術發明委員會召集人興義何上將軍敬之先生九旬嶽降良辰。威弧麗日。玉杖延齡。爰賡〈天保〉之歌。用代〈麥丘〉之頌。禮也。

公燕翼承徽。鳳毛擢秀。秉崑山之玉石。潤黔水之波瀾。粵當弱冠之年。即抱興邦之志。拜辭故里。飛渡扶桑。先後入撫武學校及士官學校。鄧仲華之偉略。半由天生。班定遠之英姿。獨與眾異。逮卒所業。輒著其鞭。從此玉壘棲遲。金柝驚夢。犯

兵塵而驥展。奮劍氣以鷹揚。自護法軍興。公乃躬擐甲冑。矢效精忠。珠籙飛靈。運雷霆於掌上。玉符蘊祕。藏兵甲於胸中。故得舞干羽以昭蘇。賦彤弓而飲至。其生平之豐功偉業。實皆發軔與此焉。

既而輔翼元戎。建軍黃埔。風雲交感。鞍馬相從。昔昭烈之於武侯。蕭王之於高密。如魚得水。精誠無間。舉以方此。庶幾近之。北伐之役。公揚戈松口。秉鉞龍潭。率奔鯨之驍師。如建瓴於高屋。赤旌所指。妖壘洞開。白羽纔撝。兇徒紛潰。遂成一匡之偉業。奠萬世之宏基。此則公懋勳炳煥。盛業隆光之時也。

洎乎櫻海波翻。蘆溝釁作。浮雲變幻。歎倭虜之猖披。國運乘除。傷樞廷之播蕩。公復頻參密勿。翊贊睿圖。遙制六奇。坐揮三略。爪牙奮其神勇。風雨勵其同舟。卒使降旛高懸。繁櫻紛墮。茫茫華夏。再揚舜日之光。惵惵黎元。重睹漢官之盛。斯則天祚中華。挺生邦傑。有以致之，凡此赫赫之功。雖村童野叟。皆語焉能詳。固無待喋喋者矣。

雲五等或叨陪末席。夙接丰儀。或久託同寅，齊司新憲。民主奠其常軌。邦家維其永寧。值國步之多艱。尤耆賢之利賴。繼今而往。其為商嶺之四英。句容之一叟乎。寶島春暖。華堂人健。遐齡壽世。恭晉王母之瑤觴。來歲收京。更祝中邦之大老。謹薰沐拜手而為之頌曰：

黃草壩上。點將臺邊。山川鍾秀。代出明賢。
命世作霖。挽瀾障川。時窮節見。丹素斯傳。其一

於赫何公。天挺明哲。惟嶽降神。姿表瑰傑。
邦命維新。奮揚芳烈。文經武緯。中外振鑠。其二

弱歲岐嶷。志切澄清。蒿目時艱。遠涉東瀛。
術窮韜略。胸蘊甲兵。獻身革命。矢勵丹精。其三

清社既屋。賊氛煽熾。護法情殷。乃張義幟。
挫銳摧堅。將才初試。敵膽爲寒。柱石是寄。其四

乂安六合。建軍攸賴。翊弼元戎。風雲際會。
黃埔宣勤。誓剪民害。國士濟濟。氣凌岱泰。其五

旌旆北指。綏靖多方。棉湖躍馬。殲彼強梁。
龍潭揮戈。宇內一匡。金湯深固。我武維揚。其六

聖戰初開。邦家遘難。巖廊盡瘁。衡機參贊。
籌運幄中。檄馳疆畔。鋒鏑所暨。倭奴縮竄。其七

桓桓王師。活虎騰龍。海鯨既掣。終復堯封。
萬國仰瞻。受降雄風。大漢天聲。永震亞東。其八

九州告靖。赤祲掃塵。臨危受命。爰秉國鈞。
燮理陰陽。康濟兆民。丕顯訏謨。絢煥經綸。其九
越居圓嶠。囊智彌增。綢繆生聚。鼓吹中興。
元首股肱。滄海明燈。德隆輔世。遐邇交稱。其十
技術發明。中山所重。仰秉遺教。愼選邦棟。
杞梓靡遺。人力咸用。功參化育。澤被士眾。其十一
欣逢佳慶。冠蓋騰歡。菊香晚節。松勁歲寒。
天錫難老。人拜將壇。周詩曼頌。君子萬年。其十二

（原載民國六十八年二月台北商務印書館《東方雜誌》）

前宛西縣長陳重華先生九秩榮慶頌詞並序（一九七九）

德本中庸為至矣。不易不偏。人於正氣曰浩然。乃剛乃大。立名宇內。具經文緯武之懷。作宰宛西。多潔己憂民之政。庶績咸熙。群豪盡戢。夜不閉戶。路不拾遺。

綜合自治之功能。式符大同之理想。

粵以中華民國六十八年某月某日。為前河南宛西縣縣長陳公重華九秩覽揆之辰。于時菊秉霜姿。允洽堅貞之至性。梅含春意。彌臻康健之大年。仰茲松柏之操。晉以岡陵之頌。辭曰：

五嶽抗峰。惟嵩是正。蘊毓英才。肇啓淑行。
道冠天人。學宗彥聖。禦侮同仇。興邦秉命。其一
海內揚聲。宛西布政。座勒新銘。堂懸明鏡。
律己清廉。臨民篤敬。自治弘施。洽化丕盛。其二
一以兵農。充之教令。路不拾遺。宵恆弛偵。
綏靖四方。乂安百姓。俗美風淳。春熙花映。其三
華夏淪胥。蓬瀛趨競。翼贊精誠。堅貞健勁。
大節支撐。至德涵泳。仁者壽徵。難老詩詠。其四
九秩筵開。初冬季迎。庭竹霄凌。嶺梅妝靚。
萊綵羅歡。冠裳集慶。普照大千。星輝斗柄。其五

（原載民國六十八年四月台北《學粹雜誌》）

王世杰院長九十華誕頌並序・代中央研究院撰（一九八〇）

中華民國六十九年。歲次庚辛。律維大簇。恭逢前中央研究院院長、今總統府資政王雪艇世杰先生九旬嶽降良辰。先生以杖鄉杖朝杖國之年。累立功立德立言之業。流聲光赫。振鑠五洲。朝野挹其風猷。中外羨其華采。稽諸往古。固代不數覯。求之今日。亦罕值其人。故能上荷天休。長受景福。得榮期之壽樂。作洛社之耆英。傳曰。善人國之紀也。其此之謂乎。同人等久親謦欬。夙仰儀型。爰稱王母之瑤觴。用祝中邦之大老。爰斂衽拜手而為之頌曰：

漢江雄闊。幕阜嶙峋。間氣絪縕。載誕哲人。
命世作霖。來秉國鈞。障川挽瀾。匡時濟民。其一

於皇先生。天挺睿明。性行純篤。器識深宏。
乾綱解紐。志切澄清。武昌首義。卓著英聲。其二

學術維新。浚達其故。遠涉西溟。綜獵兼互。
肆外閎中。體用能顧。開後纘先。思潮雲鶩。其三

巴黎遄返。坐擁皋比。傳道授業。祛惑去疑。羅馬叢編。傾授靡遺。民主政治。乃奠初基。其四

聲華既茂。漢皋鳴鐸。藍篳啓疆。首創大學。衎續薪火。敷宣禮樂。菁莪沾溉。棫樸雕斲。其五

仕以學優。霞光飛粲。挺曜含章。樞廷參贊。風神稜稜。勛猷煥煥。化啓百世。朝野交讚。其六

聖戰初開。陳謨佐命。滹陟巖廊。彌綸庶政。夙夜宣勤。克恭克敬。海鯨既屠。漢威丕振。其七

堯封初復。再膺重寄。與國交通。梯航四洎。樽俎折衝。從容駁議。道光鼎鉉。名歸實至。其八

南都再宅。肇行國憲。正言諤諤。囊智靖獻。腹裕經綸。椎輪乃建。粲若春葩。邦家之彥。其九

乘桴南邁。位望益隆。絲綍宣命。輔弼元戎。藎籌明斷。房杜遺風。群倫仰戴。翊贊膚功。其十

經邦軌物。百術咸尊。乃長學林。以深其根。牢籠今古。盧牟乾坤。森森魯殿。巋然獨存。其十一

法書名畫。藝苑所珍。端居多暇。辨析僞眞。
鑑賞摩挲。每忘宵晨。扢揚風雅。古道芳純。其十二
泰山巖巖。先生氣象。千頃汪汪。先生志量。
子壽風度。搢紳崇尚。先生方之。信無多讓。其十三
欣逢大耋。歡動臺員。中興在望。尤賴耆賢。
嵩華泰岱。不紀歲年。堂堂一老。眉壽萬千。其十四

（原載民國六十九年十二月台北《現代國家》）

前銓敘部長雷法章先生八秩壽頌代（一九八一）

經天緯地。本基督博愛之誠。積事程功。重先聖篤行之訓。堯天則大。育久壽之彭鏗。周命維新。仗多謀之呂尚。而況精忠自勵。惟興邦以佐元戎。尚義不忘。感知遇以報國士。集智仁勇於一身。垂德功言於百祀。如我前銓敘部長、今國策顧問雷公法章者。殆其人矣。

粵以中華民國七十年。歲次辛酉。國曆十月九日。欣逢先生八秩覽揆良辰。於時香飄丹桂。寓超逸之風懷。色燦黃花。仰堅貞之晚節。雲璈樂啟。朝野賡雅頌之歌。星斗光熒。蘭玉競綵萊之舞。猗歟美已。

同人等忝屬鄉親。久承道範。節瀕雙十。壽國兼以壽公。化及萬千。愛人亦資愛己。倫理之規型具在。聖經之教義常銘。爰賡〈天保〉之華章。用晉〈嵩高〉之嘉頌。謹再拜手而為之辭曰：

群山萬壑。荊楚賦形。氣呑雲夢。輝耀日星。
醇風美俗。毓秀鍾靈。溪川族望。夙垂德馨。其一

公富才智。生成國器。八德心維。三民志勵。
上敬元戎。下敦道義。勳業發皇。忠誠充類。其二

興文興禮。樹木樹人。提學青島。建制黌門。
絃歌比戶。杞梓連邨。浩然正氣。泛溢海濱。其三

倭寇侵陵。獻替魯府。民政覃敷。幕僚夾輔。
挽粟飛芻。整軍經武。調掌農林。民生多祐。其四

凱歌既奏。佐治春官。層峰授命。浙水迴瀾。
贊襄績著。籌策智殫。光復舊物。眾庶咸安。其五

行憲棘院。祕長膺選。鉅細悉親。協和群彥。
秋月騰蛟。春飆引燕。本以眞知。止於至善。其六
中原板蕩。世局玄黃。疏遷轉徙。瞻顧栖皇。
間關海嶠。歸列臺疆。新基重奠。盛節永彰。其七
主政銓敘。灼見如炬。激濁揚清。黜邪去窳。
規範以周。福祉惟普。輩出英賢。更僕難數。其八
天下爲公。實大聲洪。祥麟威鳳。霽月光風。
謀參國策。善與人同。顧問餘暇。興學奏功。其九
基督崇敬。成義稱聖。勖勉青年。展抒理性。
屢渡重洋。集會鼎盛。拒敵機先。不辱使命。其十
任卹呈春。誼尚昭倫。溥施仁惠。融洽鄉親。
弘毅爲本。彝典是循。雍容言笑。益顯精神。其十一
錦繡秋張。欣逢耄壽。朝野謳申。門庭德懋。
桂馥蘭芬。竹苞松茂。鄉末介眉。瑤觴勸侑。其十二

（原載民國七十年九月台北《學粹雜誌》）

國立中山大學行政大樓奠基記

代中山大學校長李煥作（一九八一）

民國六十九年八月。本校受命創建於高雄市之西子灣。初設中山學術、企業管理二研究所。暨中國文學、外國語文、企業管理、電機工程四學系。鳩工伊始。艱苦備嚐。百堵具興。群英遙集。陶甄之事不斷。絃誦之聲相聞。禮樂之游。無阻於風雨。書術之教。靡間於晨昏。曙霞出乎名山。緗帙增其古色。絳霄寥廓。送無盡之鐸音。嘉木扶疏。添有情之畫本。其為南臺地區最完整之高等學府。殆可預期。茲值行政大樓奠基伊始。特綴數語。以紀其盛。所望全校同學深體政府興學育才之苦心。仰秉孫公救國救民之明訓。齊修德業。兼備智仁。進取樂觀。蔚作國棟。庶幾龍驤鳳翥。再宣大漢之威。銳氣英聲。一變炎陬之俗。

（原載民國七十年九月高雄《國立中山大學校刊》創刊號）

傅玉甫上將軍八十華誕頌詞

并序・代空軍總司令部撰（一九八四）

文經武緯。遠挹闕里之遺芬。燕頷虎頭。早具安陵之異相。兵儒兼習。書劍咸工。即存仲華仗策於英年。越石枕戈於中夜。際風雲之運會。仰日月之明光。蒿目時艱。即存匡濟。傷心世變。彌切澄清。威震邊關。重見龍城之飛將。氣吞胡虜。再揚炎漢之天聲。勳勒旂常。望隆華夏。威弧增色。細柳揚輝。乃衍八千歲為春。遂臻五百年名世。惟我博平傅玉甫上將軍有之矣。

民國七十三年夏正十月九日。欣值將軍八十嶽降良辰。瑤階集瑞。仁宇凝祥。玄髮雖斑。壯心尚在。允佩長生之籙。應稱不老之仙。蒼柏抱貞。經嚴霜而茂悅。黃花駐彩。至晚節而芳馨。《周書》有云。皇天無親。惟德是輔。其此之謂乎。同人等瞻仰吉輝。曷勝忭躍。椿樹敷榮於漆圃。卿雲紛郁於鯤溟。爰奉北海之瓊觴。載賡南山之美頌。謹再薰沐拜手而為之辭曰：

泰嶽鍾靈。代生邦傑。聖賢繼軌。志行芳潔。
天地迴旋。丕顯鴻烈。輔世安民。聲華震鑠。其一矯矯傅公。誕自珂鄉。熙承上哲。業守青箱。
器量恢宏。稟性堅剛。席衽金革。北國之強。其二

年甫及冠。攬轡攖情。慨投班筆。矢繫終纓。
躍馬榆塞。磨盾柳營。龍韜諳練。豹略熟精。其三

鞏固國防。宜重空權。公其睿智。識在人先。
遠涉英倫。新學殫研。皇家航校。沈鑽累年。其四

歐西初返。奮志長空。覓橋擊隼。豪氣如虹。
健翮高振。天馬嘶風。縱横寥廓。勇冠群雄。其五

東倭啓釁。邦家遘難。鷹揚絳霄。鵬摶銀漢。
虹口奏捷。績勛炳煥。電掃飆欻。毒鳶斯竄。其六

播越台垣。名高武庫。教戰穹蒼。耿光騰布。
明略佐時。雄圖贊務。海宇咸寧。空防永固。其七

忠勤既著。復展嘉猷。新生社立。將士更休。
大鵬國劇。曠古寡儔。聖門游藝。復煽炎陬。其八

戎衣釋解。神棲書苑。芸籤横案。著述盈卷。
國仰大老。桑榆非晚。遼鶴遲歸。蓬壺何遠。其九

恭逢佳慶。歡動澄旻。天錫純嘏。景福駢臻。
玉液浮白。靈芝含新。摳衣晉祝。眉壽千春。其十

（原載民國七十三年十月台北《現代國家》）

長沙陳家俊先生暨德配龔夫人八秩雙壽鑽婚紀念頌并序（一九八四）

湖湘古稱名區。世蘊瑰才。沅水澄鮮。光耀騷人之筆。衡山雄峻。秀傳墨客之篇。尤自遜清中葉以還。英豪輩出。賢俊代興。或擅文名於坫壇。或揚武威於疆埸。或著華勳於臺省。或彰茂績於方州。山川炳靈。挺生邦傑。見於斯矣。逮夫晚近。運際維新。則有長沙陳午階先生踵美前修。增華上國。稽其行誼。足式群倫。爰述清芬。用彰勝概。

先生奕葉芸香。英姿玉朗。靈椿早謝。不聞老鳳之聲。畫荻長劬。遂博神駒之譽。觀扶桑之日出。襟抱恢宏。仰九疑而雲騰。才猷磅礴。民國十七年自中央軍校第六期

畢業後。即執兵擐甲。躍馬橫戈。歷時廿年。奇勳迭建。揭來圓嶠。復以經濟之長才。策畫漁業之大計。靖獻囊智。翊贊中興。松柏彌堅於晚歲。風雨實勵其同舟。至若承影含光。擅太極之絕技。澡心養氣。揚國粹以延年。其所以勵己利人。健身強種者。固皆聖人游藝之遺風。抑亦先生攝生之餘事已。

德配龔夫人。懿稟華宗。賢稱上邑。修儀中禮。吐語成章。玉臺和以新聲。苕華紀其淑德。白首協金蘭之好。青琴作鸞鳳之鳴。七十一年五月。參加新加坡主辦之國際高齡田徑賽。勇奪八百米及一千五百米冠軍。連獲兩面金牌。豈惟巾幗之光。實乃邦家之榮。其同登大耋。並膺景福。不亦宜乎。哲嗣鍾䄂志氣縱橫。風情倜儻。畢業國立政治大學政治系。現任新營・南光高級中學校長。千里識名駒之種。百年葆神駿之光。抑亦疇昔義方之教。丸膽之勤。有以增其門楣。臻其蕃祉也。

癸亥三月二十二日。欣逢賢伉儷八秩雙慶暨鑽婚紀念。同人等久欽高躅。夙仰淑行。爰歌〈天保〉之章。用代麥丘之祝。禮也。國家方展匡復之壯圖。籌統一之至計。指日霓旌渡海。赤縣重光。及時鳩杖還鄉。青春作伴。浯溪揬藻。長歌元結之雄篇。商嶺茹芝。更祝黃公之遐壽。頌曰：

湘江浩浩。衡嶽蒼蒼。篤生俊哲。挺耀含章。

聰睿早達。高視珂鄉。志切經世。逸翮遠翔。其一馳驅軍旅。挫彼強梁。腹裕經綸。操厲冰霜。

殫精竭智。蔚爲國光。聲華卓茂。武德弘揚。其二

越居海隅。晚節彌香。業贊中興。澤被南疆。

淑配忠貞。令譽孔彰。重偕花燭。鴻案相莊。其三

義方昭示。有子儁良。斲雕棫樸。名重臺陽。

德門人壽。仙嶠春長。明歲凱歸。嶽麓稱觴。其四

中華民國七十三年夏曆三月穀旦

龍冠軍　朱迎瑞　彭　鍔　李萬金　趙佛重　王正志

龔聲濤　劉建華　陳敦正　陳國治　雷崧生　陳康民　同敬祝

世姪張仁青　拜　撰

石覺上將軍八秩華誕頌詞 並序・代銓敍部撰（一九八五）

雲臺圖像。群雄立佐漢之功。煙閣垂名。諸將啟興唐之運。故曰有非常之明主。必有非常之賢臣。有非常之賢臣。必有非常之功績。稽諸往史。蓋歷歷不爽。今者雨嘯雷奔。風旋電轉。當貞下啟元之會。正否極泰來之時。卿雲紛聚於南天。赤雁競歌於中野。而我總統府國策顧問石上將軍為開先生亦壽登八十矣。

公五嶽孕靈。三台降瑞。出先正名賢之後。有流風遺範之存。粵自黃埔軍官學校畢業。即親擐甲冑。矢勵忠勤。胸蘊兵書。帷幄決留侯之勝。氣寒敵膽。邊陲驚小范之名。鷹隼擊則妖鳥除。弧弓張則天狼滅。每見多多而益善。豈惟矯矯以折衝。非夫慮深而周。志剛以大。又焉得風騰霧躍。豹變龍驤者哉。

節近上元。誕逢大耋。純嘏原由於天賜。貞松自耐乎歲寒。爰賡〈天保〉之瓊章。恭祝虞庠之宿老。謹再薰沐拜手而為之頌曰：

桂林山水。美冠中夏。毓秀鍾靈。乃生賢者。

定國安邦。實惟天假。緯武經文。光朝振野。其一於赫石公。天挺明哲。熙承先德。道踐儒轍。
丸荻恩勤。慈訓剴切。念茲在茲。必成人傑。其二

情殷攬轡。志在澄清。學劍黃埔。一秉丹誠。
八陣嫺熟。六韜研精。人雄關塞。怒懾鯤鯨。其三

既蒞戎行。英姿勃發。秉鉞登壇。遐思飛越。
氣奮風雷。身先士卒。皖北耀威。霍邱奏捷。其四

西江寇盜。盤據累年。乃率虎旅。直掃狼煙。
指揮若定。巢穴就殲。功侔郭令。名勒燕然。其五

聖戰方開。邦家遘難。禹甸蒙塵。生靈塗炭。
徐州鏖兵。星晦雲暗。公預其役。倭奴縮竄。其六

桓桓王師。復抵豫南。六花燦爛。遺大投艱。
澆沙偃月。過水飛山。前驅效命。剪彼兇頑。其七

東倭既降。赤祲載煽。陸沉神皋。濁流赤縣。
公駐淞滬。備蒙天眷。以寡擊眾。大名永擅。其八

海疆播越。閩寄斯膺。獻身挺節。劍氣飆騰。
陣列舟山。黃巾是懲。勳華照國。信而有徵。其九

旋奉樞命。旌返三臺。十萬軍民。莫喻沈哀。
過彼寇氛。疾若迅雷。中外交譽。希世幹才。其十
越在巖疆。又登崇位。策運帷中。巧貢囊智。
文武兼資。戰守悉備。謀國盡忠。偉哉良帥。其十一
戎衣既解。峻望彌隆。嗣長銓敍。黜陟程功。
品裁舉用。貴在清通。迴翔廊廟。遠企山公。其十二
復國收京。股肱是賴。靖獻嘉謨。尤資耆艾。
惟公明德。思同蓍蔡。商嶺四英。磻溪一瑞。其十三
致仕餘暇。寢饋兵書。筆耕不輟。搜獵爬梳。
杜陵萬卷。惠子五車。識過黃石。潤逼陰符。其十四
金蘭諧協。玉案眉齊。情逾膠漆。百歲不移。
鳳毛濟美。累盛重熙。桐枝挺秀。奕世蕃滋。其十五
福歸仁宇。壽屆芳辰。靈芝象瑞。淑氣迎春。
松身鶴相。今古所珍。香山九老。來拜仙眞。其十六

（原載民國七十四年元月台北《學粹雜誌》）

故東海大學教授徐文珊先生百歲冥誕紀念文（一九九九）

昔昌黎韓氏有云①。燕趙古多慷慨悲歌之士。蓋自姬周建國命氏以還。桀才挺生。名世間出。披諸青史。更僕難終②。洎乎晚近。運際維新。則有遵化徐貢真先生者。步前修之芳躅。揚稀世之耿光。衛道衡文。侔韓公之淵雅③。著書立說。等文達之風華④。可謂前後相輝。古今同揆。宜述勝概。用表清芬。

先生珂里舊家。士林翹楚。秉崑山之玉石⑤。潤易水之波瀾。弱歲岐嶷。閭閻交讚。攬浮雲於渤澥。志在四方。觀曉日於喜峰⑥。懼荒寸晷。民國十六年。負笈北平・燕京大學。從當代大儒胡適、錢穆、顧頡剛諸先生遊。藜火頻燃⑦。筆花入夢⑧。道探洙泗⑨。積三舍之深功⑩。學究莊韓。明百家之精義。程門高第。厥有游楊⑪。虞庠諸生。爭推郭賈⑫。逮卒所業。輒冠其曹。此其博學高才。特重義理。可得而述者一也。

無何而櫻海鯨翻⑬。蘆溝鶴唳。先生乃泣別天壇⑭。間關秦棧。騎驢履劍門之道⑮。拜鵑入蜀帝之鄉。從事舌耕。主編雜誌。並出任中國國民黨中央黨史會徵集處處長。或口誅姦回。筆伐倭寇。或廣紓民瘼。善導輿情。簿領殫勤。聲華卓懋。政府稽功論賞。乃頒授勝利勳章。固實至而名歸。宜鳶飛而魚躍⑯。此其盡瘁黨國，策勳梁益⑰，可得而述者又一也。

越居海嶠⑱。載更歲華。而乃重作馮婦⑲。遠企汾河⑳。歷任東海大學、中國文化大學、逢甲大學、中國醫藥學院、臺中商業專科學校教授。凡四十餘年。生徒雲集。爭聞馬帳之音㉑。遐邇景從。如入華陰之市㉒。菊香晚節，柏勁嚴霜。昌黎懼吾道將衰。狂瀾是障。孟氏以斯文自任。浩氣彌充。我傳統之文物聲明。翼世之綱常名教。猶克永葆其漢臘㉓。不廢於秦坑者㉔。先生實與有力焉。此其恩翔春風。功深化雨。可得而述者又一也。

淑配閻夫人柔嘉維則。敬慎無違。喜象服之攸宜㉕。叶鸞琴而長吉㉖。不意竟於民國七十三年殂逝。元丞相之情篤。難遣悲懷㉗。潘安仁之詞華㉘。徒增哀怨。哲嗣漢昌等夙秉義方。咸成令器。漢昌為國立政治大學文學博士。曾任國立中山大學教授兼中國文學系主任、文學院長。子舍既恢張門業。紹厥箕裘㉙。孫枝亦挺秀庭階，蔚其蘭玉㉚。王氏三槐之第㉛。于公駟馬之門㉜。其昌熾正未有艾也。

今歲九月十四日為先生百歲冥誕。同人等或久親謦欬。夙接光儀。或遠挹靈芬。共仰道範。葵藿之情㉝。曷有紀極。用特馳書宇內。廣徵瑋章。直闡潛德之幽光。永懷上邦之大老。爰斂衽摛辭而獻頌曰：

易水雄闊。燕山嶙峋㉞。間氣絪緼。載誕哲人。
英賢繼軌。丕煥經綸。牖民覺世。弘衍傳薪。其一

猗歟先生。天挺睿明。性行純篤。器識深閎。
靈椿早謝㉟。莫聞鳳聲㊱。爰依嬸氏。如海恩情。其二

學術維新。浚達其故。道修燕京。綜獵兼互。
枕經籍史㊲。百家咸顧。述先繼美。思潮雲騖。其三

聖戰初開㊳。間關蜀道。宣鐸維勤㊴。奮揮翰藻。
攘夷大義。震撼櫻島㊵。諸夏興復。以賢爲寶。其四

紅羊劫墮㊶。避秦台員。敷教東序㊷。玉筍班聯㊸。
升堂高弟。奚止三千。功深陶鑄。道光鼎鉉㊹。其五

驪珠在握㊺。鴻寶紛陳㊻。縹囊緗帙。炳燭品論㊼。
牢籠今古。盧牟乾坤㊽。森森魯殿。巋然獨存㊾。其六

鍾鼎小篆。藝苑所珍。端居多暇。八法怡神㊿。
臨池染翰。無間宵晨。籠鵝價重(51)。麝珠香淳(52)。其七

據德依仁。握瑜懷瑾。處貴思沖。居安念慎。

溫厲攸宜㊳。聲華丕振。士林企軌。萬流仰鏡。其八

泰山巖巖。先生氣象。千頃汪汪。先生志量。

榮期三樂㊴。世所慕嚮。先生方之。信無多讓。其九

萬國車書。混同毋忘㊵。靈爽不昧。默佑編氓。

風雲再造㊶。大漢邦鄉。流光垂裕。百世其昌。其十

阮大年　王金凌　王初慶　孔仲溫　甘漢銓　林慶勳　徐信義

張仁青　鮑國順　戴景賢　龔顯宗　李立信　黃湘陽　簡錦松　敬祝

國立中山大學中國文學系教授　張仁青　拜撰

【自注】按余撰此文時，適在江西盧山參訪，執事者索稿甚急，客館無書可供翻檢，因倉卒成篇，但憑記憶所及，並作「簡注」以應之。

①見韓愈〈雜說〉。

②「更僕難終」極言其多，見《禮記・儒行》。

③韓愈尊儒排佛。見《新唐書》本傳。

④文達，紀昀謚號。

⑤崑崙山產美玉。

⑥渤海、喜峰口均在河北省北部。

⑦「藜火」指劉向在天祿閣校書。見《拾遺記》。
⑧李白夢筆生花，詩藝日進。見《開元天寶遺事》。
⑨洙泗為孔子講學處。
⑩「三舍」為宋之太學。
⑪游酢、楊時均為程伊川高足。
⑫郭泰、賈彪均為東漢太學之佼佼者。
⑬「櫻海」二句指民國二十六年七七事變。
⑭「天壇」在北京，為清廷祭天之所。
⑮「騎驢」二句指入蜀。陸游劍門道中遇微雨詩：「此身合是詩人未，細雨騎驢入劍門。」
⑯「鳶飛」見《詩經》，極狀其樂。
⑰梁益二州均指四川。
⑱「海嶠」，海上仙山，借指台灣。
⑲馮婦，古之勇者，見《孟子》。此言重理舊事。
⑳隋・文中子王通講學於河汾。
㉑馬帳指馬融之絳帳。見《後漢書》本傳。
㉒東漢大儒楊震講學於華陰。見《後漢書》本傳。
㉓「漢臘」喻正統。見《後漢書・陳寵傳》。
㉔「秦坑」喻大陸文革十年，四人幫破壞固有文化。
㉕「象服」見《詩經》，指端莊賢慧。
㉖「鸞琴」喻夫婦感情甚篤。
㉗元稹作〈遣悲懷〉，以悼亡妻。
㉘潘岳有〈悼亡詩〉。見《文選》。
㉙「紹箕」謂繼承父業。見《禮記・學記》。
㉚「蘭玉」喻佳子弟。見《世說》。
㉛「三槐」為宋・王旦位至三公故事。見《宋史》本傳。
㉜于公之子于定國為漢代名臣。見《漢書》本傳。
㉝「葵藿」為尊敬、嚮往之意。
㉞燕山在河北。
㉟「靈椿」見《莊子》，喻父。
㊱李商隱〈贈韓偓詩〉：「桐花萬里丹山路，雛鳳清於老鳳聲。」此言不承父教。
㊲「枕經」句謂勤學。

㊳「聖戰」指民國二十六年抗日戰事。
㊴「宣鐸」見《論語》，指教育工作。
㊵櫻島指日本。櫻花為日本國花。
㊶「紅羊劫」喻大陸沈淪。
㊷「東序」為周之大學。此借指台灣之大學。
㊸「玉筍」喻優秀學生。見《山堂肆考》。
㊹「道光鼎鉉」喻聲華長垂。
㊺「驪珠」喻名作。見《莊子・列禦寇》。
㊻「鴻寶」指名著。見《漢書・劉向傳》。
㊼「炳燭」指老而好學，見《說苑》。
㊽「盧牟」猶言規模。
㊾魯靈光殿喻碩果僅存。漢末王延壽作〈魯靈光殿賦〉。
㊿「八法」為習字之基本筆法。
(51)「籠鵝」指王羲之書法珍貴。見《二王書論》。
(52)「麝珠」為名墨。
(53)「溫厲」見《論語》，稱美孔子。
(54)榮啓期居泰山，孔子見之，已近百歲。三樂謂生為男性、人類、長壽。見《列子・天瑞》。
(55)金・完顏亮詩：「萬國車書久混同，江南何尚隔華封。提兵百萬西湖上，駐馬吳山第一峰。」此指中國統一。
(56)「風雲」二句謂重建中華，早日統一。

張定成先生八秩華誕頌詞並序（二〇〇六）

湖湘夙稱山岳雄奇。人文淵藪。鳳逸龍蟠之士。風騰霧躍之倫。更續挺生。綿延不絕。尤自遜清咸同以還。曾左胡彭。乘時崛起。黃譚蔡宋，分鑣並馳。或盛開一代風雲。或卓創千秋事業。或弭平寇亂。爭羨小姑之玉郎。或戡定巖疆。遍種天山之新柳。莫不光昭赤縣。名綴青編。傳所謂山川炳靈。世載其英者。非其明徵也耶。

先生澤衍高門。熙承奕葉。稟衡疑之靈秀。潤湘澧之波瀾。桐茂丹山。早飫過庭之訓。芬揚玄圃。遂成華國之章。故得騰譽柏臺。蜚聲棘院。江花早夢。無假郭璞之綵毫。郢雪紛霏。何勞宋生之嘉頌。此其文采霞蔚。德業日新。可得而紀者一也。

中樞播越南來。考試尚已。高闈掄士。盡屬英靈。文梓呈材。還資銓選。自己丑以迄於今。長達五十餘年。蕊榜高張。棫樸煥槱薪之彩。蛇珠廣耀。蓬壺散丹桂之芳。先生卓然以霜臺之峻望。分棘府之耿光。榮膺第八屆考試院考試委員。並為文哲組召集委員。在職六年期間。曾七度奉總統派令。膺任國家特種考試典試委員長。遂乃持握朱繩。摩挲駿骨。鎖闈司掄拔之任。玉尺量縱橫之才。暗點紅衣。頻搜落卷。務使英髦俊傑，都入彀中。杞梓楩楠。盡收籠底。此其迴翔槐閣。歇歷巖廊。可得而紀者又一也。

夫經綸邦國。有賴於卿才。而陶鑄豪英。端資乎教澤。先生歷任臺北醫學大學、銘傳大學、淡江大學、東吳大學教授。分授論孟導讀、昭明文選、唐宋詩選、杜甫詩諸課。金針密度。木鐸廣宣。甄陶既溢於四科。講貫更周於六藝。生徒雲集。爭薰馬帳之風。遐邇景從。如入華陰之市。於是鯤鵬扶搏以乘化。龍驥遠引而高騫。蔚作國華。都成瑰寶。此其功宏黌序。澤沛台垣。可得而紀者又一也。

蓋嘗試論之。詩書之道。兼擅為難。蘇黃博洽。並轡於汴京。歐褚淵深。聯鑣於唐季。名顯昭代。範遺後昆。而先生於詩歌則游獵千載。皐牢百家，不宗一人。不法一派。或瓣香杜老。眷眷寄君國之哀思。或步武涪翁。冥冥作坫壇之盟主。故能超軼流俗。迴殊等倫。於法書則追摩羲獻。馳騁柳虞。唐宋明清之手神。多融腕底。真草隸篆之精蘊。畢現毫端。緣是紙貴洛陽。聲馳瀛表。昔柳屯田之妙典。處處能歌。陸務觀之清標。家家入畫。周流爭慕。文士臚歡，舉以方此。抑又何讓。洵哉墨海之洪濤。詩峰之鉅嶽矣。此其芬翔閬苑。華茂藝壇。可得而紀者又一也。

綜觀先生之生平。襟靈夷雅。氣識沈和。性方德純。量閎學粹。勳猷懋乎三紀。廉慎備於一身。抑自白屋以致青雲。由基層以達特任。無不一空依傍。自樹風標。善葆歲寒。長樂天命。實古史所罕有。亦官場所稀聞。忠愛之忱。老而彌篤。抑謙之道。韜而益光。炎運方興。黃耇是賴。繼今而往。其為句曲之仙翁。隨園之詩老乎。序屆孟冬。誕逢大耋。威弧麗日。甲第增祥。靈襟偕碧澥以同清。綿算共蒼嵩而並壽。同人等早欽高躅。久揖德輝。踴躍之懷。寧有紀極。所望瀛海不波。岡陵如畫。車書混統。放歌帶礪之山河。聲采長垂。同耀升恆之日月。謹再拜手而為之頌曰：

洞庭浩浩。岳麓蒼蒼。魁奇間出。虎躍龍驤。
汜濩群類。霖雨萬方。斡旋天地。邦國聿昌。
矯矯先生。載毓珂鄉。祥鍾累葉。業紹青箱。
程寬鵬海。逸翮獨翔。臺陽卜宅。大啓榮光。其一

巍科早掇。桂林天枝。敭歷四院。勁挺殊姿。
勳華並懋。文墨兼資。翩翩元瑜。書記冠時。
龍劍出匣。棘院載馳。請獻囊智。卓著猷爲。
聖代無隱。英靈歸之。玉尺頻量。一代座師。其二

位望既隆。聖鐸宏振。精授蟫編。卅年一瞬。
多士潛移。青衿奮進。溫風廣拂。時雨長潤。
花筆眞傳。金針不吝。爲山積簣。功成九仞。

教澤均霑。膠庠髦俊。恂恂夫子。嗣徽楊震。其三
璿玉致美。鮫珠呈妍。揚風扢雅。爭著先鞭。
澧蘭沅芷。馨韻繞絃。騷壇祭酒。光溢臺員。
優游墨海。枕葄篆編。龍蛇霧露。飛吐華箋。
筆參造化。氣呑雲煙。百體書家。飲譽椿年。其四
玄天垂象。寰句清淳。應鍾協律。弧瑞薦臻。
枌榆溥愛。壺嶠牖民。香凝晚菊。操厲貞筠。
鶴立霞表。蕭灑出塵。卿雲南翔。紫氣含新。
雁峰人壽。瑤圃桃珍。商山四皓。齊拜仙眞。其五

（原載民國九十五年九月台北・中華學術院・詩學研究所《中華詩學雜誌》第九十三期）

中國文化大學表揚狀（二〇〇六）

本校理學院應用數學系教授曲俊銘博士世德貞純。姿表瑰傑。稟恆山之琰石。潤汾水之波瀾。資質穎秀。器識閎深。早歲卒業本校海洋學系。旋即飛渡西海。先後入美國楊百翰大學數學研究所、佛羅里達理工學院海洋研究所深造。殫精覃思。卓然有成。歸國後迭任母校地質學系主任、海洋學系主任、海洋研究所所長、學務長、教務長等職。都講論道。休休有容。妙誨解惑。亹亹不倦。舌耕之餘。獎掖寒微。陶甄多士。啓迪功宏。成材之眾。馳聲海表。綜其生平。誠以治學。孝以事親。恕以待人。嚴以律己。愷悌勞謙。髦齡無懈。隱然稱群倫之楷模。作士林之師表。遽聞溘逝。軫悼良深。應予頒狀表揚。用示本大學篤念耆宿。崇彰懋績之至意。

董事長　張鏡湖

校　長　李天任

中華民國九十五年七月十六日

（原載民國九十五年九月台北《中華詩學雜誌》第九十三期）

(四)文言文

大學聯考甘苦談(一九六〇)

幼時嘗聞長者談敍前清科舉時代，青年學子爲求功名，干利祿，罔不懸梁刺股，篝燈呵凍，殫精竭慮，十載寒窗，靡敢稍自荒怠之情景，輒深悚懼，幸而科舉制度已不復甦於今日也。馬齒漸增，見聞寖廣，始覺時下青年面臨更艱鉅之考驗，此即升學之競爭是也。良以國內高中畢業生，既無一技之長，復乏應世之方，其終南捷徑，厥惟乞靈於大學耳。故大學聯考實決定其一生之前途，所謂「金榜題名之日，即事業成功之始」之觀念，遂深植於每一高中畢業生之心靈中。由是爲學之勤奮，競爭之激烈，實亙古所未有，舉世所僅見，其視科舉時代固不遑多讓矣。

大學聯考制度自民國四十五年施行以還，凡四易寒暑，其利弊得失，見仁見智，迄無定論，余不擬妄加評述，而余嘗三會其盛則是事實，今始獲錄取台灣師大國文系。回首三年來焚膏繼晷，韋編三絕，廢寢忘食，孜孜矻矻之情狀，直能抗衡蘇秦，步武邱翁（據傳邱吉爾投考大學曾三歷滄桑），撫今思昔，驚喜交融，殆有不能已於言者。

余幼年求學於東台灣，四十四年春因太平艦建艦復仇運動而志願從軍，保送陸軍通信兵學校，結業後分派部隊服役。遂利用工作餘暇，賡續求進，迭隨部隊更調，先後就讀於開平、金門、東方等校夜間部。其間頻遇掣肘，經濟亦困，輟讀者屢，每思處境，輒意懶心灰，了無樂趣。及偶讀《曾文正公全集》有曰：「古人辦事掣肘之處，拂逆之道，世世有之，……吾正可借其拂逆以磨礪我之德性，其庶幾乎。」余心始愈堅，學亦益勤，卒於萬苦千辛之中勉強修畢高中學業。余初實未嘗有投考大學之念，更不知職業軍人亦可以提早退伍也，其讀高中之目的蓋在求知已耳。故迄高三下期（四十七年春）仍未作積極之準備，迨報名之日，承同志之敦促，何妨一試。是屆聯考不分組別，自揣文科固未精，數理更不逮，遑論題名，始憮然而有懼色。顧顏面攸關，不容迴避，遂草草應試焉。果然一戰即北，僅得二九四分，余不自量力，致有此敗，固其宜矣。

四十七年秋九月奉准退伍，還家暫憩，自忖在軍中幾近四載，所更非一，猶海燕飄萍，三移九往，補習既同形式，學基安敢云固。復以一介武夫，資稟魯鈍，似此菲才而欲與擁有雄厚實力之普通中學生角逐，寧非以卵擊石乎？吾其習商乎？深造乎？此孰吉孰凶，何去何從？午夜夢縈，輒深悵惘。自是思維錯綜，神志恍忽，每於風晨月夕，輒把卷瀏覽，或吟莎翁之詩章，神馳物外；玩曹氏之說部，情寄言中。或於涼軒燠館之間，楸枰對弈；淨几明窗之下，戲鬥方城。此中樂趣，自難罄述，早置聯考於九霄雲外矣。

一日無事，躑躅街頭，邂逅曩日業師，叩余之近況，知余任俠疏狂，放浪形骸，復有棄學就商之意，頗不謂然，婉言規勸，謂余僅及冠齡，前程未可限量，何汲汲於牟利乎！余乍聆清誨，猛然徹悟，午夜捫心，每多汗顏。自度根柢雖劣，要無大礙，亡羊補牢，豈能云晚。遂於客歲春杪，痛下決心，作捲土重來之謀。爰擇一吉日，剃髮入山，杜門謝客，舊帙重展，彌覺親切。居常奮勵，研揣礱砥，日就月將。衣甘縕枲，食多糠粃，曲肱而枕，習爲故常，與前番落魄之狀幾判若兩人矣。

光陰荏苒，苦讀寒窗，瞬經半載，自問尚多進步。考期迫近，即束裝前往應試，若胸有成竹然。第一節考國文，筆似生花，揮翰立就，意頗自愜。孰料考數學時，初入試場，即心驚膽寒，及審題目，幾將昏絕，竟無一能答者。余憂心如焚，無異熱鍋之蟻，倘得零分，其將奈何！聯考制度何害人之甚耶！且作困獸之鬥，信手塗鴉，終其場余固不知所塗之爲字爲鴉也。是夜返舍，痛不欲生，積年辛勤，毀於一旦。翌日尚有三科，本欲棄考，嗣經友人再四勸慰，明知無望，而草草入試，殊多勉強。試畢益覺落第在必，爰步稼軒韵作〈摸魚兒〉以抒懷。詞曰：

古瀛洲幾番風雨，韶光冉冉歸去。遊春長憶鶯花早，桃源住能得道。芳草地，悵眼滿萋萋，何處尋津渡。魚書雁語，那來此閒情，憑欄眺望，幻影憶飛絮。　題名事，定是孫山再誤，海天幾許愁緒。文通〈別賦〉依舊在，願了夙心傾訴。花自舞，人自立，繁華一瞥成焦土。落英無語，似一夢黃粱，寄身猶在，海角天涯處。

返家閒居，足不出戶，無顏見故舊，惟日日以淚洗面而已。放榜期近，愈侷促難安，因佯患胃疾，「養疴」山中，第覺滿目蕭然，惡夢頻侵。揭曉之日，蹊蹺偏生，俄見弟妹笑容滿面，持報告捷，謂余已錄取政大政治系，余固不信，而姓名赫然在目，若向余微笑狀。余尋思良久，以爲必係同姓同名者，了無喜色，依然縱情山水，竟日忘歸，每至途窮，輒慟哭而返。蓋自阮步兵死，空山無哭聲逾千年矣，余豈其繼之者耶。越數日，接獲政大入學通知書，始釋前疑，撥雲見青。頃刻間賀客盈門，蓬蓽生輝，握手言歡，喜形於色。（按吾鄉就讀國立大學者余爲第一人）回憶一月以來，心煩慮亂，輾轉反側之窘態，不禁啞然失笑。

在政大政治系就讀一年，浸淫於各國政治制度之中，醉心於管理衆人之事之學，期能他日獻身國家，克償經邦軌物，霖雨蒼生之宿願也。曾幾何時，余每覺興趣似尤近乎文學，且余賦性耿介，落拓不羈，實亦不宜研習政治之學。考慮再三，多方請教，因決意轉讀中文系。顧該校對於轉系限制綦嚴，余不敢孤注一擲，卒萌東山再起之念，今年暑期，重作馮婦，再習舊帙，遂於一月之間，將各書精讀一過，倉卒應試，竟如所願。

回溯三年來爲圖入大學之門而歷盡滄桑，其中苦辣酸甜胥已備嘗之矣。吾嘗以爲投考猶如操舟，不以波濤之險，里程之遠，而阻其前進之志，必能登彼岸矣。故磨瓦作鏡，蒸沙作飯，終無效果之可見也。曾文正公嘗謂：「何必擇時，何必擇地，在行軍，在休息，在廁所，皆可以爲學，但看其心之眞不眞耳。」吾其躬自體驗之矣。

（按本人於民國四十九年九月考入台灣師大國文系，旋即參加全體新生論文比賽，倖獲第一名。原文刊載於四十九年十月十日《師大青年》。）

詩歌與音樂（一九六〇）

詩歌之起，蓋與生民並興。〈擊壤〉之歌，作於堯世，〈南風〉之詩，起於虞廷。姒夏以降，咸設采詩之官，訪之民間，陳於天子，用觀風俗之厚薄，時政之得失，是詩之起源遠矣。〈詩序〉云：「詩者，志之所之也，在心爲志，發言爲詩，情動於中而形於言，言之不足，故嗟歎之，嗟歎之不足，故詠歌之，詠歌之不足，不知手之舞之，足之蹈之也。」《禮記・樂記》云：「詩言其志，歌詠其聲，舞動其容。」詳其所言，知詩樂舞三者同源。蓋詩係樂之精神，樂係詩之表現，不歌而頌之詩謂之賦，無詩之樂謂之音，孔子曰：「樂云，樂云，鐘鼓云乎哉。」言樂必須有詩意，非徒聽鐘鼓之鏗鏘已也。

《尚書・舜典》帝命夔典樂而告之曰：「詩言志，歌詠言，聲依永，律和聲，八音克諧，無相奪倫，神人以和。」是知樂乃志、言、詩、歌、聲、音六要素所構成。詩則因物興感，最能啓發同情，啓其共鳴，可導人之志，正人之心，言者無罪，聞者知勸，溫柔敦厚，是爲詩教。故曰：「詩可以興，可以觀，可以群，可以怨，邇之事父，遠之事君，多識鳥獸草木之名。」（《論語・陽貨》）讀詩精義盡於此矣。

樂之爲用，在能導人之情，移民之俗。〈樂記〉云：「人生而靜，天之性也，感於物而動，性之欲也，物至知知，然後好惡形焉，好惡無節於內，知誘於外，不能反躬，天理滅矣。夫物之感人無窮，而人之好惡無節，則是物至而人化物也。」人性之中，有理有欲，循理甚難，縱欲甚易，如節物欲，須先陶冶性情。故禮之本義是節制情感，樂之本義是調和情感，在「節制」與「調和」兩重作用之下，克臻情感與理智和諧之境界。詩與樂均含陶養性情之作用，不但言志，且可持志。故曰：「詩三百，一言以蔽之曰，思無邪。」（《論語．爲政》）言詩之作用在提高人類之理性，而免爲物欲所奴役也。

《周禮》春官宗伯之下有大司樂之職，教國子以樂德、樂語、樂舞，又有大師掌六德、六同，而教六詩，瞽矇諷誦詩（序官注云：「凡樂之歌，必使瞽矇爲焉，命其賢知者以爲大師，小師。」鄭司農曰：「無目眹謂之瞽，有目眹而無見謂之矇。」）。可見在周代，詩歌與音樂互爲表裏，未嘗須臾離也。《詩經》三百篇皆可被之管絃，此詩與樂合流之時期。周秦之際，王官不職，學在四夷，禮樂漸廢，諸子爭鳴，故孔子有「禮失求諸野」之歎。《漢書．藝文志》亦云：「春秋之後，周道寖衰，聘問歌詠，不行於列國，學詩之士，逸在布衣。」惟孔門弟子尙習禮樂，言偃以文學傳於荆楚，影響南方學者。屈原以蓋世之才，超人之智，受北方禮樂之陶溶，作〈離騷〉〈九歌〉〈九章〉，其體裁則類乎變風變雅，怨而不怒，哀而不傷，宜乎劉安贊之曰：「〈國風〉好色而不淫，〈小雅〉怨悱而不亂，若〈離騷〉者可謂兼之矣。」（《史記．屈原列傳》）〈離騷〉卒成爲詩賦之鼻祖。

炎漢之季，詩一變而爲賦，歌一變而爲樂府，自是詩與樂分袂。漢賦僅有文學價值，而不能入樂。樂府之興，蓋始於高祖三侯之章，惜中葉以後，詩之意義寖失。《漢書》云：「漢興，樂家有制氏，而雅樂聲律世世在大樂官，但能紀其鏗鏘鼓舞，而不能言其義。」可見當時樂官已不知詩，縱或知之，亦不能合樂。且五言詩已開始產生，如李陵與蘇武贈答，及〈古詩十九首〉之屬，其體多出於比興，其旨則歸於溫柔敦厚，可謂繼風騷之遺意，而另創一嶄新格調。顧五言詩不入樂府，僅供騷人發抒情感之用。詩賦與樂遂分鑣並驅，永不復合矣。

詩歌以語言文字表現節奏，而有別於一般語言文字者，在詩歌之特具有「音樂性」也。一般語言文字所發出的聲音，固亦具有長短、高低，而形成其抑揚頓挫之節奏，但絕不能稱其具有「音樂性」。詩歌與音樂固同源亦同體也，故詩歌必須有「音步」或「頓」，以與音樂之「板眼」或「拍子」相配合。亦須有「韻」，以適應音樂的每一段落之同音相呼應。詩歌所以異於說話者以此；詩歌所以異於散文者亦以此也。

詩歌與音樂之良竄，足以表現民族盛衰與國家興替，故孔子之刪詩也，取其可施禮義教化者，其有乖溫柔敦厚之旨者不與焉。昔人謂「亡國之音哀以思」，殷紂使師延作靡靡之樂，而國以亡，故〈樂記〉云：「桑間濮上之音，亡國之音也。」齊將亡而有〈伴侶曲〉，陳將亡而有〈玉樹後庭花〉，杜牧詩云：「煙籠寒水月籠沙，夜泊秦淮近酒家。商女不知亡國恨，隔江猶唱〈後庭花〉。」是皆足以垂鑑者。今值國難方殷之頃，民瘼待紓之秋，人心之振靡，國家之安危繫焉。

尤應培養民族正氣，鼓舞戰鬭精神，以發揚蹈厲之氣概，篤實光明之作風，注入詩歌與音樂，用杜淫靡之頹風，此誠今日不容稍緩之要圖也。

（原載民國四十九年十一月台師大《崑崙雜誌》）

交友論（一九六〇）

自古成大功立大業者，未有不資於益友者也。是以管仲得知於鮑叔，乃能成其王霸之功；貢禹彈冠於王陽，然後遂其軒冕之願。孔子曰：「益者三友：友直、友諒、友多聞，益矣。損者三友：友便辟、友善柔、友便佞，損矣。」蓋直者能正言極諫，諒者能忠信不欺，多聞者能開拓胸襟，苟能友此三者，皆有益也。然而便辟則足恭，善柔則令色，便佞則巧言，人而友此三者，皆有損也。語云：「與善人交，如入芝蘭之室，久而不聞其香；與惡人交，如入鮑魚之肆，久而不聞其臭。」又云：「染於蒼則蒼，染於黃則黃。」是人之交友不能不愼，良莠不能雜居也明矣。

使吾人日日周旋於宵小之間，耳之所聞，皆放辟邪侈之言；目之所見，皆殺人越貨之行，則濡染既深，本性汩沒，積愆叢慝，其不遭縲絏之殃者，未之有也。所謂其父攘雞，其子必且行竊，其此之謂乎。反之，如與君子居，昕夕所聞，皆聖賢之道，所行皆揖讓之儀，則積歲累日，不自覺其移氣移體矣。迨夫天爵既修，達則可以經邦軌物，霖雨蒼生，孟子所謂兼善天下是也；而窮亦不失為一鄉一邑之賢良，孟子所謂獨善其身是也。

夫薰蕕不同器，清濁各異流，善惡兩塗，判然涇渭，損益當前，胥視乎人之自擇耳。

（原載民國四十九年十二月台師大《火炬雜誌》）

金門瑣憶（一九六一）

金門舊稱浯州，隸轄於閩，與大陸僅一衣帶水之隔。本島合列嶼諸島面積約二百餘平方公里。夏季乾熱，冬日酷寒，沙漠綿亙，童山濯濯，怪石嶙峋，了無綠意，無殊海外之漠北。居民四萬餘人，因囿於地理環境，多賴出海捕魚、植高粱大麥為生，而泰半或經商於閩粵，或貨殖於南洋。俗厚民淳，明動晦休，漁歌互答，雞犬相聞，自得桃源之樂，雖懷葛之民亦難望其項背也。余於丁酉春杪駐戍於斯，兵馬倥傯之餘，輒交其賢豪長者，或傾聽軼聞，或擊缽酬唱。涼軒煎茶之頃，燠館載酒之際，罔弗娓娓暢談。故對其自然興革之原，先民活動之跡，乃能略有所窺。夫金門固海上之荒島耳，自鄭延平率八閩子弟渡海抗清以降，移民絡繹不絕。其先祖胼手胝足，披草斬荊，丕基遂奠。子孫克紹箕裘，變本加厲，踵事增華，迄茲靡替。而斯文之興，風雅之倡，固無遜於關內，中華文化之未嘗絕響於海外者，於此殆可知其梗概矣。

軍民一體

民國卅八年天綱解紐，神州變色，我政府拓業瀛台，遂以金門爲復國之前哨。數年來軍民同舟，和衷共濟，鮮有芥蒂，古寧頭大捷即其例也。自茲風氣丕變，隔閡益消，每屆農忙之際，三軍率助民耘植，無間親疏；節慶之臨，居民亦相邀還家，靡論卑崇。抑有進者，當地閨秀名媛多以匹配軍人爲榮，由是花前月下，海誓山盟之韻事豔聞，遂乃層出其間。槍林彈雨之區，烽火瀰漫之地，憑添許多羅曼蒂克情調。對民族之融洽，裨益甚大；於士氣之激勵，收效尤宏。無何當局鑒於新娘外溢之「危機」日甚，今已嚴禁軍民聯婚矣。

太武三景

太武山偏在北隅，海拔五百公尺，爲本島第一高峰。崔巍崢嶸，形勢獨勝。其陽有海印巖寺，觀音佛享祀其中，木魚之聲隱約可聞。其陰則忠烈祠，祠前爲國軍陣亡將士紀念碑，烈士靈骨安放於此。叢林蓊鬱，枝葉扶疏，搖颺葳蕤，長伴英魂。每當晨霧初開，暮靄未收，曉嵐夕照，氣象萬千。中外佳賓前來訪問者，罔弗登臨，憑弔忠魂，一睹烈士遺容也。山巔爲中興亭，其旁有

「毋忘在莒」石碑屹立其上，頗爲壯觀，蓋示雪恥復國之意。余每佇立碑前，輒踟躕沈思，低徊竟日，痛紅羊之浩劫，望青山如一髮，不禁悲淚盈眶。

金門中學

金門中學爲戰地最高學府，係前任司令官胡伯玉（璉）將軍所創建。初設於城內，會九三砲戰興，共軍魯莽滅裂，盲目射殺，該校教師羅莎、劉照、孫效中同時罹難。黌宮爲墟，校舍盡毀，遂遷往陳坑村。學生一千餘人，皆淳厚篤實，頗知自愛，琅琅絃歌，乃得不輟於戰地；禮教文化，卒克延續於荒陬，亦云幸矣。余嘗就讀該校，每日翻山越嶺，徒步上學，受課半日，僕僕風塵，幾近二載，獲益良多，及今思之，令人回味無窮。

八二三之役

四十七年八月廿三日共軍重施故技，猛擊金門，三日之內落彈四十餘萬發，死傷之慘，實亙古所未有，舉世所僅見。而我英勇將士敵愾同仇，浴血奮戰，卒能阻遏其攻勢，瓦解其陰謀，使我國土未損毫末者，厥功偉矣。我副司令官吉星文、章傑、趙家驤三將軍竟不幸殉難。他若就地陣亡或埋骨沙場之忠義事蹟，不一而書，皆我民族衛國之精英，亦即宇宙間彌天之正氣，所謂地維賴以立，天柱賴以尊也。

余駐金幾近二載，雖歷經大小戰役，而能全身而退者，豈非徼天之大幸歟。如今戎衣既解，還我初服，猶得以廁身上庠，迴翔黌舍，與諸君子筆硯相親，角戰文場者，又豈非皇天之獨厚於我歟。臨茲艱屯之會，媿乏尺寸之效，瞻來軫之方遒，益中心之兢兢，回首前塵，感慨係之矣。

（原載台灣師大《崑崙》五卷一期．民國五十年元月特刊）

鯉魚潭記遊（一九六一）

今歲寒食，余蟄居瀛東，痛禹甸之沈淪，悵孤蹤之靡託。益以細雨霏霏，連日不開，滿目蕭然，意頗不愜。稍霽，信步窮郊，踽踽獨行，極目四望，第見春光漸透，春意盎然，春風輕拂，春景凝眸。花濺美人之淚，枳堅節士之心，鬱陶之思，於以稍遣。正漫步間，邂逅年友李逸冰、孫仲筠二兄，班荊班草，傾蓋傾談，情踰桃園三義，何慚竹林七賢。僉議踵康樂之跡，效智者之樂，於是而有鯉魚潭之遊。

車抵壽豐，徒步而行，不循溪徑，跋涉其中。時雨意未已，天沈如蓋，溼雲低飛，翠竹夾岸，落英繽紛。俄見杜鵑紅櫻，爭奇鬥妍，如火如荼，似展錦屏，依稀是東台景色。熟一斗米頃，抵達潭畔，下榻旅邸，即泛舟潭上。

鯉魚潭四周，高山峻嶺，重巖疊嶂，潭濱林木蓊鬱，蒼翠欲滴，其形如鯉，故以名焉。潭水湛碧，瑩潔如鏡，山影映潭，波光映帶生色。每當晨霧初開，暮靄未收，曉嵐夕照，氣象萬千。晴日，漣漪耀金，燦爛奪目；入夜，皓月既升，靜影沈璧，放舟中流，如坐天上。杜甫〈小寒食舟中作詩〉：「春水船如天上坐，老年花似霧中看。」同是寒食佳節，同是泛舟水中，而心境判然有別，可勝慨哉。

已而陣雨驟降，如萬馬奔騰，山色空濛，半埋雲霧，遂返棹小憩。午霽，遊東淨寺，拾級而上，遠挹山色，近覽湖光，空碧無盡。仲鈞籍隸儀徵，風流倜儻，意氣騰驤，洵一翩翩濁世佳公子也，而工愁能賦，不讓仲宣，觸景情生，鄉思縷縷，因脫口吟荆公詩曰：「春風又綠江南岸，明月何時照我還。」逸冰錢塘人，萍梗之身，自亦同感，吟曼殊詩曰：「風雨樓頭尺八簫，何時歸看浙江潮。」相對作新亭之泣。余素木訥，無言相慰，姑賦七絕一首，聊以寫憂。詩云：

醉月吟風漫自娛，偶然詩酒戲江湖。
禪房一枕黃粱夢，領悟人生萬事虛。

是夕寓寺中，置酒暢飲，繼以楸枰之局，山館延春，危樓聽雨，此中樂趣，雖懷葛之民不能加也。

（原載民國五十年三月台灣師大《僑聲雜誌》）

孟子之政治思想（一九六一）

自客春中華民國孔孟學會成立，中央政府頒布訓詞，明確指示孔孟學說係中國文化之精髓，是與中共鬪爭之有力武器，並詳告如何研讀應用之方法。大哉斯言，誠今日反共復國之首務也，於是儒生老宿，額手相慶。而或者疑其有妨於民主科學，或又以為其文字佶屈聱牙，讀之至難。夫余固以為今之至要，而未嘗不知其難也。是以不揣庸愚，冒張衡之見嗤，笑魏收之藏拙，爰就曩寢饋所得，於《孟子》書中有關政治思想部分，燃脂闢辭，以明孟子思想之一斑，亦古人食芹而美，敢告同志之義，幸勿目為老生常譚，以為河漢而無極也。

儒家之學術思想，其根本始終一貫，惟自孔子以後二百餘年之發揮光大，自宜應時代之要求，為分化之發展。洎乎戰國之季，則有孟子荀卿兩大家，皆承孔子之遺緒。顧孟荀雖同為儒學大師，而其學術思想殊相背謬。蓋荀子主性惡，法後王，尊君抑民，不惟為李斯等干祿之具，亦且大為專制君權張目。而孟子則具泰山巖巖氣象，道性善，稱堯舜，輕君重民，以堯舜天下為公之心，行禹稷己飢己溺之志，明王霸之別，嚴義利之辨，重自我之發展，以天下為己任，實與堯舜禹湯文武周公孔子之思想訢合無間，息息相通。故韓文公〈讀荀子〉云：「始吾讀孟軻書，然後知孔子之道尊，聖人之道易行，王易王，霸易霸也。以爲孔子之徒沒，尊聖人者，孟子而已。晚得揚雄書，益尊信孟氏，因雄書而孟氏益尊。孟子醇乎醇者也，荀與揚大醇而小疵。」《史記・孟荀列傳》亦云：「天下方務於合從連衡，以攻伐爲賢，而孟軻乃述唐虞三代之德，是以所如者不合，退而與萬章之徒序詩書，述仲尼之意，作《孟子》七篇。」推崇孟子，可謂至矣。

孟子生當戰國擾攘之世，當時諸侯，外則以攻伐爲賢，兵連禍結，內則盤遊怠傲，暴斂虐民，於是社會凋敝，民生疾苦，孟子目擊心傷，對於暴虐政權深惡痛恨，其言曰：「我能爲君約與國，戰必克，今之所謂良臣，古之所謂民賊也。君不鄉道，不志於仁，而求爲之強戰，是輔桀也。」故其民主思想比孔子更加發達。孟子不但主張人民在國內有重要地位，抑且主張君臣之間，更應互相尊重，盡忠盡禮，不可怠忽。故曰：「君之視臣如手足，則臣視君如腹心；君之視臣如犬馬，則臣視君如國人；君之視臣如土芥，則臣視君如寇讎。」（《孟子・離婁》）反應分明，不容一人橫行於天下，君民之間，要尊重民意，所欲與之聚之，所惡勿施，故曰：「民爲貴，社稷次之，君爲輕。」（《孟子・盡心》）以諸侯危害國家，可以廢置諸侯；水旱危害國家，可以廢置社稷。惟衆怒難犯，民意不可違反，故曰「民爲貴」。

此外，孟子更強調天下不能以武力取得，亦不能由天子私相授受，而是由「天與之」。然則天如何將天下與人，孟子主張應由人民之意志來決定，其言曰：「得乎丘民而爲天子。」此與美國政治學者洛克（J. Locke）所主張政府要得到被治者之同意，其意義如出一轍。天下既須獲得人民之擁戴，則失去人民擁戴者，即不足以爲人君，亦即喪失天下矣。故孟子曰：「三代之得天下也以仁，其失天下也以不仁，國之所以興廢存亡者亦然。天子不仁，不保四海；諸侯不仁，不保社稷。」（《孟子・離婁》）孟子既然痛恨暴君，亦自然堅持人民有革命之權利。齊宣王問孟子湯放桀，武王伐紂，等於臣弒其君，可乎。孟子對曰：「賊仁者謂之賊，賊義者謂之殘，殘賊之人，謂之一夫。聞誅一夫紂矣，未聞弒君也。」（《孟子・梁惠王》）此尤見孟子政治思想之急進，是明揭暴君可殺之義也。

是故孟子雖然生在古代，主張君主制度，但絕不贊成無限制的君權，亦不贊成人民要無條件的服從君主，此種民主思想，實與近代民主精神若合符節，故孟子書乃爲歷代帝王所不喜。《明史》卷一三九〈錢唐傳〉記明太祖讀《孟子》至「土芥」「寇讎」語，大恚，以爲非臣子所宜言，詔罷其聖廟配享，諫者以「大不敬」論。後雖恢復孟子配享，仍命儒臣修改《孟子》文字。足見孟子之政治思想，對後世影響之大。吾人處今日民主與極權搏鬪之驚濤駭浪中，欲摧毀侵略集團，維護民主政體，求世界之永久和平，躋斯民於袵席之上，捨發揚孟子之政治思想，其道莫由也。

（原載民國五十年六月台灣師大《人文學報》）

晏殊《珠玉詞》讀後抒感（一九六一）

人屆中年，每每傷於哀樂，初不論其事業之顯赫與否也。雖然西諺有『人生四十開始』之語，時賢亦鼓『人生七十開始』之說，究屬曠達者之自解，於常人無與也。良以人生在世，不過短短數十寒暑，神仙羽化之事，既渺不可期，而生命復如此短促，惟有及時行樂，庶不辜負此生。北宋詞人晏同叔，以寒儒而躋宰輔之尊，鐘鳴鼎食，歷盡榮華，依常理度之，則身處渠渠華屋，僕婢如雲，將舞手蹈足之不暇，應無傷感可言。然觀其所爲詞，逐事皆抱悲觀，無句不帶傷感，似天地間無一足供其悅目娛心者。其對人生之看法則『長於春夢幾多時，散似秋雲無覓處。』懷念平生益友則『當時共我賞花人，點檢如今無一半。』故惟有狂歡縱樂，以遣其餘生。『勸君莫作獨醒人，爛醉花間應有數。』（以上並見〈玉樓春〉）尤充滿頹廢思想。其實此種消極情調，正濬源於李白詩文中之『人生得意須盡歡，莫使金樽空對月。』（〈將進酒〉）與『浮生若夢，爲歡幾何，古人秉燭夜遊，良有以也。』（〈春夜宴從弟桃李園序〉）詩人詞客雖處境不同，寄情各別，所以興感，其致一也。

（原載民國五十年十二月台北《中華詩苑》一四六期）

孔門論教育（一九六二）

孔子爲我國曠代之聖人，亦爲我國文化之中心。易辭言之，無孔子則無中國文化，自孔子以前數千年之文化，賴孔子而傳；自孔子以後數千年之文化，賴孔子而開。即使自今以後，我國國民漸染於世界各國之新文化，然過去時代之與孔子之關繫，要爲歷史上不可磨滅之事實。（參見柳詒徵《中國文化史》）古語曰：「天不生仲尼，萬古如長夜。」。章太炎氏亦曰：「孔子於中國爲保民開化之宗」，誠談言之微中矣。

自春秋以迄戰國，諸子百家紛紛以其學鳴，尤其老子與孔子同時，又同爲中國之大哲，而其影響於全國國民，則老猶遠遜於孔，其他命世諸子更不可以並論者何也。彼其於我國古代列聖相傳之大經大法，修己治人之方，身心性命之理，稽之六藝經傳，所得固獨爲純備矣。而杏壇施教，化格衆生，則尤爲並世諸子所難企其萬一者。

孔子之道，其大無外，其小無內，區區千言，又烏足以闡述其顚末耶。無已，特姑就教育一項，辭而闢之，嘗鼎一臠，當可涵蓋其餘也。

孔子叡聖明哲，天縱多能，原欲展其抱負，得君行道，以償其經邦軌物，霖雨蒼生之宿願，是以栖栖皇皇，遍干諸侯，而道終不能行。晚年仍絕意仕進，盡瘁於教育事業，於是祖述堯舜，憲章文武，刪詩書，訂禮樂，贊《周易》，作《春秋》，以教後世。（見《史記．孔子世家》）《淮南子》云：「孔子修成康之道，述周公之訓。」而孔子則自謂「述而不作，信而好古。」可見孔子之學說，是過去思想文化之綜合，並以六藝教授門人，開我國私人講學之風，受業而悟道者七十二賢，雖大盜如顏濁聚者，亦薰化而成善良。其有教無類，主張教育機會均等，誠爲平民教育之大宗師。從此學制革新，私人得以設教，布衣得以讀書，祿位既不足以動人，而以學術相競尚，遂造成戰國諸子百家騰踔之黃金時代，其所以被譽爲「萬世師表」者，豈無因而然哉。

孔子之教學方法，往往以學生爲主，而自退居於輔導地位，此即所謂「輔導式」與「啓發式」之教育法，原非今人所以認爲此種輔導與啓發教育爲西方所獨有，此不過一小撮崇外媚外者，甚至月亮亦以外國圓之人所唱的獨腳戲，斷非吾國有識之士所能苟同也。今之所謂個性教育，實早在二千餘年前便爲孔子所採行之具體教學法，根據人性三品之說所創的因材施教之教育法。故《禮記．學記》云：「善歌者使人繼其聲，善教者使人繼其志，其言也，約而達，微而臧，罕譬而喻，可謂繼志矣。」又云：「學者有四失，教者必知之，人之學也，或失則多，或失則寡，或失則易，或失則止。此四者，心之莫同也，知其心，然後能救其失也，教也者，長善而救其失也。」又云：「善學者，師逸而功倍，又從而庸之。不善學者，師勤而功半，又從而怨之。」故孔子解答弟子或其他問學於其門之人，往往考慮到問者之悟性、理解力、個性與環境之差別，用各種不同之方法與譬喻，來解釋或答覆問之者所問同一的問題，其答案遂因人而異焉。由此可見孔子教育方法之第一特點為注重啓發。如《論語・述而篇》云：「不憤不啓，不悱不發，舉一隅不以三隅反，則不復也。」又如〈子罕篇〉云：「吾有知乎哉，無知也，有鄙夫問於我，空空如也，我叩其兩端而竭焉。」「叩其兩端而竭焉」，即反詰正反兩方而窮追之，使其自行發現錯誤與眞理，是最適合之啓發教學也。

第二特點為注重個性。注重個性者，謂能適應個別之需要，而予以特殊之指導也。〈為政篇〉載稱：孟懿子問孝，子曰「無違」。孟武伯問孝，子曰「父母唯其疾之憂。」子游問孝，子曰「今之孝者，是謂能養，至於犬馬，皆能有養，不敬，何以別乎。」子夏問孝，子曰「色難」。同是問孝，而孔子之答，各有不同。又〈顏淵篇〉載稱：司馬牛問仁，子曰「仁者其言也訒」。顏淵問仁，子曰「克己復禮為仁」。仲弓問仁，子曰「出門如見大賓，使民如臨大祭，己所不欲，勿施於人，在邦無怨，在家無怨。」樊遲問仁，子曰「愛人」。同是問仁，而孔子之所答亦復各異。蓋其所答係適應個別之需要，長善而救其失也。關於此點，孔子對公西華曾有說明，公西華因子路問「聞斯行諸」，孔子答以「有父兄在，如之何聞斯行之。」冉有問「聞斯行諸」，孔子答以「聞斯行之。」故疑而請問，孔子告之曰「求也退，故進之，由也兼人，故退之。」是明示適應個性之理也。

第三特點為人格感化。孔子為偉大之教育家，一動一止，胥可為法，從之遊者，受其偉大人格之感召，而潛移默化。顏淵贊之曰：「夫子循循然善誘人，博我以文，約我以禮，欲罷不能，既竭吾才，如有所立，卓爾，雖欲從之，末由也已。」（《論語．子罕》）將孔子引人入勝之教學法，描寫盡致。子貢曰：「見其禮而知其政，聞其樂而知其德，由百世之後，等百世之王，莫之能違也。自生民以來，未有夫子也。」有若曰：「豈惟民哉，麒麟之於走獸，鳳凰之於飛鳥，太山之於丘垤，河海之於行潦，類也。聖人之於民，亦類也。出乎其類，拔乎其萃，自生民以來，未有盛於孔子也。」（《孟子．公孫丑》）此皆學生景慕其人格之偉大，有感而言也。

（原載民國五十一年四月台灣師大《僑聲》三卷十二期）

論儒家之仁與孝（一九六三）

自前歲孔孟學會成立，政府明白指示孔孟學說係中國文化之精髓，是對中共鬪爭之有利武器。並期望以科學的整理，作國粹之闡發，而居之不倦，行之以忠，宏道在人，成教於國。大哉言乎，誠今日反共復國資循之矩範也。爰就平日寢饋之一得，貢其愚夫之千慮，略綴數語，以彰顯聖人施教之苦心。

中國文化倫理，一面建極於仁，儒家之學，歸於為仁。仁者，衆德之統會，人物之生機，亦即人之所以為人之道也，梁啓超謂儒家言政，皆植本於仁。（見《先秦政治思想史》）誠為的論。孔子自稱述而不作，但其訂定六經，不止於傳先人之舊，其取舍之間，闡釋之處，充分表現其理想。又嘗謂志在《春秋》，行在《孝經》。《春秋》所以立君臣父子之法，《孝經》所以明君臣父子之行。要而言之，無不以仁為旨歸。顧仁之含義頗為複雜，如《論語》五百餘章，言仁者不下五之一。孔子所謂仁，乃推自愛之心以愛人之謂。當時弟子問仁、問知、問孝、問政，孔子以學生個性不同，答辭各異。樊遲問仁，子曰「愛人」。仲弓問仁，子曰：「己所不欲，勿施於人。」子貢問仁，子曰：「夫仁者，己欲立而立人，己欲達而達人，能近取譬，可謂仁之方也已。」顏淵問仁，子曰：「克己復禮為仁。」因學者環境不同，故說仁之方，雖稍有差異，然能啓發人與人間之同情心與親愛力，則前後一致。

至於教人為仁方法，其數則始於在家之孝弟，終於博施濟衆，天下歸仁。亦即由一家發揮仁愛之性，而發揮舉國仁愛之性。〈大學〉所謂身修而後家齊，家齊而後國治，國治而後天下平者，正足以說明仁心仁行發展擴充之程序。故就修養言，仁為私人道德；就實踐言，仁又為社會倫理與政治原則。孔子言仁，實已冶道德人倫政治於一爐，齊人己家國於一致，物我有遠近先後之分，無內外輕重之別。再由發揮一國仁愛之性，以發揮天下仁愛之性。其施之行事，〈中庸〉則云：「送往迎來，嘉善而矜不能，所以柔遠人也。繼絕世，舉廢國，治亂持危，朝聘以時，厚往而薄來，所以懷諸侯也。」又云：「柔遠人則四方歸之，懷諸侯則天下畏之。」是孔子仁學之特色，是在積極的兼善天下，而非消極的獨善其身。天下不止一人，故仁從二人（見《說文》）。便是爲以仁實踐大道之行、天下爲公最高理想之開端。可知其學說思想，對我中華民族精神道德影響之深而且鉅。此種仁心高度之發揮，皆本於天地好生之德，泯除暴慢乖戾之氣，斯爲人類理性發達之極致，以視今日共產帝國主義之侵略世界，自有霄壤之別也。

中國文化倫理，除建極於仁外，更建極於孝。孝蓋啓於虞舜之順事其親，友于兄弟，故曰「舜其大孝也與。」堯授以天下在此，歷禹湯文武周公，至孔子而底於大成。孝之本義，自其小者言之，爲孝順父母，友于兄弟。但自其大者言之，宜廣此心以敦睦親族，博愛人類，所謂「老吾老以及人之老，幼吾幼以及人之幼」，庶幾近之。孔子去魯之後，周遊列國，深感治國化民之道，癥結所在，非從教育入手不可，故設杏壇於洙泗之濱，以德行、文學、政事、言語四科教育及門，並以孝爲教學之總綱，使其善從老人之心，勿墜緒統，立國之根基，要皆以此爲矩矱。讀《孝經・開宗明義》孔子對曾子曰：「夫孝，德之本也，教之所由生也。」又曰：「身體髮膚，受之父母，不敢毀傷，孝之始也。立身行道，揚名於後世，以顯父母，孝之終也。」是明示口體之養，世俗之譽，非所以盡孝。男兒惟以身許國，揚名於後世，乃爲無忝所生。孔子之言孝，天子有天子之孝，其在《孝經・天子章》而曰：「愛親者不敢惡於人，敬親者不敢慢於人，愛敬盡於事親，而德教加於百姓，刑於四海，此天子之孝也。」至諸侯卿大夫士庶人等亦各有孝（文長不具引）。

故曰：「自天子至於庶人，孝無終始，而患不及者，未之有也。」

儒家施教程序，注重擴充，自堯命契為司徒，確定五倫為教育宗旨後，孔子以五倫之教要先從孝弟做起，然後逐漸擴充，至於社會國家，彌漫天地之間。故曰：「夫孝，始於事親，中於事君，終於立身。」此則儒家倫理哲學之精義也。古今哲人洞明百行孝為先之眞理，故論修己治人之方，無不以為孝為樞機。而涵養德行，推行政治，亦無不以孝為利器。中山先生嘗謂現在世界上最文明的國家，講到孝字，還沒有像我國講得這麼完全。（見《民族主義》第六講）可謂知言。際今中共正大力推行人民公社，倫理綱常，蕩棄殆盡，幾已重返原始世界。吾人如欲摧毀極權統治，安定社會，復人倫，明綱紀，捨發揚儒家之倫理哲學，其道莫由也。

（原載民國五十二年九月台灣師大《人文學報》）

《周易鄭氏學》序（代臺灣師大國研所林尹所長撰）（一九六九）

民國四十六年元月，台灣師範大學國文研究所奉命招收博士班研究生，十二年來，子衿成業，燦乎彬彬，迄至今日，經教育部博士學位評定委員會口試通過者，凡有七人：曰羅生錦堂、曰賴生炎元、曰王生忠林、曰李生雲光、曰胡生自逢、曰周生何、曰陳生新雄。自逢於此諸生中，則又致力彌專，問年最高者，其博士論文爲《周易鄭氏學》，蓋能抉鄭氏《易》學之幽微者也。

胡生論文之指導者，爲高君仲華、程君旨雲與余三人。五十五年八月十五日，教育部舉行博士學位評定考試，所聘委員爲陳大齊、吳康、林尹、高明、陳槃、陳泮藻、廖維藩等。由陳委員大齊主試，獲得全票通過，爲吾國第五位國家文學博士。

今者自逢已應聘爲高雄師範大學國文系主任，而嘉新水泥公司獎學金委員會又爲刊其論文，公之於世，自逢請言於余，因略述其概云。

《國文研究所集刊》弁言

代臺灣師大國文研究所林尹所長撰（一九七〇）

本所自民國四十五年成立以來，每年均選錄研究生所作論文，以爲《集刊》，就正於世，日月易邁，至今已十有五載矣。從遊諸生皆能黽勉向學，潛心撰述，故前此各期，頗爲學林所重，諸教授訓迪裁成之功尤不可沒也。

清儒唐鑑、戴震、姚鼐曾先後倡言義理、考據、詞章三者並重，不可偏廢，其說甚精，本所一貫教學方針亦不外是。本期所輯之碩士論文計有六篇：曾生昭旭之《俞曲園學記》，張生素貞之《韓非子思想體系》，皆義理之學也；翁生文宏之《梁顧野王玉篇聲類考》，王生永誠之《南齊書本紀校注》，皆考據之學也；陳生宗賢之《李太白詩述評》，尤生信雄之《清代同光詩派研究》，皆詞章之學也。夫義理所以求通貫，考據所以求本原，詞章所以求載道，三者備矣，然後可以致廣大，盡精微，極高明，道中庸，而日進於學問之域。茲就諸生所作，略述其梗概，以告讀者。

崑山顧氏有言，讀書必先識字，識字云者，精通文字之謂也。夫文字之學，蓋以聲韻爲本，能明聲韻以貫通文字，則假借之理得，轉注之道通，而訓詁之用宏矣。故聲韻者，讀書之津逮，治學之梯深也。自許愼《說文》問世以還，五百年間，繼美無人，文字之學闇然而不彰，至梁顧野王始著《玉篇》，以疏隸變之流，於音韻訓詁所繫甚重。惟是書經梁之蕭愷、唐之孫強、宋之陳彭年屢加增改，世所傳本，已非顧氏原貌。清黎庶昌出使日本，得唐寫本四卷，注文甚詳，未經增刪，刻入《古逸叢書》中，惜非完帙。翁生文宏所撰之《玉篇聲類考》，即彙集諸家之書，加以比勘校正，南朝以後聲紐演變之軌跡乃釐然可尋。

在二十四史中，以南北八書譌奪最甚，其中又以《南齊書》爲尤甚。王生永誠秉其師說，廣採諸家善本，反覆校勘，審愼考訂，並爲之注釋，茲先成〈本紀〉八篇，以作畢業論文。余則深望永誠之能賈其餘勇，竟其全功也。

韓非者，曠代之思想家也，平生喜刑名法術之學，而歸本於黃老，著書五十五篇，集先秦法家思想之大成，爲吾國古代法政學名著。惟自漢武帝罷黜百家、獨尊儒術以來，其人其書遂見輕於世，直至清王先謙始有《集解》行世。今人頗有以哲學、法理學研治之者，然或條目欠精，綱領未備，於《韓子》思想體系之全貌則未之見也。張生之作，即緣是而發者。

清代中葉，儒者輩出，其綆汲千載，皋牢百家，著述之富，與山海爭宏，斧藻之華，共星雲併采者，殆非德清俞樾莫屬。惟其《春在堂叢書》卷帙浩繁，奧義環深，後進英髦，每有望洋向若之歎。曾生昭旭篤好其說，於《群經平議》、《諸子平議》、《古書疑義舉例》諸書，尤所心醉，故撰《俞曲園學記》一編以窺其奧，雖義未全愜，而仰屋功深，張皇絕學，亦有足多者。

李唐一代，吟詠大盛，李白杜甫，聯鑣並馳，扇風流於開元天寶之際，世有詩界仙聖之目。然千載以下，崇杜者衆，而宗李者寡，故注杜詩者無慮百家，而注李詩者不過數家而已。陳生宗賢夙耽詩藝，瓣香太白，靡間宵晨，因廣羅舊聞，而成斯編，其所評述，雖未極精當，而探賾索隱，揚芳發藻，亦有可觀者焉。

清代之詩，宗風各異，派別滋繁，其能遠祧三唐，上摩西江，足以光美國朝，自成馨逸者，要非同光一派莫屬。惟此派詩之源流、風格，與夫詩人之主張，創作之旨趣，則鮮爲人知，爲憾實甚。當此新潮陵蕩、文苑塵霾之秋，尤生此作，於詩道復興之助，誠非淺尠。

右述六篇，除翁生之作爲余所指導者外，王生之作乃魯實先教授所指導，張生之作乃李曰剛教授所指導，曾生之作乃高明教授所指導，陳生之作乃熊公哲教授所指導，尤生之作則李漁叔教授所指導，謹附誌以謝。

簡介枚皋（一九七〇）

枚皋字少孺，西漢淮陰人，枚乘庶子。生於景帝四年（西元前一五三年），卒年不詳。年十七，上書梁恭王（孝王子），得召爲郎，三年，與冗從爭，見讒毁，遇罪，亡至長安，會赦。上書北闕，自陳枚乘之子，武帝得之大喜，詔使賦平樂館，善之，拜爲郎。惟不通經術，詼諧類俳優，爲賦頌，好嫚戲，以故得媟黷貴幸，時以比東方朔。《文心雕龍・諧隱篇》云：「東方、枚皋餔糟啜醨，無所匡正，而詆嫚媟弄，故其自稱爲賦，迺亦俳也，見視如倡，亦有悔矣。」惟《漢書》本傳稱：「衞皇后立，皋奏賦以戒終，皋爲賦善於朔也。」何焯《義門讀書記》釋之曰：「奏賦戒終，有詩人之則，非徒俳倡嫚戲也，故云善於朔。」

皋爲文疾速，受詔輒成，故作品甚豐。《漢書・藝文志》著錄其賦百二十篇，而今不可見。《西京雜記》云：「枚皋文章敏疾，長卿制作淹遲，皆盡一時之譽。而長卿首尾溫麗，枚皋時有累句，故知疾行無善跡矣。揚子雲曰：「軍旅之際，戎馬之間，飛書馳檄用枚皋。廊廟之下，朝廷之中，高文典册用相如。」識者以爲篤論。

（收入中國文化大學《中華百科全書》）

簡介成公綏（一九七〇）

成公綏字子安，晉東郡白馬（今河南滑縣）人。生於魏明帝太和五年（西元二三一年），卒於晉武帝泰始九年（西元二七三年），年四十三。

綏幼而聰敏，博涉經傳，尤工俳賦，所作多壯麗拔俗。性寡欲，閒默自守，不求聞達，家貧歲飢，常晏然自得。時有孝烏，每集其廬舍，綏謂有反哺之德，以爲祥禽，乃作賦美之。又雅好音律，嘗當暑承風而嘯，泠然成曲，因爲〈嘯賦〉，詳觀其文，洵足與嵇康之〈琴賦〉，潘岳之〈笙賦〉，稱異曲而同工焉。蕭氏《文選》，別立「音樂」一門，而附是篇於嵇琴潘笙之後，良有以也。

至其文學理論，則可於〈天地賦序〉中見之，其言曰：「賦者貴能分賦物理，敷演無方，天地之盛，可以致思矣。」按「分賦物理，敷演無方」二語，言賦家貴能精析物理，察人之未曾察，曲達物狀，言人之未能言，果如此，則天地萬物無不可以致思矣。寥寥八字，足概賦家之事。

明張溥輯其文，爲《成公子安集》，收入《漢魏六朝一百三家集》中。

（收入中國文化大學《中華百科全書》）

簡介張協（一九七〇）

張協（西元二五五——三一〇？）字景陽，晉安平人，少有俊才，與兄載、弟亢齊名，並稱三張。初爲公府掾，後遷中書侍郎，轉河間內史，時諸王相攻，天下已亂，遂屏居草澤，以吟詠自娛。永嘉初，復徵爲黃門侍郎，託疾不就，終於家。

協工文章，所作多詞采華茂，情韻深長，其中以〈七命〉一首最爲世所傳誦，見錄於《晉書》本傳及《文選》。尤富詩才，擅長五言，今所存者，除〈詠史〉一首、〈遊仙〉半首外，以〈雜詩〉十一首爲最著。或寫閨中懷人之情，或述遠宦思鄉之感，或傷懷才莫展，或歎世路維艱，或高歌困窮守志，或自勖及時奮勉，內容廣泛，寄興遙深，而其情志之高遠，造語之清新警拔，均在並世諸子之上，卓然稱太康時代第一作手。鍾嶸撰《詩品》，高列其詩於上科，而評之曰：「文體華淨，少病累。又巧構形似之言，雄於潘岳，靡於太沖，風流調達，實曠代之高才。詞采蔥蒨，音韻鏗鏘，使人味之，亹亹不倦。」洵非虛譽。

（收入中國文化大學《中華百科全書》）

簡介張華（一九七〇）

張華（西元二三二——三〇〇）字茂先，晉范陽方城人。少孤貧，牧羊度日，然勤於學。器識弘曠，博覽多通，圖緯方技之書，無不詳覽。強記默識，時人比之子產。善屬文，辭藻溫麗，嘗作〈鷦鷯賦〉以自寄，阮籍歎爲王佐之才。初爲太常博士，武帝時拜中書令。時將伐吳，論者多疑，獨華以爲必克。爲度支尚書，量計運漕，決定廟算，吳平，封廣武侯。惠帝即位，拜太子少傅，進右光祿大夫。爲官忠勤，史稱其「盡忠匡輔，彌縫補闕，雖當闇主虐后之朝，而海內晏然，華之功也。」永康元年，趙王司馬倫將廢賈后，使人夜告華，欲使附己，爲華所拒，遂矯詔殺之，朝野莫不悲痛，時年六十九。

華喜好人才，誘進不倦，士有一介之善者，便咨嗟稱詠，爲之延譽。如陸機、陸雲、左思等，皆受其賞拔。雅愛書籍，身死之日，家無餘財，惟文史充棟。著有《博物志》及《張司空集》。

華亦善作五言詩，率以穠麗富豔之筆，寫眞摯無隱之情，故能馳騁太康文壇，卓然名家。鍾嶸評其詩云：「其體華豔，興託不奇，巧用文字，務爲妍冶。雖名高曩代，而疏亮之士，猶恨其兒女情多，風雲氣少。」雖意未全愜，然亦可謂深知張氏者也。

（收入中國文化大學《中華百科全書》）

簡介任昉（一九七〇）

任昉字彥升，梁樂安博昌（今山東壽光縣）人，生於宋孝武帝大明四年（西元四六〇年）卒於梁武帝天監七年（西元五〇八年），年四十九。

昉幼而聰敏好學，早稱神悟，四歲誦詩數十篇，八歲能屬文。性至孝，每侍親疾，衣不解帶，言與淚幷，湯藥飲食，必先經口。

年十六，爲齊丹陽尹王儉主簿，儉雅相欽重，以爲當時無輩。後爲竟陵王蕭子良記室。梁武帝踐祚，拜黃門侍郎。天監二年，出爲義興太守，還爲御史中丞，祕書監。六年，復出爲新安太守，爲政清省，吏民稱便。翌年卒於官舍，闔境痛惜，爲之立祠致祭。

昉好交結，座上賓客常滿，獎進士友，惟恐不及。平日治學甚勤，於書無所不窺，聚至萬餘卷，多異本，世有五經笥之目。文筆尤健，才思無窮，當時王公表奏，莫不請焉，與沈約齊名，時人云「任筆沈詩」。又注意文體之辨析，著《文章緣起》一卷，將秦漢以來文體詳分爲八十四類，雖稍嫌繁瑣，未盡精審，然其沿波討源之功，實不可沒。

（收入中國文化大學《中華百科全書》）

簡介庾肩吾（一九七〇）

庾肩吾（西元四八七——五五一）字子愼，梁南陽新野人。幼聰穎，八歲能賦詩。初爲晉安王蕭綱常侍，隨在雍州，被命與劉孝威、江伯搖、孔敬通、申子悅、徐防、徐摛、王囿、鮑至等十人抄撰衆籍，號高齋學士。累遷太子率更令，中庶子。簡文爲太子，開文德省，置學士，又與子信、徐摛、徐陵、張長公、傅弘、鮑至等充其選。及簡文即位，爲度支尙書。後侯景將宋子仙破會稽，購得肩吾，欲殺之，謂曰：「吾聞汝能作詩，今可即作，若能，將貸汝命。」肩吾操筆便成，辭采甚美，子仙乃釋以爲建昌令。仍間道奔江陵，歷江州刺史，封武康縣侯。

齊永明中，王融、沈約、謝朓等作詩始用平上去入四聲，以爲新變。至肩吾轉拘聲韻，益趨靡麗，較王沈爲甚。今存《庾度支集》輯本一卷，存詩八十一首，率多摹寫婦女體貌之美，與簡文、徐摛並稱宮體詩之巨擘，而文學史家亦多以一代香奩高手目之。

肩吾擅精書法，著有《書品》，歷敍書法源流，評論張芝、鍾繇、王羲之以來書家一百二十八人，分列九品，每品各繫以論，而以總序冠於前。今存。

（收入中國文化大學《中華百科全書》）

釋連珠（一九七〇）

連珠爲文體名，其體蓋始於戰國，韓非有《連珠論》二十二篇（見《北史・李先傳》），至兩漢之世，揚雄、班固等先後仿其體而爲之，遂成文章之一體。後人又有演連珠、廣連珠、暢連珠、擬連珠等名，惟自六朝以後，作者蓋鮮。

《文選》李善注引傅玄〈敍連珠〉曰：「所謂連珠者，興於漢章之世，班固、賈逵、傅毅三子受詔作之。其文體辭麗而言約，不指說事情，必假喻以達其旨，而覽者微悟，合於古詩諷興之義。欲使歷歷如貫珠，易看而可悅，故謂之連珠。」

徐師曾《文體明辨》更詳言之曰：「按連珠者，假物陳義以通諷諭之詞也。連之爲言貫也，貫穿情理，如珠之在貫也。蓋自揚雄綜述碎文，肇爲連珠，而班固、賈逵、傅毅之流，受詔繼作，傅玄乃云興於漢章之世，誤矣。然其云『辭麗言約，合於古詩諷興之義』，則不易之論也。其體展轉，或二或三，皆駢偶而有韻，故工於此者，必使義明而詞淨，事圓而音澤，磊磊自轉，乃可稱珠。否則欲穿明珠，多貫魚目，惡能免於劉勰之誚邪。」

按連珠之體，大率先立理以爲基，繼援事以爲證，近世論之者謂有合於印度之因明（syllogisn），泰西之邏輯（logic），細加玩味，其言非誣。

（收入中國文化大學《中華百科全書》）

釋韻文（一九七〇）

韻文爲一種有音樂之聲韻、美術之組織、而富於人生情感之文學作品。其興起實較各體文章爲早，是以沈約論文，謂「歌詠所興，自生民始。」（《宋書．謝靈運傳論》）蓋有韻利於歌者聞者而較易收到感人之效果，此乃自然之要求，抑亦人類之天籟也。

申而言之，韻文所以起源最早，與生民並興者，厥有三因：一則創字之原，音先義後，解字之用，音近義通，先民作文，比類合義，韻既相叶，義必相符。二則有韻之詞，既與聲通，自與情適，情之發也，或驟或疾，驟則不暢，疾則不舒，惟韻文有節，乃能控制此情，而抑揚婉轉，使之條達。三則古者文字未興，口耳之傳，久則忘失，綴以韻文，斯便吟詠，而易記憶。故阮元曰：「古人以簡策傳事者少，以口舌傳事者多，以目治事者少，以耳治事者多。同爲一言也，轉相告語，必有愆誤，是必寡其詞，協其音，以文其言，使人易於記誦，無能增改，且無方言俗語

雜於其間，始能達意，始能行遠。」（〈文言說〉）

按韻文在我國文學中，約分八類：一曰賦頌，二曰哀誄、祭文，三曰箴銘，四曰占繇，五曰古今體詩，六曰詞曲，七曰駢體文，八曰聯語。前六者必須押韻，是爲狹義之韻文；後二者雖不必押韻，但特重平仄聲調之安排，是爲廣義之韻文。而在西洋文學中不過詩歌而已。

（收入中國文化大學《中華百科全書》）

釋誄（一九七〇）

誄爲文體名，哀祭文之一種。誄者，累也，累列死者生前之德行，以備定諡之文辭也。其體蓋始於周代。《周禮・春官》：「大祝作六辭以通上下親疏遠近，……六曰誄。」《禮記・曾子問》：「賤不誄貴，幼不誄長。」鄭氏注：「誄，累也，累列生時行跡，讀之以作諡。」又孔穎達《詩經・鄘風・定之方中》疏：「喪紀能誄者，謂之喪紀之事，能累列其行，爲文辭以作諡，若子襄之誄楚恭之類。」是誄乃爲定諡而作者。

誄文最早見於典籍者，爲《左傳》所載魯哀公之誄孔子。《左傳・哀公十六年》：「四月己丑，孔丘卒，公誄之曰：『旻天不弔，不憖遺一老，俾屏余一人以在位，煢煢余在疚，嗚呼哀哉，尼父。無自律。』」其後作者踵起，體製漸備，選文家多列有誄體，惟後世誄辭，率與定謚無關，至於貴賤長幼之節，亦不復論及，已流爲普通哀弔文字。

誄文與哀辭在唐以前原屬二體，壁壘分明，不相侵奪。如晉潘岳有〈楊荊州誄〉〈夏侯常侍誄〉〈楊仲武誄〉等；又有〈金鹿哀辭〉〈孤女澤蘭哀辭〉〈陽城劉氏妹哀辭〉等。自唐以後，始漸混同，如韓愈之於歐陽詹，柳宗元之於呂溫，或曰誄辭，或曰哀辭，體製雖殊，內容則一。迨宋蘇軾、曾鞏諸子所作，則總謂之哀辭，沿用至今，未嘗稍改。

（收入中國文化大學《中華百科全書》）

釋對偶（一九七〇）

自太極剖判，而奇偶已分。凡天下之物，多相對待，不能有奇而無偶，亦不能有偶而無奇，未有是奇而非偶者，亦未有是偶而非奇者。譬之人類，其生理組織，有奇，亦有偶，奇偶相配，即形成人體美。人之一身，奇也，而二手二足，則偶矣。手足之指各五，奇也，而二手二足各合之而爲十，則偶矣。首，奇也，而兩耳兩目，則偶矣。一鼻一口，又奇也，而兩個鼻孔、兩排牙齒，則又偶矣。由此可見不獨奇偶相配，抑且奇中有偶，偶中有奇，人類生理組織之美妙，有不得不令人歎觀止者。推之自然界之萬物，如天地、河岳、蟲魚、鳥獸等，幾無一而非奇偶之相雜。人在生理上既然有此種現象，心理上自然對此種現象感覺舒適，寖假產生愛好，不覺流露於字裏行間，對偶文字，因而產生。

抑有進者，吾國語文之特質為孤立語與單音字（monosyllabic-isolating language），惟其為孤立語，故宜於講對偶，亦即意義之排偶。惟其為單音字，故宜於務聲律，亦即聲音之對仗。由對偶與聲律所組成之文學作品，若辭賦，若駢文，若律詩，若詞曲，若聯語等，洋洋巨構，不一而足，遂蔚為吾國文學之特有景觀，遠非彼多音節（polysyllable）之泰西文字所能絜長較短者。

（收入中國文化大學《中華百科全書》）

釋贊（一九七〇）

贊為文體名，亦作讚。贊有三義：一曰美也，二曰助也，三曰明也。古者賓主相見輒有贊，互相稱美，以致厚意，此美之義也。紀傳之事有未備，則於贊中備之，此助之義也。褒貶之義有未盡，則於贊中盡之，此明之義也。惟文家作贊，溢出此三義之範圍者，亦往往而有。故此不過就其大略而言之耳。

贊字見於經典，始於《尚書》，〈大禹謨〉曰：「益贊于禹曰：『惟德動天，無遠弗屆。滿招損，謙受益。時乃天道。』而正式成為文體，則始於漢司馬相如之〈荊軻贊〉，其詞雖亡，而後人祖之，並擴大其體，終至泛濫靡有紀極，要而歸之，約分三類：一曰雜贊，意專褒美，若歷代諸文集所載人物、文章、名理、書畫、圖表諸贊是也。二曰哀贊，哀人之沒而述德以贊之者是也。三曰史贊，詞兼褒貶，若《史記》索隱、《後漢書》《晉書》諸贊是也。

又贊之與頌，自班固以來，世多目為一體，遂使淄澠相雜，幾至莫辨。其實二者有相同處，亦有相異處。姚鼐《古文辭類纂》云：「贊頌者，亦詩頌之流，而不必施之金石者也。」是其所同也。惟頌乃訴諸感情，故義必純美；贊則訴諸理性，故義兼美惡。是其所異也。

（收入中國文化大學《中華百科全書》）

釋墓誌銘（一九七〇）

墓誌銘爲祭弔文中之最隆重者，傳世之作，亦遠較他體爲多。人死後，葬者慮陵谷變遷，後人不知爲誰氏之墓，故撰墓誌銘埋於壙前三尺之地，用正方兩石相合，一刻銘，一題死者之世系、名字、里籍、行誼、年壽、卒葬年月、與子孫大略，而平放於柩前，使後日有所稽考。誌文似傳，銘語類詩。惟古有誌者不必有銘，有銘者不必有誌，亦有誌銘俱備，而係一人所作者。詳見趙翼《陔餘叢考》、〈墓誌銘考〉及〈碑表誌銘之別〉二文。

墓誌銘之作，駢散均宜。誌文應詳敍死者之生平及其子孫概況，不必押韻。銘辭則爲死者生平事蹟之濃縮，並須稍加揄揚，其體以四言句最爲通行，間亦有三言、五言、六言、七言者，惟偶數句均須押韻，可一韻到底，亦可換韻。

此外，尚有墓碑、墓志、墓銘、墓表、靈表、阡表、葬志、碑銘、碑文、神道碑諸體，古時所施各別，不容混淆，惟今人已不甚重視。

惟墓葬佔地廣闊，侵奪活人生存空間，活人尚且無處棲身，何況死人。政府有鑒於此，遂乃積極廢除墓葬，改爲海葬、樹葬，或火化後將骨灰存入寺塔。則墓誌銘恐將快速投入歷史長河，永不復見矣。

（收入中國文化大學《中華百科全書》）

釋行狀（一九七〇）

行狀爲文體名，漢時祇謂之狀（徐師曾《文體明辨》謂「漢丞相倉曹傅胡幹始作〈楊元伯狀〉」），自蕭齊以後始謂之行狀（張溥《漢魏六朝一百三家集》載任昉〈齊竟陵文宣王行狀〉、江淹〈宋太妃周氏行狀〉），後世因之，至今弗衰。

狀者，形貌也，所以詳述死者之世系、名字、爵里、生平事跡、子孫大略、生卒年月，或上朝廷使議謚，或牒史館請編錄，或乞名家撰墓誌，或寄親友求哀輓文字，故謂之行狀，亦曰行述、事略。其文多出於門生故吏親舊之手，蓋其行誼非此輩不能知也。

又行狀乃供立傳參考之用，故通常附於訃聞之內。其文字大抵有褒無貶，但亦不可揄揚太過，遠離事實，當須輕重悉稱，不可移異，始臻佳構。如韓愈之〈贈太傅董公行狀〉、王安石之〈兵部員外郎知制誥謝公行狀〉、歸有光之〈魏誠甫行狀〉等，世所交稱，足爲楷式。

此外，尚有所謂「逸事狀」，則但錄其逸者，其所已載者，不必詳焉，乃行狀之變體，惟今已不多見。

（收入中國文化大學《中華百科全書》）

釋駢體文（一九七〇）

駢體文為中國單音節文字所構成之特殊文體，亦中國文化精神所孕育之絕妙文藝，舉目斯世，無論任何國家，任何民族，任何地區，皆不能產生此種風華高雅之美文。蓋世界各國之文字，依其體式，秖能畫為散文（Prose）與韻文（Verse）兩大類。惟有中國文字，除此二者之外，別有一種特殊文藝焉，則駢體文是已。斯文也，既非純粹之散文，亦非純粹之韻文。蓋謂之為散文，則彼既著重聲調之諧婉鏗鏘，同時亦考究字句之整齊勻稱，非若散文之字句參差，聲調錯落也。謂之為韻文，則彼只著重句中平仄之相間，而不必押句末之韻腳，非若韻文之通體用韻也。由是觀之，斯文實為一非散非韻、亦散亦韻之特殊文體，乃舉世所未有，中邦所僅見者。日本兒島獻吉郎氏云：「駢文既非純粹之散文，又非完全之韻文，乃似文非文，似詩非詩，介於散文韻文之間，有不即不離之關係者，故稱之為律語或駢文。」（《中國文學概論》）此言甚為得之。茲特製二表，以明此三者之關係及其所涵蓋之文體。（見下頁）

構成駢體文之要件有五：一曰對仗精工，二曰聲律和諧，三曰典故繁富，四曰辭藻華麗，五曰句法靈動。此五者缺一不可，缺其任何一項，則不得謂為純粹之駢體文。（詳見張仁青《中國駢

文析論》台北・東昇出版事業公司）

韻文散文駢文相互關係表

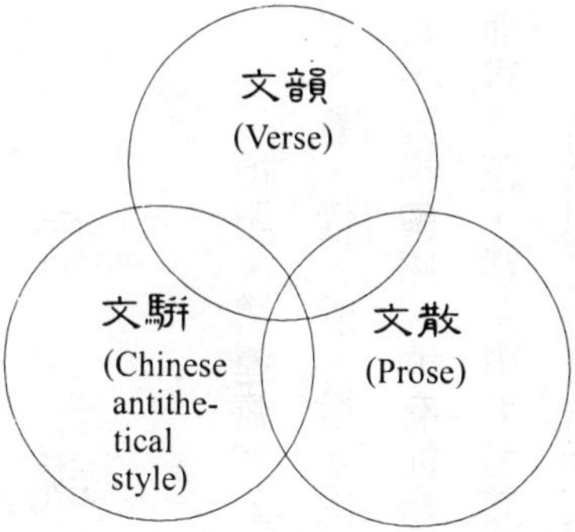

韻文散文駢文涵蓋文體簡表

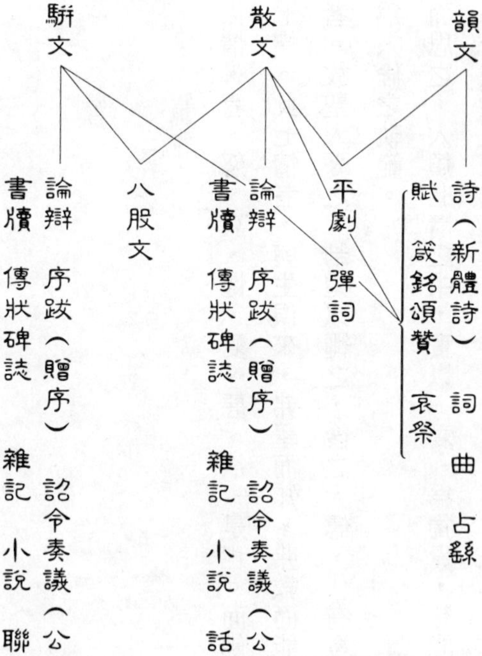

至於駢體文之名稱，歷代文家所習用者甚多，要而言之，大約有三十種：㈠駢文、㈡駢體、㈢駢語、㈣駢偶、㈤偶文、㈥偶語、㈦耦文、㈧駢儷文、㈨儷文、㈩駢儷、(十一)儷語、(十二)儷體文、(十三)儷辭、(十四)駢麗、(十五)麗體文、(十六)麗文、(十七)麗辭、(十八)俳語、(十九)律語、(二十)六朝文、(二一)今體、(二二)四六文、

㊂貴族文學、㊃廟堂文學、㊄美文（belles-lettes）、㊅美術文、㊆藝術文、㊇音樂文學、㊈唯美文學（Aestheticism literature）、㊉中國對偶式文學（Chinese antithetical style）。

（收入中國文化大學《中華百科全書》）

情說（一九七二）

《禮記·禮運篇》云：「何謂人情，喜、怒、哀、懼、愛、惡、欲」是也。而佛家則以喜、怒、憂、懼、愛、憎、欲為人類之七情。此七情者，與生俱來，弗學而知，弗教而能，惟人性無常，因物興感，鮮有能發而皆中節者。故聖人憂之，制禮以繩之，後之大儒，代有發明，抉其幽而宣其蘊，踵其事而增其華，遂蔚為人倫之軌範。

吾常思之，吾常深夜旁皇繞屋而思之，人類七情之中，實以「愛」為獨貴，苟能弘而大之，則必能拯黔首於萬丈之深淵，躋斯民於安樂之境域也。

中西哲人，提倡泛愛主義者多矣，如孔子之仁愛，墨子之兼愛，釋迦之慈悲，耶穌之博愛……不遑遍舉，其涵意之深遠，理想之崇高，非三兩語所得而盡，姑予從略，而特舉其關乎男女之情者，稍加論述，以明人倫，而益後生。

遠溯希臘時代，柏拉圖（Plato）即倡精神戀愛（mental love）之說，風靡一時。而我國先聖昔哲，獨於男女之情，諱莫如深，避而不談。卜商授徒，亦止以「賢賢易色」相勉。此為古代中西思想之分歧，而影響以後情感生活之態度。今姑就文學上之差異，略加分析。

吾嘗以為，西人在中古封建社會中，騎士（Knight）縱橫，不可一世，為一般仕女傾慕之對象，其風流韻事，層出不窮，故能孕育無數歌頌青年男女純潔愛情之詩章，洎乎晚近，可謂登峰造極矣。反觀我國則大異其趣。

吾國古代男女間之戀愛，類多含蓄與祕密，吾人可從文學作品中見之。如《詩經・周南・關雎》：「關關雎鳩，在河之洲。窈窕淑女，君子好逑。參差荇菜，左右流之。窈窕淑女，寤寐求之。求之不得，輾轉反側。」何其纏綿悱惻，動人心絃，感人肺腑。又如〈衛風・氓〉：「乘彼垝垣，以望復關。不見復關，泣涕漣漣。既見復關，載笑載言。爾卜爾筮，體無咎言。以爾車來，以我賄遷。」將少女思春之情，刻畫入微，淋漓盡致。又云：「于嗟女兮，無與士耽。士之耽兮，猶可說也，女之耽兮，不可說也。」此寫女子遇人不淑而感喟之詞也。又如漢樂府〈陌上桑〉：「行者見羅敷，下擔捋髭鬚。少年見羅敷，脫帽著帩頭。」此種寫法，深得含蓄之妙。

再看六朝才子佳人所表現者，如《晉書・潘岳傳》：「岳美姿容，常挾彈出洛陽道，婦女遇之者，皆連手縈繞，投之以果。」此又何等饒有韻藉。降至唐代，則多樂坊女兒調情之詩章，然怨而不亂，雅而不傷之作亦屢見不鮮。如張籍〈節婦吟〉：「君知妾有夫，贈妾雙明珠。感君纏綿意，繫在紅羅襦。……還君明珠雙淚垂，恨不相逢未嫁時。」讀之令人掩涕。

晚唐五代，承李商隱溫庭筠之遺風，其波瀾益形壯闊，如南唐李後主之〈破陣子〉：「最是倉皇辭廟日，教坊猶奏別離歌，揮淚對宮娥。」此多情之君主，國亡不垂淚，反而揮淚對宮娥，不愛江山愛美人，可見男女間愛情魔力之大。（按：英皇 Edward 八世亦為舉世聞名之情聖，與李後主遙相輝映。）宋代之詞，元代之曲，亦頗多男女互相傾慕之作，然而在此豐富之作品中，殊不易見敍寫青年純潔情愛之作。惟李之儀之〈卜算子〉：「我住長江頭，君住長江尾。日日思君不見君，共飲長江水。此水幾時休，此恨何時已。祇願君心似我心，定不負、相思意。」差堪稱道而已。十之八九屬於「楚腰纖細掌中輕，十年一覺揚州夢」等假情假意之詞，良堪浩歎。

小說之類，其能令人愜意者，亦不多覯。西洋小說對於男女情愛之描寫極其眞率，且能鄭重其事，無稍含糊，故能馳譽世界文壇，傳誦不衰。反觀中國小說，非如梁山伯與祝英台死後蟬脫等無稽之談，即為張君瑞與崔鶯鶯始亂終棄之誤人誤己者，故事之結構與內容，可謂千篇一律，殊少價値。即以最常見之例子而言，男女雙方一見鍾情，尚未詢及對方為阿貓阿狗，即已後園定情，山盟海誓矣。其後經歷一場風波，又復歸於團圓，終則「買一送一」，阮郎多情，小姐慷慨，連婢女梅香亦送與丈夫做侍妾，可謂連篇鬼話。然而吾國歷史上在此鬼話中，卻有出奇之眞實故事。以隋煬帝而言，渠不僅為一暴虐無道之君主，亦為一調情能手，幾乎見輒愛之。最令人嘖嘖稱奇者，當山河易色，國破身亡之後，爲其殉情之愚女子甚衆。中國女子之情感，可謂妙不可言。明末吳三桂之與陳圓圓，吳梅村諷其「衝冠一怒爲紅顏」，遂成千古笑話。

逮滿清中葉以迄民國初年，中國小說始漸露曙光，出現四部較有深度之言情小說——《紅樓夢》《花月痕》《玉梨魂》《雪鴻淚史》。所惜此等小說又爲道學家目爲不屑一顧之淫書，影響所及，中國青年男女間之純潔感情遂無從發洩矣。

綜上所述，可知中國自始便缺乏男女間情愛之教育，而今日文人學士所作之言情小說，內容結構仍未能擺脫前人之窠臼，於是荒誕不經之武俠小說，乃得乘機充斥市面，斲害青年，莫此爲甚，泚筆至此，令人浩歎。抑可悲者，自歐風美雨滌蕩中土以還，淺薄之徒，盲目崇洋，矯枉過正，縱情所欲，以致情殺事件，屢見於報端，世道人心，敗壞至此，能不令人扼腕者乎。

夫今日男女青年之侈談戀愛者多矣，而能洞曉愛情之眞諦者蓋寡。余以爲欲挽回今日情殺之頹風，似有在大中學校另闢一門「戀愛概論」之必要，蓋夫婦爲人倫之始，豈可任出汎濫乎。

（原載民國六十一年十二月台北《女師專青年》三十三期）

《三唐詩絜》弁言（一九七三）

一、世之論唐人詩體者，多分為初唐、盛唐、中唐、晚唐四期，是曰四唐，其說肇始於元·楊士弘之《唐音》。惟清·王漁洋同人詩問答，則每以三唐標目，即初唐、盛唐、晚唐也（詳見《師友詩傳錄》），以中唐分屬盛、晚二期。謂初唐自高祖武德元年開國至睿宗延和元年，凡九十五年。盛唐自玄宗開元元年至順宗永貞元年，凡九十三年。晚唐自憲宗元和元年至昭宣帝天祐四年亡國，凡一百零二年。此種區分法，後人多無間言，爰循漁洋舊規，名茲編曰《三唐詩絜》。

二、李唐一代，三百年間，風流廣扇，吟詠滋繁。絺章繪句者如林，咀徵含商者成市。江關才子，振麗藻於遐荒；錦繡詞人，揚清聲於翰苑。名流各盡其長，詩體於焉大備。清乾隆四十六年敕編《全唐詩》，所採凡二千二百餘家，得詩四萬八千餘首。雖謂後世之詩，其體皆備於三唐，亦無不可。惟是卷帙浩繁，披閱維艱，將使學者汰沙而得金，貫散以成統，殊非時力所許，是有需乎經過整理之書册矣。今所選注者，作者僅數十家，作品僅百餘首，滄海遺珠之憾，固知不免，而嘗鼎一臠，亦可稍概其餘也。

三、自三唐以降，選唐詩者多矣，拘墟之士，好異甘酸，喜立門戶，嗜濃麗秀發者以《才調》

為宗，主生拗纖仄者以《律髓》為尚。或高標神韻，或揭櫫性靈，或瓣香李杜，棄餘子如敝屣，或低首元白，薄他作而不顧。莫不如薰蕕之不可以同器，涇渭之不可以同流，壁壘森嚴，嘵嘵爭辯，歷千百年而未已。本書所錄，率為世人所習知者，不標宗派，不嗜一味，凡其人之卓然名家，作品之朗麗高華者，均在選錄之列。各種體裁，各種風格，紛然雜陳，而以作者之先後為序，詩風變遷之軌跡，詩運升降之大概，均可於此覘之。

四、又本書之作，係供大學中國文學系「歷代詩選」一科教學之用，以不悖於溫柔敦厚之詩教為最高宗旨，故所選各詩，務求精粹優美，文質並茂。其足以搖蕩性情，疏瀹靈知之篇什，採錄特多，俾學者於從容涵泳之中，收默化潛移之效。

五、本書所選各詩，俱從善本中選出，訛奪異同，皆詳慎考正，衍文俚字，悉從刪削。

六、詩歌佳處，頗不易辨，初學儉腹，尤覺茫然。本書視實際需要，間錄各家評語，批隙導窾，有蘊必宣，承學之士，庶知準的。

七、古今詩體，三唐為樞，上以拓千年而增其華，下以啟百派而張其緒，誠詩家之關紐，亦即學者之叢芳也，故先成《三唐詩絜》問世。尚有《三代詩絜》、《兩漢詩絜》、《六朝詩絜》、《兩宋詩絜》、《明清詩絜》五編，當陸續出版，以成其一貫系統，除供教學之用外，亦以為張皇中華詩學，弘揚中華詩教之一助焉耳。

按《三唐詩絜》為張仁青、張夢機合撰，由臺北．文景書局出版。

戴故教授銘辰女史行述（一九七五）

夫人姓戴氏，諱銘辰，江蘇泰興人也。其先世居蘇之鎮江，為當地望族，曾祖避亂遷泰興，因即家焉。祖子輝，清季翰林，吐納風流，識度淹通，號一代名臣。父容虛，早歲負笈東瀛，殫精法學，深得其奧窔。清社既屋，漢幟方張，遂以學優才雋，回國榮膺國會議員，宏抒訏謨，高張正聲，名震遐邇，時論歸之。其奕世簪纓，亮采有邦，見於斯矣。

夫人毓秀雲枝，美承乾蔭，丹山桐茂，早聞老鳳之聲，玉砌蘭芬，無忝聽絃之譽。年十九，考入上海大同大學理學院，潛心鑽研，翹然獨秀，逮卒所業，輒冠其曹。越三年，復遠涉重洋，入美國密西根暨愛荷華大學研究院深造，獲化學碩士學位。歸國後，歷任大同大學、成功大學、陸軍軍官學校、臺灣師範大學、臺灣大學教授，凡二十餘年，懸衡鑑以作人，揉鉅鐘而造士，流愷澤於炎徼，秉慈心於玉尺，程功課績，夙夜劬勞，所至學者嚮風，裁成極衆，為教界之楷模，作士林之師表。昔大家學博，續成《漢書》，道韞才高，空吟柳絮，持較今日，其氣象迥不侔矣。

夫人雖系出名門，飫讀西書，而夙嫻內則，尤敦閫儀。民國二十九年與臺灣大學校長閻振興博士結婚，授業餘暇，輒中饋獨操，衆務咸理，相其夫子，貊其德音。閻氏乃得以躋秩公輔，盡心邦國，四海慕其清采，萬流仰若斗山者，夫人實與有功焉。夫人生丈夫子二，長君愛德，美國紐約大學博士，現任國立清華大學教授。季子泰德，亦任教淡水工商管理專科學校。芝蘭並秀，蔚謝傅之階庭，驥騄齊驅，懋陸家之德業，固足以延光門楣，流榮奕祀者也。女公子一，曰書青，隨夫壻王孝超僑居美國。

綜觀夫人一生，內行淳深，天情溫潤，舉孟光之鴻案，則爲令妻，和仲郢之熊丸，則爲賢母，敷教上庠，育才橫舍，則又爲良師。而體素羸弱，晚年困於多病，去歲八月，竟嬰癌疾，然猶爲諸生講論不輟。又籌畫創辦幼稚園以教育臺大教職員子女，日夜奔走，宿疾暴增，今年八月六日晨五時不幸溘逝臺大醫院，享壽六十有四。寶婺光沈，多士同悲，又豈止國失長才已耶。

馬壽華先生事略（一九七八）

先生諱壽華。字木軒。一字小靜。安徽渦陽人也。馬氏皖北望族。世有令德。王父維德公。清恩貢生。授鳳陽教諭。以學行爲鄉里所敬。歿時不期而臨弔者萬人。父靜仙公。天性孝友。以副貢生佐武衛左軍戎幕。受知於馬忠武公玉崑。積功擢縣令。知河南淅川事。有善政。先生隨侍讀書任所。於民元前一年辛亥。以最優等卒業河南法政學堂。民國肇建。歷任河南山西湖北各級法院法官。治獄平恕。被罪者亦自以爲不冤。所蒞之區。頌聲交作。民國十六年。國民革命軍底定武漢。任最高法院委員。國民政府成立。調司法部處長。司法行政部司長。轉任南京特別市政府祕書長。皆卓有樹立。旋居滬。業律師者數歲。臺員終戰後。中樞力謀綜覈庶政。興闢富源。諗先生廉靖有幹局。因任爲臺灣省政府委員兼代財政廳長。臺灣省物資調節委員會主任委員。臺灣土地銀行董事長。凡百措設。洞中機宜。財用既紓。而閭閻益增其富。民至今稱之。嗣擢司法院祕書長。行政法院院長。公務員懲戒委員會委員長。於修明法治。振肅官常。尤炳炳著聲績。前歲乞休。受聘爲總統府國策顧問。巖廊白首。亮釆有邦。世彌重其清望焉。

先生於書畫外。他無嗜好。少時以家藏先賢名蹟甚富。探索即有所悟。及長游故都。問學袁玨生太史。袁故工書畫。因得其指授。遂益精進。書宗二王。兼習顏米。於剛健中具透逸之致。畫擅山水花卉。山水由元四家入手。上法董巨。進師造化。花卉則出入青藤白陽之間。尤工墨竹。自文與可以下諸名家。靡不窮究其筆法。融會貫通。獨具風格。復精究指畫。安雅澹定。自成一家。近世所未有也。

民國四十九年。榮獲教育部國家文藝獎之美術獎。五十年。歷史博物館國家畫廊落成。特爲舉辦書畫展覽。傾動一時。又精品經美日菲等國美術院博物館陳列或購藏者。不可勝數。先後當選中國書法學會理事長。中國美術協會理事長。中日書法國際會議正議長。國際藝術文學協會終身正會員。宏宣美育。震耀海內外。實所以牖啓人文。導揚中華文化。資爲拓展國民外交之一助。

世徒歎其藝事之精能。襟度之豁達。蓋猶淺之乎論先生也。

先生與德配王夫人同奉基督教義。踐履唯謹。門庭之內。怡如秩如。民國五十九年庚戌。適值結縭六十周年。總統特頒「金石同堅」扁額以榮之。夫人已先先生數月卒。哲嗣漢寶。現任考試院考試委員。兼任國立臺灣大學法學院教授。品端學邃。克世其家。媳蕭亞麟。遊學德國及瑞士。任教臺灣大學外文系。女公子二。長懿君。適張道樞。道樞曾任臺灣省菸酒公賣局分局長。今為律師。次蕙君。旅居美國。在加州沙地學院講授國畫。適名建築師梁國權。孫男一。曰佑聖。孫女三。曰佑敏佑眞佑遠。均在學。芝玉一庭，踵美增盛。人以方諸于公陰德之報云。

先生體素清健。雖高齡而神明湛然。長筵揮毫。廣座談藝。風采奕奕。望之若神仙。暇日輒假觀賞平劇為樂。移晷無倦容。咸以耄期為可企。不意客歲（民國六十六年）十二月二十八日上午十時許肝病突作。奄忽之間。便捐館舍。春秋八十有五。將以今歲（六十七年）一月三十日。與王夫人合葬於陽明山墓園。從遺志也。

綜先生一生。居處恭。執事敬。寬厚有容。廉介不苟。而扶持名教。獎掖人才。孜孜如不及。服官踰六十載。歇歷中外。靖共厥職。以清愼勤著稱於時。公餘惟擁書畫自娛。朝研夕摩。眞積力久。遂以耆年峻望。領導書林畫苑。卓然為一代宗巨。多士翕服無間言。求諸並時。殆罕其匹。嗚呼。可謂難矣。著述已刊行者。有《刑法總論》、《刑事訴訟律釋義》、《元代美術》等如干種。遺稿《服務司法界六十一年》。方編次蒇事。待梓。

《魏晉南北朝文學思想史》自序（一九七八）

魏晉六朝，文學自覺之時代，亦文學獨立之時代也。前乎此者爲周秦兩漢，文學依附儒學，作宣揚教化之利器，固無獨立生命可言。逮建安以後，儒學陵替，老莊代興，文學潮流遂亦與之俱進，逐漸由附庸蔚爲大國，形成曠古未有之壯觀，先哲殺青所就者，殆非更僕所能盡數。而其內容之富贍，形式之美備，以至思想之錯綜，品鑑之精審，苟非詳加董理，實不足以見其概貌。此則本書之所由作也。

近今中日學者研究吾國文藝思潮與理論者衆矣，率能獨具法眼，搜尋指歸，宣發奧藴，其苦心孤詣，實有足多。惟至善之作，得之不易，千慮之失，要難獨免，語其大者，蓋有六焉：

一曰：各家多就六朝文學理論本身立說，於其所受時代思潮與社會環境之影響如何，其關於文學理論本身以外之事實又如何，則不甚詳談，或竟付闕如。使閱其書者，如墮五里霧中，既不能窮其原委，又不易窺其全豹。此則不爲統體觀察之過也。

二曰：各家或專述個人，不論時代，如朱東潤《中國文學批評史大綱》是。或僅述重點，遺其全面，如方孝岳《中國文學批評》是。或詳於近代，略於遠代，如陳鍾凡《中國文學批評史》

是。或但重縱的貫串，而忽略橫的聯繫，如郭紹虞《中國文學批評史》是。或縱筆所之，了無系統，如王瑤《中古文學思想》是。或事屬創舉，條理未密，如鈴木虎雄《支那古代文藝論史》、《支那詩論史》是。或觀察未周，敍述簡略，如青木正兒《支那古代文藝思潮》、《支那文學思想史》是。或依其性質，彙而論之，如羅根澤《魏晉六朝文學批評史》是。雖匠心獨運，各具特色，而於其相互間遞嬗之關係，以及所受於思潮變化之原因等，則罕有論及。此則缺乏歷史方法之過也。

三曰：文學爲思想之反映，文體自亦隨思想之轉變而殊異，故六朝既不能爲漢，亦不能爲唐，蓋一代有一代之所勝，乃由時代之不同，非必有何長短之可論，崑山顧氏、海寧王氏已暢乎言之。而各家論文之作，則多承蘇氏〈韓公廟碑〉之語，至目六朝文學爲不值一錢，瓊章麗曲，概從屏棄，即有論列，亦失公允，胸次褊狹，一至於此，其庸有當乎。此則囿於偏見之過也。

四曰：儒家思想支配吾國社會，長達二千餘年，載道與實用觀念，久已深植人心，牢不可破。各家遂以此觀念裁量六朝之文學理論，凡合於此一觀念者，輒擊節稱賞，讚歎不置，如對裴子野之薄雕飾，鍾嶸之反用典、斥聲律，無不暢加推闡，曲爲迴護。凡不合於此一觀念者，輒大張撻伐，不留餘地，如對蕭綱之提倡鄭邦文學，徐陵之撰錄豔體歌詩，無不目爲洪水猛獸，甚者且流於謾罵。不知雕飾、用典、聲律三者，乃唯美文學不可或缺之要件，去此則六朝文學必大爲減色，不足以言唯美矣。矧蕭徐二君之側重豔詩，率能發乎情，止乎禮義，非淮南評論〈國風〉之遺意乎。抑退一萬步言之，以豔詩麗曲作爲精神生活之調劑，不猶愈於沈溺聲色，追逐犬馬者耶。此則以功利主義與道德觀念而評騭文學之過也。

五曰：各家每用現代邏輯觀念，以律六朝論文之作，以爲理念不清，思路淆亂。不知六朝文藝評論家多爲文藝創作家，文學固有別於科學，科學所重者爲條理，而文學所重者則爲感情。文學之能萬古常新，江河不廢者，以其內能表達作者之情思，外有訴諸讀者之感情，至於合乎邏輯與否，則概非所計。夫文章之妙，語或無異常人，而神情行乎其間，不可捉摸，苟執其跡象，以求合乎邏輯，則如泥塑美人，了無生氣矣。昔九方皐相馬，常得於牝牡驪黃之外，品鑑詞藝，又何獨不然。此則以邏輯觀念衡文鑑藝之過也。

六曰：六朝評論文學之作，除劉氏《文心》、鍾氏《詩品》鳌然成帙，首尾相銜外，多屬隨興所至，率爾操觚，縱有片言賞會，而條貫靡存，且零縑斷簡，散失殆盡，千載而下，莫由尋討。各家輒據此以爲論斷之憑藉，而病其蕪雜散漫，略無統紀。不知藍篳啓疆，草創實難，凡百皆然，不特文論一端已也。況『前修未密，後出轉精』，乃學術進化之公理耶。此則以今人標準繩律古人之過也。

本書撰述之目的，意在矯正以上六種闕失，而將六朝文學及其思想作有系統之探討，俾世人對此一時代之麗製瑋篇，妙諦勝義，能有正確之認識。惟綆短汲深，恐不足以副之耳。

本書分四大單元，凡九章，都六十萬言。於章節條目之安排，內容詳略之取捨，嘗五易其稿，煞費苦心。茲依次說明其要旨：

第一單元凡一章，第一章〈魏晉南北朝情勢〉屬之。凡析論一時代之文學思想，必不能忽略其時代環境。孟子曰：『頌其詩，讀其書，不知其人可乎，是以論其世也。』二者關係之密不可分，從是可見。遠溯漢之季世，天綱解紐，群雄棋峙，自是滄海塵揚，神州瓦裂，吾國即進入長期大動亂之時代。尤以永嘉亂後，南北分疆，莽莽華夏，除江左一隅外，悉爲胡人所盤據，歷時長達二百六十年之久。一般文士蒿目時艱，匡救無術，乃相率遁入文苑藝圃，從事詞藝之創作，而旖旎風華之美術文學遂相繼產生矣。荀卿有云：『亂代之徵，文章匿而采。』劉勰亦云：『文變染乎世情，興廢繫乎時序。』此皆時運影響文學及其思想之明徵也。

第二單元凡一章，第二章〈魏晉南北朝文學概貌〉屬之。文學既視世運隆替以爲消長，國強則詞壯，世衰則文靡，自然之理也。不寧惟是，文學之創作活動，又每隨文學之思想活動以進行，故一代之文學現象必與當時之文學思想息息相關，互爲依存。蓋嘗試論之，文學作品與文學思想爲一物之表裏，其表面爲文學作品，其裏面乃爲文學思想，必須透過其表面，而其裏面之眞相始能顯現無遺。故欲探究一代之文學思想，先行考察其文學成果，或有勝於扣盤捫燭之見乎。

六朝文學之成果，可以一言蔽之曰，唯美主義文學臻於極峰而已。構成唯美文學之要素有四：一曰對偶精工，二曰韻律和諧，三曰典故繁多，四曰辭藻華麗。六朝才士在此四方面所費之心血，誠有令人歎觀止者。而近今諸述文學史與批評史者，多半不屑一顧，或予無情之打擊，買櫝還珠，棄眞賞濫，至於如此，憾孰甚焉。因不憚辭費，甘冒不韙，探其奧而抉其隱，闡其幽而發其光，庶幾先士茂製，粲然復明於世。

以上兩單元，或不無鄰士買驢，大而無當之失。雖然，欲探究一代之文學思想，而不能論其世，知其人，竊以爲未之得也。故於六代史實及其作家成就，不敢略有疏忽，必也思想有所附麗，然後探討之功，不致虛費。此則上本先聖知人論世之微旨，恪遵史家實事求是之遺義也。

第三單元凡三章，第三、四、五章〈魏晉南北朝文學思想之內因外緣〉屬之。任何一種學說思想，決非劈空自天而降，必有所以產生此種思想之內因外緣，文學思想亦然。魏晉六朝文學思想產生之原因，極爲繁複，要而歸之，不外內在原因與外在原因。政治黑暗，民生疾苦，道德淪喪，以至時代環境之變遷，南北風土之殊異，學術思想之轉移，爲其外在原因。而批評意識之覺醒，右文風氣之熾盛，文人集團之林立，則爲其內在原因。無徵不信，敢申其說。

吾國文人生命之危賤與心靈之苦悶，無有過於魏晉者，在此種環境下所孕育之文學思想，自有別於其他時代。六朝文學上所謂浪漫主義、唯美主義、藝術至上主義等，皆萌生於此時。如《晉書》〈阮籍傳〉云：『籍本有濟世志，屬魏晉之際，天下多故，名士少有全者，籍由是不與世事，遂酣飲爲常。』李善注其〈詠懷詩〉亦云：『嗣宗身仕亂朝，常恐罹謗遇禍，因茲發詠，故每有憂生之嗟。』蓋文人生值亂世，既思高翔遠引，避禍全身，同時復以不能忘情家國，絕意存亡，又感生命之無常，知世累之難脫，因而陷入極端旁皇與苦悶之中，最後則以文苑藝圃作精神之逋逃藪矣。故六朝文學作品與文學思想所以率傾向於浪漫主義、唯美主義、藝術至上主義者，世際亂離，政治黑暗實有以促成之也。

第四單元凡四章，第六、七、八、九章〈魏晉南北朝之文學思想〉屬之。文學思想之主幹爲文學理論或文學批評，文學批評之於文學作品，亦猶一物之兩面，一則爲破壞之工作，一則爲建設之成果，惟破壞之目的，仍在建設，無建設則破壞工作爲惡意中傷，無破壞則建設工作將停滯不前。故文學批評往往能引導文學創作步入正軌，不致流於訛濫。譬如蕭梁一代，唯美文學大昌，而評論文學之書亦獨盛於此時，故終梁之世，文藝創作仍能保持高尚風格，雖以宮體詩之綺豔，亦多未逸出常軌，否則不知將伊於胡底矣。

余年在志學，即沈鑽六朝文學，惟孤舟獨泛，彼岸難登，曠廢歲月，良用悵然。民國四十九年孟秋，負笈臺灣師範大學，謬列瑞安林尹先生及陽新成惕軒先生門牆，二師不以庸魯見棄，或曉以經義，或授以選理，或度與金鍼，或標示津逮，訓迪啓瀹，惠我實多。然後於六朝學術變遷之軌跡，文運升降之大概，乃能略有所窺。所幸天道周星，數年之後，乃能重返母校國文研究所，在博士班繼續深造，舊業重理，彌感親切。用是不揣檮昧，博採前賢之緒說，較論各家之長短，冥思苦索，而成斯編，庶使六代文學思想得以大明於世。屬稿至今，六更寒暑，自慚淺識，理欠圓該，儻承碩學大雅進而教之，雖片言隻字，糾其疵謬，皆我師也。

民國六十七年六月張仁青識於國立臺灣師範大學國文研究所

自序

應國立中山大學之聘而作（一九八〇）

余生於民國二十八年五月六日，籍隸台灣省花蓮縣。家世貧薄，負郭無田，吾父終年外出做工，猶不足以自給，幸吾母秉性勤儉，除撫育子女之外，兼擅女紅，一家九口始免於凍餒。

余雖出身赤貧之家，然自幼即懷抱大志，慕范滂之爲人，時以攬轡中原，澄清天下自許。故自小學以迄初中，往往焚膏繼晷，終年苦讀，而無須父母之督責。校中師長見余涉獵甚廣，異於常童，輒勗勉有加，期成大器。

民國四十四年三月，余就讀於花蓮縣立鳳林初級中學三年級，正積極準備投考花蓮師範學校，適我太平號軍艦爲中共魚雷快艇所擊沈，舉國震憤，政府號召知識青年志願從軍。余乃毅然放棄升學，率先報名，經嚴格甄選，分發陸軍通信兵學校。結業後，派駐金門，戍守前方，櫛風沐雨，歷時二載。戰地生活，雖云單調，而余則以爲甚具姿采，彌多佳趣。唐王翰詩云：「醉臥沙場君莫笑，古來征戰幾人回。」不啻爲余當時心境之寫照。

四十七年九月，奉准退役，時年僅十九歲，成爲全世界最年輕之退伍軍人，余常以此自豪，並舉以告人，面有得色。返鄉後，即四出打工，或下田操作，與一般農工併行作息，至是始領略陶淵明〈歸園田居詩〉中「晨興理荒穢，帶月荷鋤歸」之眞正樂趣。既而自思，當此知識爆發之時代，非有高深的學問，實無法促使國家富強，社會繁榮，民生樂利，長此蟄伏鄉野，似非所宜。更求深造之願望，日呈現於腦際，是年冬暮，遂決定投考大學。於是廣購升學參考書，挑燈夜讀，月盡一科，必以能解爲度，不解者則馳書或當面向師友請益，師友多樂以相助，益增余之信心。

四十八年七月，余以同等學力資格報名參加大學聯合招生考試，僥倖錄取國立政治大學政治系，自是終日浸淫於各國政治制度之中，醉心於管理衆人之事之學，以期他日學成，得以一償經邦軌物、霖雨蒼生之宿願。無如家道清寒，手頭拮据，生活陷入困境，一年後遂黯然離開政大。

四十九年九月，余考入有公費待遇之國立台灣師範大學國文系，興趣亦因而轉入文學。加以系中名師雲集，如林尹、高明、成惕軒、李曰剛、宗孝忱、李漁叔、巴壺天、汪經昌、程發軔、戴培之、魯實先諸氏，均學識淵雅，而爲余所心儀已久者。余飽受諸師之教益，眼界大開，學業猛進，寫作尤勤。五十二年三月，余之處女作《歷代駢文選詳註》由中華書局出版，甚得學術界之佳評，中心快慰，實難名狀，余之決意終身從事學術研究，即自此始。

五十三年七月，自台灣師大畢業，奉派宜蘭台灣省立蘭陽女子高級中學任教，講授「國文」、「歷史」、「三民主義」、「中國文化史」諸科，教學相長，樂在其中。翌年九月考入中國文化大學中國文學研究所，繼續深造。然以是校並無獎學金之設，又素無積蓄，遂申請休學，而於次年考入台灣師大國文研究所，校園重遊，彌感親切。五十八年七月通過《中國駢文發展史》論文口試而獲碩士學位，即留校任國文系講師，講授「駢文選」「四書」「歷代文選及習作」等。越二年，復應本校國文研究所博士班之入學試而幸蒙錄取，天之待我，何其深厚。肄業期間，除經常撰寫小型論文，刊諸報章雜誌外，並勤習日文，歷時三年，粗有所成，曾譯青木正兒著《中國文學思想史》（六十六年開明書店印行）而爲時論所許。六十七年七月提出《魏晉南北朝文學思想史》論文，經教育部口試通過，獲國家文學博士學位。旋即應中央警察大學之聘，爲專任副教授，並在國立臺灣大學中文系兼課，講授「應用文」。六十八年五月又蒙行政院國軍退除役官兵就業輔導委員會聘爲設計委員，以迄於今。

余賦性淡泊，與世無爭，富貴榮利，素未縈心。弱冠之年，嘗榜座右銘於居室曰：「視錢財如糞土，視富貴如浮雲，視功名如敝屣。」自是念茲在茲，奉行無替，故得以忘情軒冕，娛志縹緗，踵武前修，參預名山之勝業，敷教東序，幸分絳帳之餘春。但願今後復爲文化界之小兵，終身致力於中國學術思想與古典文學之探討與整理，庶幾對中華文化之弘揚，中華統一之大業略盡棉薄，如是而已。

余生平所拳拳服膺者，在近代則爲劉師培、梁啓超、王國維三氏，在現代則爲陳寅恪、錢穆、錢鍾書三氏，之六子者，皆以學識淹貫、著作等身飲譽當世，中懷歆慕，無時或已。故自二十歲後，除應付學校課業外，即專心著述，所發表之單篇論文殆已逾百，叢雜猥多，勢難臚舉。其已印行之重要譯著則爲十二種，雖未能藏諸名山，然自信皆爲心血之結晶，非率爾操觚，以沽釣名譽者。茲製表分列於左：

著作名稱	出版者	出版日期
①歷代駢文選詳注	台北・中華書局	五十二年三月
②中國駢文發展史	台北・中華書局	五十八年十月
③楚望樓駢體文內篇詳注（成惕軒撰）	台北・中華書局	六十二年九月
④楚望樓駢體文外篇詳注（成惕軒撰）	台北・中華書局	六十二年十一月
⑤三唐詩絜	台北・文景書局	六十二年十二月
⑥六十年來之駢文	台北・文史哲出版社	六十六年四月
⑦中國文學思想史（譯著）	台北・開明書店	六十六年十月
⑧魏晉南北朝文學思想史	台北・文史哲出版社	六十七年十二月
⑨應　用　文	台北・文史哲出版社	六十八年十一月
⑩最新公文程式大全	台北・文史哲出版社	六十八年十二月
⑪中國駢文析論	台北・東昇文化出版公司	六十九年三月
⑫六朝唯美文學	台北・文史哲出版社	六十九年六月

習文五要（一九八〇）

吾華自古即以文章立國，五千年來，作者之衆，作品之美，舉世無有其匹。觀乎清乾隆時所編修之《四庫全書》，「集部」居其大半，可爲明證。惟令人不能無憾者，即文章作法，言人人殊，迄無定式，古人雖有獨得之祕，亦輕易不肯示人，遂使學者悉賴暗中摸索，自行體悟，虛耗歲月，莫此爲甚，言念及此，感喟無已。

昔人常謂孟子文章之大氣磅礡，得之於養氣之功；太史公文章之縱橫馳騁，得之於江山之助。準是以觀，則文章之作法，似悉由個人之修養深、閱歷多而得，固無門徑與訣竅可言。雖然，依我個人之觀察與體驗、文章本無一定之作法，尤其經國、傳世之鴻篇鉅製，多得自天賦，或由修養、閱歷而得。惟一般性之文章，則仍有其客觀的標準，苟能合乎此一標準，即爲佳章，以之示人，必不出醜。茲就個人二十餘年來從事筆耕之經驗，平日觀察名家寫作之方法，提出五點，以供有志寫作者之參考。

（一）博覽群書，厚植根柢。

爲文之要，首須博覽群書，吸取他人之智慧，以自營養。營養既多，根柢自固，根柢既固，下筆自不同於凡俗。揚雄云：「能誦千賦而後能賦。」杜甫云：「讀書破萬卷，下筆如有神。」蘇軾云：「腹有詩書氣自華。」近人胡適亦云：「爲學要如金字塔，要能博大要能高。」博覽之要，於斯概見。惟讀書須讀益智、推理、有用之書，不讀消遣、娛樂、無用之書。以警政人員而言，司馬光之《資治通鑑》（洪氏出版社）、梁啓超之《飲冰室文集》（中華書局）、柳詒徵之《中國文化史》（正中書局）、吳兢之《貞觀政要》（商務印書館）等，均所宜讀。

（二）平易通達，字句順暢。

文章最忌詰屈聱牙，使人讀未終篇，即昏昏欲睡，因而失去寫作之意義與目的。一篇上乘之作品，必是字句順暢，流利可讀，有如長江大河，一瀉千里，令人讀之，惟恐其盡。欲達到此一目標，並非難事，當文章作完後，自己先行朗誦數遍，即可發現其中缺點。苟有一字不妥，一句不順，須隨時修正，如面對仇人之文章，絲毫不能放過。

（三）思路清楚，條理井然。

文章最忌雜亂無章，忽說東，忽說西，漫無條理，或意思重複，或同樣字句出現次數太多，凡此均屬劣作。例如：

△牧童騎在牛背上，邊走邊吃草。

△我們走到森林裏，聽鳥鳴、花香、樹葉的輕搖、清風的細語。

此類作品，足以令人大皺眉頭。此外，次序亦不可前後倒置，如列舉人物，必須先列舉古人，再列舉今人，先列舉中國人，再列舉外國人。

（四）段落分明，結構完密。

議論性文章，以三段至五段爲宜，每段均有精采之內容，始稱佳作。全文結構須謹嚴，段落宜相稱，每段都能寫得恰到好處。凡「喧賓奪主」、「頭重脚輕」、「頭輕脚重」、「血脈不通」、「自相矛盾」、「不能自圓其說」之病，均所宜戒。如欲避免上述諸病，惟有擬定大綱，則萬無一失。作畫須先畫「輪廓」，造屋須先造「間架」，印書須先校「大樣」，機械須先做「模型」，足資借鏡。

（五）愼選詞彙，內容充實。

詞彙雖然甚多，但須運用恰當，不可信手亂拈，張冠李戴，使人莫名其妙，不知所云。故必須相當了解其意義，才能下筆。例如「教澤長存」不能用以懷念活人，「痛失英才」不能用以哀輓槍擊要犯，「罄竹難書」不能用以稱讚美好事蹟，「絳帳宏開」不能用以歌頌女性師長。而「音容宛在」只能用以哀悼死亡之人，「弱冠之年」只能用以稱呼男子二十歲，「徐娘半老」只能用以稱呼非良家中年婦女，「當今泰斗」只能用以稱呼當代學術大師。至於文章內容，尤須推陳出新，言之有物，不可落入俗套。

（民國六十九年四月在中央警察大學演講之講稿大綱）

《徐庾駢文研究》序（一九八三）

中國文字之特質，厥有二端，爲孤立，爲單音。惟其爲孤立，故宜於講對偶，在形式上則構成整齊美。惟其爲單音，故宜於務聲律，在韻語中則顯有音節美。二美並具，衆製紛綸，若詩也，若詞也，若曲也，若賦也，若駢文也，若聯語也，洋洋巨構，不一而足，遂蔚爲中國文學之特有景觀，而成爲世界上最優美之文學，抑亦最具姿采之文學，遠非彼邦所能望其項背者。蓋世界各國之文學，因受多音節文字之拘囿，依其體式，要不能越乎散文與韻文兩大範疇。惟吾中國文學，獨能出此二者之外，別有一特種文藝焉，則駢文是已。斯文也，既非純粹之散文，亦非純粹之韻文。蓋謂之爲散文，則彼既著重聲調之諧婉鏗鏘，復講求字句之整齊勻稱，非若散文之字句參差，聲調錯落也。謂之爲韻文，則彼祇著重句中平仄之相間，而不必押句末之韻腳，非若韻文之通體用韻也。由是觀之，斯文實爲一非散非韻、亦散亦韻之特殊文體，乃舉世所未有，中邦所僅見者，西人謂之美文，不亦宜乎。

吾國自有文章，即有駢體，駢體蓋與中國文字以俱生，昔之高文典冊，飛書羽檄，莫不惟駢體是尚，以其典重肅皇，光映朗練，足以增華邦國也。此一高華優美之文體，厚培深植，極千百年之斟酌損益而成。況其藻采繽紛，神韻緜遠，踵襲〈雅〉〈騷〉之遺，光昭正始之音，卓然爲我中華民族之獨特文藝，固宜光大盛業，緜衍無窮。乃有中唐諸子唱爲古文運動，厥後拘墟之士，好異甘酸，喜立門戶，嗜綺麗者以沈思翰藻爲宗，力排散體不得爲文；重質素者以據事直書爲主，痛詆駢偶有類俳優。或祖祧秦漢，或規摩魏晉，或拾韓歐之餘唾，據腐鼠以嚇鵷雛，或揚徐庾之迴瀾，挹班香而矜宋豔。譬諸蕭《選》一序，宗駢者奉爲玉律金科；昌黎之文，主散者尊爲泰山北斗，直若薰蕕之不可以同器，淄澠之不可以同流，壁壘森嚴，嘵嘵爭辯，自中唐至今而未已，聽者瞀惑，無所適從，深可歎喟。

抑可悲者，清社既屋，漢幟初張，世變紛紜，人心惶亂，彼思想激進之徒，巧投時好，提倡所謂新文化運動，而文必廢駢，詩必廢律之謬說，尤其囂然塵上。謂駢文乃曩昔貴族階層之寵物，非盡人所能學，尤不切於世用，甚且目爲死文學矣。揆其用心，則無非震於西洋物質文明，非中邦之所能逮，竟誤以爲人無不是，而我莫不非，詆諆中國文化，必欲一舉而摧陷廓清之而後已，駢文特其目標之尤著者耳。積非成是，背實向聲，流風所扇，遂使莘莘學子，類多剽竊泰西新學之皮毛，致力左行文字。則此調之不復爲世彈也必矣。雖然，間亦有闐苑學士，錦繡才人，朝夕寢饋於斯者，畢竟如曇花之一現，究其意亦止於表潔揚芬，用存國粹而已，非必欲強人以從同也，其視前代之朝野翕然，風行草偃者，相去寧可以道里計耶。走筆至此，又不禁扼腕三歎。

天門江菊松女史，今之有心人，亦多才藝之人也，當此新潮陵蕩之時，文苑壓埋之會，瓣香六代，而篤志嘔吟，綆汲千秋，而雅耽藻翰，佩香荃於楚澤，出綃縠於人間，詞華煊爛，饒有父風，豈惟不櫛之進士，實亦畫眉之才子。曩著《宋四六文研究》，批隙導窾，有蘊必宣，功力深厚，已自可觀。頃復以《徐陵庾信駢文之比較研究》見眎，屬爲之序。觀其運思密栗，議論卓犖，既已寨芳采華，亦復闡幽抉隱，跡其所造，固當秀掩兆宜，潤逼魯玉，不止爲徐庾之功臣已也。

按江菊松女史爲已故台灣師大國文系江應龍教授之女公子，資質穎異，能讀父書，現任眞理大學教授，誠鄂中之一秀也。

佳里榮譽國民之家落成紀念碑

代退輔會主委鄭為元撰（一九八四）

民國七十年秋仲，本會仰體總統篤念袍澤，嘉惠榮民，以遂安養頤樂之德意，醵金庀材，籌建佳里榮譽國民之家，佔地十一公頃有奇，苦心擘畫，慘淡經營，歷時三年，終底於成。其已竣工者有行政大樓、安養大樓、懷德園、服務中心等，正在招標興建者尚有中正紀念堂，而即將陸續完成者則有榮光大樓、百壽大樓、家祠等。環堵務求清幽，室宇必臻美奐，俾能符合世界水準，毋忝國際觀瞻，抑所以酬勳庸而昭崇報，增弧矢而勵來茲。丁此新家落成之日，正值王師待發之時，深望我全體榮民同志共體時艱，同襄盛業，而益思抒其忠悃，以自奮於九州大一統之途。異日伏櫪老驥，飛騁千里，放歌漢祖之大風，虔拜秣陵之天闕，海宇永寧，光華復旦，斯則為元恭承景命，奉職槐閣，所為深致翹企者也。

按鄭為元上將時任行政院國軍退除役官兵輔導會主任委員。

谷陳怡君女士事略（一九八八）

夫人諱怡君，姓陳氏，民國四十六年十二月十日生於高雄市，發祥華族，毓秀雪枝，前兄後弟，遂爲掌上明珠。其尊翁田錨先生，爲高雄市議會議長，樂善好施，秉心淵塞。夫人夙誦楹書，復得椿蔭，自幼即以明慧嫺雅異於常童，純潔懇誠，虔心向佛。

夫人國中畢業後，入文藻外語專科學校，主修英文，課餘勤練鋼琴，以技藝超群，膺任該校合唱團團長並兼伴奏，民國六十五年榮獲全省鋼琴比賽第二名。六十七年卒業後，進入美國紐約州立社區學院，主修會計，每學期均獲校長獎。六十九年被選入全美大專院校優秀學生名人錄，同年以最高榮譽畢業。繼而轉入紐約州立大學，專攻企業管理，翌年獲學士學位。旋即束裝歸國，入高雄市立銀行國外部服務。其間並曾參加金融人員訓練中心舉辦之外匯交易研習班，結訓時成績冠於儕輩，時論多之。七十三年台北世華銀行以夫人學有專精，敬業精神尤堪嘉佩，遂加延攬。

夫人於六十七年與谷家恆博士結婚，谷氏爲總統府資政谷正綱先生之哲嗣，谷資政畢生從事大陸災胞之救濟工作，功在邦國，中外同欽。谷家恆博士自國立台灣大學機械系畢業後遠渡重洋，獲美國聖母大學博士，現任國立中山大學教授兼教務長，名重上庠，績懋甄陶，同寅服其公忠，學界推為模楷。凡此皆賴夫人於求學任事之餘，悉心佐助有以致之。夫人持家有方，妯娌和睦，更受翁姑之鍾愛。寓居西子灣畔，伉儷情深，相敬以禮，相愛以誠，相諒以恕，朋輩無不稱羨。

夫人擅長鋼琴、寫作、插花及烹飪，悅禮知書，幽嫻貞靜。早在求學期間，即參加各種義工組織，奉獻愛心，服務人群。多年以來，無不念茲在茲，未嘗或忘。不意七十四年十一月罹患胃癌，經手術後逐漸康復。但不幸於七十七年六月發現病症蔓延，迄九月二十二日下午七時卅五分溘然辭世，得年僅三十有二。

夫人家庭和樂，廣得人緣，信仰虔誠，行善不輟。尤以罹病期間，猶殷殷關愛夫君，慰藉家人，始終如一。其一生絢燦光輝，依稀可成追憶，嗚乎痛哉。

為編印成惕軒先生紀念集徵文啓（一九八九）

敬啓者：當代文苑宗師成惕軒先生不幸於本年六月二十三日病逝，少微星殞，士林同悲，同人等已於七月十六日敬謹治喪，並奉其靈骨安葬於淡水北海墓園。按成氏燕翼承徽，鳳毛擢秀，稟嵩華之玉石，潤江漢之波瀾，桐茂丹山，早聞詩禮之訓，芳挹玄圃，遂成錦繡之章，故得溢聲華於鴻藻，融治體於經術。跡其所造，衡校坫壇，實已秀掩兩宋，潤逼三唐，而驂靳於乾、嘉諸老之間，卓然稱民國以來駢林第一大家，能能六合，自足題名，固無待喋喋。同人等爲紀念此一代宗師，僉議在成氏逝世周年忌辰，印行《成惕軒先生紀念集》，用發潛德之幽光，藉供史官之采錄。所願儒林哲士，文苑耆宿，各噓煙墨，同振詞葩，舉凡古近體詩、駢散文、語體文，以至詞曲哀誄等悼念文字，均所歡迎。惠稿請於明（七十九）年三月底以前逕寄台北市濟南路一段二之一號吳志超先生收。耑此布悃，無任佇企。祗頌

道綏

成惕軒先生紀念集編纂小組　曾霽虹　謝樹華　吳志超
成中英　張仁青　林茂雄　謹啓

民國七十八年九月二十八日

《中國唯美文學之對偶藝術》自序（一九九〇）

中國文字之特質，厥有二端：爲孤立，爲單音。惟其爲孤立，故宜於講對偶，在形式上則構成整齊美。惟其爲單音，故宜於務聲律，在韻語中則顯有音節美。二美幷具，衆製紛綸，若詩也，若詞也，若曲也，若賦也，若駢文也，若聯語也，洋洋巨構，不一而足，遂蔚爲中國文學之特有

景觀，而成為世界上最優美之文學，抑亦最具姿采之文學，遠非並世各邦所能望其項背者。蓋世界各國之文學，因受多音節文字之拘囿，依其體式，要不能越乎散文與韻文兩大範疇。惟吾中國文學，獨能出此二者之外，別有一特種文藝焉，則駢文是已。斯文也，既非純粹之散文，亦非純粹之韻文。蓋謂之為散文，則彼既著重聲調之諧婉鏗鏘，復講求字句之整齊勻稱，非若散文之字句參差，聲調錯落也。謂之為韻文，則彼衹著重句中平仄之相間，而不必押句末之韻腳，非若韻文之通體用韻也。由是觀之，斯文實為一非散非韻、亦散亦韻之特殊文體，乃舉世所未有，中邦所僅見者。

吾國自有文章，即有駢體，駢體蓋與中國文字以俱生。昔之高文典冊，飛書羽檄，莫不惟駢體是尚，以其典重矞皇，光映朗練，足以增華邦國也。此一高華優美之文體，厚培深植，極千百年之斟酌損益而成。況其藻采繽紛，神韻緜遠，踵襲雅騷之遺，光昭正始之音，卓然為我中華民族之獨特文藝。而構成此種獨特文藝之首要條件即是對偶。蓋一篇完美無缺之駢文，除辭藻華麗、音韻鏗鏘、典故繁夥、句法靈動而外，特別講究對偶之工整，匪惟字字相稱，句句相儷，而意義、詞性、音節、形體等亦無一不相儷相稱者，將對稱之整齊美發揮至於極峰。此種文體曾風行中國文壇長達兩千年之久，亦云盛已。試舉數例為式：

㈠魏・曹植〈洛神賦〉：

其形也，翩若驚鴻，婉若游龍，榮曜秋菊，華茂春松，髣髴兮若輕雲之蔽月，飄颻兮若流風之迴雪。遠而望之，皎若太陽升朝霞，迫而察之，灼若芙蕖出淥波。穠纖得中，修短合度，肩若削成，腰如約素，延頸秀項，皓質呈露，芳澤無加，鉛華弗御。雲髻峨峨，修眉聯娟，丹脣外朗，皓齒內鮮，明眸善睞，靨輔承權。瓌姿豔逸，儀靜體閑，柔情綽態，媚於語言。奇服曠世，骨像應圖，披羅衣之璀粲兮，珥瑤碧之華琚，戴金翠之首飾，綴明珠以耀軀。踐遠游之文履，曳霧綃之輕裾，微幽蘭之芳藹兮，步踟躕於山隅。

㈡宋．鮑照〈蕪城賦〉：

若夫藻扃黼帳，歌堂舞閣之基，璇淵碧樹，弋林釣渚之館。吳蔡齊秦之聲，魚龍爵馬之玩，皆薰歇燼滅，光沈響絕。東都妙姬，南國麗人，蕙心紈質，玉貌絳脣，莫不埋魂幽石，委骨窮塵，豈憶同輿之愉樂，離宮之苦辛哉。

㈢梁．江淹〈別賦〉：

黯然銷魂者，惟別而已矣。況秦吳兮絕國，復燕宋兮千里。或春苔兮始生，乍秋風兮暫起。是以行子斷腸，百感悽惻。風蕭蕭而異響，雲漫漫而奇色。舟凝滯於水濱，車逶遲於山側。櫂容與而詎前，馬寒鳴而不息。掩金觴而誰御，橫玉柱而霑軾。居人愁臥，怳若有亡。日下壁而沈彩，月上軒而飛光。見紅蘭之受露，望青楸之離霜。巡層楹而空揜，撫錦幕而虛涼。知離夢之躑躅，意別魂之飛揚。故別雖一緒，事乃萬族。

㈣梁．劉令嫺〈祭夫徐敬業文〉：

維梁大同五年新婦謹薦少牢於徐府君之靈曰：惟君德爰禮智，才兼文雅。學比山成，辯同河瀉。明經擢秀，光朝振野。調逸許中，聲高洛下。含潘度陸，超終邁賈。二儀既肇，判合始分。簡賢依德，乃隸夫君。外治徒舉，內佐無聞。幸移蓬性，頗習蘭薰。式傳琴瑟，相酬典墳。輔仁難驗，神情易促。雹碎春紅，霜凋夏綠。躬奉正衾，親覿啓足。一見無期，百身何贖。嗚呼哀哉。生死雖殊，情親猶一。敢遵先好，手調薑橘。素俎空乾，奠觴徒溢。昔奉齊眉，異於今日。從軍暫別，且思樓中。薄遊未反，尚比飛蓬。如當此訣，永痛無窮。百年何幾，泉穴方同。

㈤梁・蕭繹〈蕩婦秋思賦〉：

蕩子之別十年，倡婦之居自憐。登樓一望，惟見遠樹含煙，平原如此，不知道路幾千。天與水兮相逼，山與雲兮共色，山則蒼蒼入漢，水則涓涓不測。誰復堪見鳥飛，悲鳴隻翼。秋何月而不清，月何秋而不明。況乃倡樓蕩婦，對此傷情。於時露萎庭蕙，霜封階砌。坐視帶長，轉看腰細。重以秋水文波，秋雲似羅。日黯黯而將暮，風騷騷而渡河。妾怨迴文之錦，君思出塞之歌。相思相望，路遠如何。鬢飄蓬而漸亂，心懷疑而轉歎。愁縈翠眉斂，啼多紅粉漫。

已矣哉，秋風起兮秋葉飛，春花落兮春日暉，春日遲遲猶可至，客子行行終不歸。

㈥陳·徐陵〈玉臺新詠序〉：

凌雲概日，由余之所未窺，萬戶千門，張衡之所曾賦。周王壁臺之上，漢帝金屋之中。玉樹以珊瑚作枝，珠簾以玳瑁爲柙。其中有麗人焉，其人也，五陵豪族，充選掖庭，四姓良家，馳名永巷。亦有潁川新市，河間觀津，本號嬌娥，曾名巧笑。楚王宮內，無不推其細腰，魏國佳人，俱言訝其纖手。閱詩敦禮，非直東鄰之自媒，婉約風流，無異西施之被教。弟兄協律，自小學歌，少長河陽，由來能舞。琵琶新曲，無待石崇，箜篌雜引，非因曹植。傳鼓瑟於楊家，得吹簫於秦女。

㈦北周·庾信〈鏡賦〉：

天河漸沒，日輪將起。燕噪吳王，烏驚御史。玉花簟上，金蓮帳裏。始摺屏風，新開戶扇。朝光晃眼，早風吹面。臨桁下而牽衫，就箱邊而著釧。宿鬟尚卷，殘妝已薄。無復脣珠，纔餘眉萼。靨上星稀，黃中月落。鏡臺銀帶，本出魏宮。能橫卻月，巧挂迴風。龍垂匣外，鳳倚花中。鏡乃照膽照心，難逢難值。鏤五色之蟠龍，刻千年之古字。山雞看而獨舞，海鳥見而孤鳴。臨水則池中月出，照日則壁上菱生。暫設裝奩，還抽鏡屜。競學生情，爭憐今世。鬢齊故略，眉平猶剃。

(八)唐・王勃〈益州夫子廟碑〉：

若乃乘機動用，歷聘栖遑。神經幽顯，志大宇宙。東西南北，推心於暴亂之朝，恭儉溫良，授手於危亡之國。道之將行也命，道之將廢也命。歸齊於魯，發浩歎於衰周，厄宋圍陳，奏悲歌於下蔡。聖人之救時也。

若乃筐篚六藝，筌簹五典。泝旋洙泗之間，探賾唐虞之際。三千弟子，攀睿化而升堂，七十門人，奉洪規而入室。從周定禮，憲章知損益之源，反魯裁詩，雅頌得絃歌之所。備物而存道，下學而上達。援神敍教，降赤製於南宮，運斗陳經，動玄符於北洛。聖人之立教也。

(九)清・洪亮吉〈蔣清容先生冬青樹樂府序〉：

蓋聲何哀怨，杜鵑爲望帝之魂，變亦蒼黃，猿鶴盡從軍之侶。遇金人於灞上，能言茂陵，值銅駝於棘中，誰知典午。又況南遷烽火，北狩軒輿。言締造則東南置尉，拓疆無劉濞之雄，嗟淪胥則五百從亡，歸骨少田橫之島。嗟乎，江山半壁，非仙人劫外之棋，金粉六朝，盡才子傷心之賦。今之作者，意在斯乎。

昔者申徒下士，赴清泠而不辭，精衛冤禽，投滄溟而不返。斯之挺質，本視鴻毛。未有九重端穆，辭黃屋而乘桴，萬乘輝皇，褰龍裳而蹈海。此即鱗臣效順，不能使東海之波不揚，而孱主奚堪，更非若南征之舟不復者矣。

⑩民國·葉楚傖〈壬子宮駝記〉：

索靖宮門，感懷荊棘；參軍賦筆，追慨蕪城。蓋一姓之興亡，亦萬古所憑弔。非特阿房楚火，紅啼蜀道之鵑；鍾阜繁霜，白染明陵之草已耳。秋間行次北京，遍覽宮闕，延秋蕭寂，中夜聞烏；太液潺湲，三秋折柳。斯亦齊雲摘星之遺跡，玉儀御杖之遺徹乎。

余于九月十日入京，十月二十二日出京。歌殘水調，偶來花萼樓頭；紅到劫灰，不啻靈光殿畔矣。是爲記。

⑪民國·成惕軒〈南都試院菊展啓〉：

秋深白下，菊有黃華。霜清麃眼之籬，地接雞鳴之埭。群芳競爽，本木天選佛之場；三徑新栽，疑栗里高人之宅。晚節彌勁，夕英可餐。紛紅紫其雜陳，挹芳馨而靡盡。斯園試涉，毋忘玄武門前；佳日同看，且趁鯉魚風後。（民國卅五年作於南京）

⑫民國·成惕軒〈告皇考皇妣文〉：

渡海以來，忽忽二十七寒暑矣。晶蟾影碎，候雁書沈。節又中元，客仍東嶠。放歌劍外，期子美之還鄉，招隱山陰，愧羲之之誓墓。爰具瓣香斗酒，以上告我皇考炳南府君、皇妣紀太夫人曰：

不肖以蒲柳薄質，樗櫟散材。故紙徒鑽，巍科早掇。叨分鶴俸，洊列鵷行。棘闈司掄拔之權，藜閣預清華之選。自揣力孱任重，綆短汲深。才難期於濟川，智不足以周物。而三膺

特命，十有餘年，勉修鴻陸之儀，俾免鵜梁之刺者，非夙承乾蔭，兼荷慈恩，其孰能與於此哉。（本文作於民國六十五年）

平情而論，此種平仄相間、音節協暢之文句，曼聲吟哦，的確十分順口，絕無詰屈聱牙之弊病，足以增加文章之音響效果。不寧惟是，由於對仗精工，形式優美，不但合乎美學（aesthetics）上平衡（balance）與勻稱（symmetry）之原則，亦且可以予人在視覺方面之美感。故駢文乃是文藝而兼音樂、美術之一種特殊文學。易詞言之，駢文乃是文藝、音樂、美術三者之綜合體，允稱中國唯美文學之極品，遠非世界任何美文所能逮。其所以被謚為『中國之美文』（Chinese belles-lettres）者以此，其所以又被謚為『有字之圖畫』、『有聲之文藝』者亦以此也。凡此皆我先賢智慧之結晶，而成為寶貴的文學遺產，吾人能不盥手斂衽而拜其賜乎。

美哉中華，吾人何幸而生於此最大洲之最大國，生於斯，長於斯，聞道於斯，今且闢文境於斯矣。偉哉中華，吾人抑何幸而立於此歷史最悠久，文化最燦爛之古國，得以偃仰嘯歌，揚眉瞬目。泱泱哉我中華，吾人更何幸而擁有此世界上最優美之文學，晤言一室之內，神交千載以上。我國家，我文化，我先聖往哲之嘉惠於吾人者多矣。凡我炎黃裔胄，當思如何強大我國家，重振我民族，發揚我文化，光大我文學。昔海寧王靜安氏有云：『凡一代有一代之文學，楚之騷，漢之賦，六代之駢語，唐之詩，宋之詞，元之曲，皆所謂一代之文學，而後世莫能繼焉者也。』（《宋元戲曲史》）儀徵劉申叔氏亦云：『儷文律詩為諸夏所獨有，今與外域文學競長，惟資斯體。』（《中古文學史》）有靈性、有思想之中華兒女，其有哀國魂之不振，國粹之幽淪者乎，庶幾披涕以讀而為之舞。

《李商隱豔情詩之謎》序（一九九一）

自漢武帝採董仲舒之議，罷黜百家，獨尊儒術以後，詩書五經遂如日月經天，江河行地，無所容其疵議，天下學者，靡然從風，歷時達兩千餘年之久。其嚴守夷夏之大防，統合民族之意識，強固道德之藩籬，維繫倫理之命脈，功績昭彰，不可磨滅。然天下之事，利之所在，弊亦隨之，物極必反，自然之理也，復極必剝，情勢之常也。儒家學說長期唯我獨尊之結果，遂失去與其他各家學說相互觀摩競爭之機會，於是故步自封，但知承襲，因而產生若干後遺症。其中攸關文學之發展者厥有二端：

一曰貴古賤今　儒家自來有一根深蒂固觀念，即今不如古，古必勝今，故人必稱堯舜，言必遵先王，似後人之智慧與努力均無一可取者。不知人文發展，恆循螺旋而轉動，遞革而遞進，此社會之所以繁複而日新也。晉代文學批評家葛洪深知其然也，於是力倡『今必勝古』之說。其《抱朴子・鈞世篇》云：

《尚書》者，政事之集也，然未若近代之優文詔策、軍書奏議之清富贍麗也。《毛詩》者，華彩之辭也，然不及〈上林〉〈羽獵〉〈二京〉〈三都〉之汪濊博富也。然則古之子書，能勝今之作者，何也。然守株之徒，嘍嘍所翫，有耳無目，何肯謂爾。其於古人所作爲神，今世所著爲淺，貴遠賤近，有自來矣。

且夫古者事事醇素，今則莫不雕飾，時移世改，理自然也。至於罽錦麗而且堅，未可謂之減於蓑衣，輜軿妍而又牢，未可謂之不及椎車也。若言以易曉爲辨，則書何故以難知爲好哉。若舟車之代步涉，文墨之改結繩，諸後作而善於前事，其功業相次千萬者，不可復縷舉也。世人皆知之快於曩矣，何以獨文章不及古邪。

梁蕭統申之曰：

若夫椎輪爲大輅之始，大輅寧有椎輪之質，增冰爲積水所成，積水曾微增冰之凜。何哉，蓋踵其事而增華，變其本而加厲，物既有之，文亦宜然。（〈文選序〉）

二氏均以物質文明印證後世之雕飾不遜於古昔之淳素，甚具卓見。質文既有代變，人事日益繁雜，則文章之富美日新，內容之翻空詭譎，乃進步之徵象。若曰凡百事物均日趨進化，獨文章一道反日趨退化，是乃不通之論也。於是高舉文學進化論之大纛，徹底擊破尙古主義者之迷夢，使文學脫離迂腐之牢籠而趨於純淨，獲得獨立。其思想可謂新矣，其立論可謂勇矣。

二曰崇德抑文 儒家論士，向重人品，故孔門十哲，德行爲首，四教之中，德居其三，見諸

《論語》，不遑悉舉。〈學而篇〉云：

子曰：『弟子入則孝，出則弟，謹而信，泛愛眾，而親仁。行有餘力，則以學文。』

子夏曰：『賢賢易色。事父母能竭其力，事君能致其身，與朋友交，言而有信。雖曰未學，吾必謂之學矣。』

此種視文事爲德行附庸之『德本文末』說，從此深中人心，牢不可破。唐裴行儉更推波揚瀾，高呼『士必先器識而後文藝』之論，而清初顧炎武《日知錄》引劉摯之說亦云：『一爲文人，便無足觀。』是皆儒家崇德抑文之顯證也。

由於二千年來儒家學術思想過度膨脹，學術文藝界深受影響，遂以功利與教化之眼光觀察一切文學作品，雖誤入死胡同而不自知。今以先秦南北文學之名著——《詩經》與《楚辭》爲例：

《詩經．國風》第一篇〈關雎〉乃是一首貴族青年戀慕農村少女之情詩，而漢儒則謂：

〈關雎〉，后妃之德也，風之始也，所以風天下而正夫婦也，故用之鄉人焉，用之邦國焉。風，風也，教也，風以動之，教以化之。〈周南〉〈召南〉，正始之道，王化之基。是以〈關雎〉樂得淑女以配君子，憂在進賢，不淫其色。哀窈窕，思賢才，而無傷善之心焉，是〈關雎〉之義也。

第二篇〈葛覃〉乃是敍寫中等家庭之媳婦欲歸寧父母，臨行時之愉快心情。而漢儒則謂：

〈葛覃〉，后妃之本也，后妃在父母家，則志在於女功之事，躬儉節用，服澣濯之衣，尊敬師傅，則可以歸安父母，化天下以婦道也。

第三篇〈卷耳〉乃是一首丈夫遠役，婦人深致思念，不能專心工作之詩。而漢儒則謂：

〈卷耳〉，后妃之志也，又當輔佐君子，求賢審官，知臣下之勤勞，內有進賢之志，而無險詖私謁之心，朝夕思念，至於憂勤也。（以上均見《毛詩正義》）

按以上三首明明是民間歌謠，而漢儒則分別以『后妃之德』、『后妃之本』、「后妃之志」解之，不知何所據而云然。故余在大學講授《詩經》，於毛傳鄭箋多不採用，甚至詳賅如孔穎達之《正義》，博洽如朱子之《集傳》，亦輕易不敢徵引，而是直指詩心，就詩論詩，以免重蹈前人之失而誤導學生進入魔道。

又如《楚辭》之〈離騷〉，乃是屈原怨生抒情之作，而漢儒王逸則謂：

〈離騷〉之文，依《詩》取興，引類譬諭，故善鳥香草，以配忠貞，惡禽臭物，以比讒佞，靈修美人，以媲於君，宓妃佚女，以譬賢臣，虬龍鸞鳳，以託君子，飄風雲霓，以爲小人。（〈離騷章句序〉）

漢儒訓釋古書，皆此類也。要而言之，凡不合於『文以載道』之功能者，非遭曲解，即遭擯棄。揆其用心，無非在迎合聖人之旨意，使其成爲宣揚教化之免稅品而已，理想固崇高矣，態度固嚴肅矣，其奈與詩賦眞旨相去懸絕何。

下逮近世，儒者心態依然，未嘗稍改。以唐李商隱之詩集而論，除歷代各家詩話對李詩作零星之品鑑外，注釋箋評其詩之專著有下列十三家：

①明錢龍惕《玉谿生詩箋》（原刻本）

②清朱鶴齡《李義山詩集箋注》（台北・商務印書館）

③清吳喬《西崑發微》（原刻本）

④清陸崑曾《李義山詩解》（台北・學海出版社）

⑤清姚培謙《李義山詩集箋注》（日本・京都・中文出版社）

⑥清屈復《玉谿生詩意》（台北・正大印書館）

⑦清程夢星《李義山詩集箋注》（台北・廣文書局）

⑧清馮浩《玉谿生詩集箋注》（據《四部備要》排印嘉慶重校本。台北・里仁書局）

⑨清沈厚塽輯《李義山詩集輯評》（輯何焯、朱彝尊、紀昀三家評箋。台北・學生書局）

⑩清紀昀《玉谿生詩說》（《詩說》與《輯評》紀評小有同異。原刻本）

⑪近人張采田《玉谿生年譜會箋》及《李義山詩辨正》（台北・中華書局）

⑫今人葉蔥奇《李商隱詩集疏注》（北京・人民文學出版社）

⑬今人王汝弼聶石樵《玉谿生詩醇》（濟南・齊魯書社）

各書雖詳略不同，觀點各異，而深受儒家教化功能之影響則一。例如〈錦瑟〉：

錦瑟無端五十絃，一絃一柱思華年。莊生曉夢迷蝴蝶，望帝春心託杜鵑。

滄海月明珠有淚，藍田日暖玉生煙。此情可待成追憶，只是當時已惘然。

此詩自兩宋以來，即聚訟紛紜，仁智互見，要而歸之，約得十說。（詳見拙著《唐詩采珍》）然玩繹詩旨，似以『自傷身世』與『追憶舊歡』二說最有韻味，亦最能得詩人之用心。（余歷年在台港各大學講授或演講此詩均採『追憶舊歡』之說，學生或聽眾無不首肯。）而楊守智則釋之曰：

錦瑟喻夫婦，冠以『錦』者，言貴重華美，非荊釵布裙之匹也。五十絃、五十柱，合之得百數。『思華年』者，猶云百歲偕老也。（馮箋引）

馮浩更鐵口直斷其爲『悼亡詩』而暢加詮說曰：

楊說似精而實非也。言瑟而曰錦瑟、寶瑟，猶言琴而曰玉琴、瑤琴，亦泛例耳。有絃必有柱，今者撫其絃柱而歎年華之倏過，思舊而神傷也，便是下文『追憶』二字，前人每以求深失之。（『莊生』句）取物化之義，兼用莊子妻死，惠子弔之，莊子則方箕踞鼓盆而歌，義山用古，頗有旁射者。（『望帝』句）謂身在蜀中，託物寓哀。下半重致其撫今追昔之痛。五句美其明眸，六句美其容色，乃所謂『追憶』也。木庵謂是哭之葬之，則接第七句必不融洽矣。（七八句）『惘然』緊應『無端』二字。『無端』者，不意得此佳耦也。當時睹此美色，已覺如夢如迷，早知好物必不堅牢耳。

又曰：

此悼亡詩定論也。以首二字爲題，集中甚多，何足泥也。余爲逐句箋定，情味彌出矣。《許彥周詩話》『適怨清和』一作『感怨清和』，云令狐楚侍人能彈此四曲，皆妄說耳。近人著《柳南隨筆》云，義門謂是玉谿自題其集以開卷，此又非義門之說而訛承者。

宋儒嘗言治學之態度須『持之有故，言之成理』，而馮氏解詩非惟不能『持之有故，言之成理』，亦且師心自用，強作解人。論斷此詩爲『悼亡』之作，已甚牽強，至謂運典而有『旁射』，則未之前聞。其徒逞臆說，至爲明顯。抑有進者，馮浩爲乾嘉名儒，熟精惇史，畢生學力，盡萃於對義山詩文之詮釋，先後有《樊南文集詳注》、《玉谿生詩集箋注》問世，二書均考證詳密，徵引繁博，頗有助於閱讀理解，厥功甚偉。惟〈錦瑟〉一詩，詞義晦澀，景象迷離，而藻采繽紛，尤見良工心苦，施之於『悼亡』，實悖情理，況『至親無文』非聖人之明訓耶，故此詩絕非『悼亡』之作，可斷斷不惑不疑者也。不寧惟是，義山〈夜雨寄北〉一絕，明是思念故鄉親友之作，而馮氏卻解爲『語淺情濃，是寄內也。』夫妻久別重逢，諸事待理，豈復有『剪燭西窗』之閒情逸致耶。故馮氏詁詩，多有可議者，上舉二例，不過豹中之一斑，鼎中之一臠而已。

又如《牡丹》：

錦幃初卷衛夫人，繡被猶堆越鄂君。垂手亂翻雕玉佩，折腰爭舞鬱金裙。

石家蠟燭何曾剪，荀令香爐可待薰。我是夢中傳彩筆，欲書花葉寄朝雲。

此乃借物詠情之作，以其人爲國色，故以牡丹喻之，亦猶李白〈清平調〉之以牡丹比楊妃也。而八句八典，卻一氣鼓盪，不著堆砌之跡，洵義山豔情詩錚錚之作也。而徐德泓則釋之曰：

令狐楚宅牡丹最盛，此詩作於楚宅。（馮箋引）

馮浩所詮，意亦同此。

《長安志》曰：『《酉陽雜俎》載開化坊令狐楚宅牡丹最盛。』近刊《酉陽雜俎》脱此語，而《長安志》所引明甚也。楚《赴東京別牡丹詩》：『十年不見小庭花，紫萼臨開又別家。上馬出門回首望，何時更得到京華。』以史傳考之，當爲太和三年楚赴東都留守時作，是年即鎮天平，而義山受其知遇，此章義山在京所作。上四句狀花之穠豔；五六言花之光與香；楚猶在鎮，故兼祝其還朝。七句謂授以章句之學。結句遠懷也。晚唐人賦物多用豔體，非可盡以風懷測之。徐説甚是，約在太和五六年。

張采田又糾正馮浩之失曰：

《長安志》引《酉陽雜俎》：『開化坊令狐楚宅牡丹最盛。』此假以喻意。前半極寫其華麗。石家、荀令，一富一貴，時楚還朝爲左僕射，故又祝其拜相也。觀結語，詩當自崔幕寄賦者，非太和三年義山在京作也。馮説小疏，故爲正之。（《會箋》·編太和八年）

按牡丹古稱芍藥，爲富貴華豔之花，有『國色天香』之譽。唐人最愛之，尊爲國花、富貴花，豪富之家，競相栽種，不獨令狐楚宅而已。三氏所詮，顯然失之武斷。

再如《無題》：

相見時難別亦難，東風無力百花殘。春蠶到死絲方盡，蠟炬成灰淚始乾。

曉鏡但愁雲鬢改，夜吟應覺月光寒。蓬山此去無多路，青鳥殷勤爲探看。

觀其內容，當是對所思女子刻骨銘心、生死不渝之深情。寫情曲折深至，迴環纏綿，又而自然酣暢，有如自肺腑中流出者，其爲豔體，彰彰明甚，寧待辭費耶。而吳喬則釋之曰：

（首句）見時難於自述，別後通書又不親切，所以歎之。畢竟致書猶易，故有此詩。（首句）東風比綯，百花自比，上不引下也。（三四句）致堯云：『一名所係無窮事，怎肯當年便息機。』肥遯之士，莫容易笑人。（七八句）無多路，爲探看，侯門如海，事不可知。亦屢啓陳情事也。又曰：相見時難，……怨矣，而未絕望。（《西崑發微》）

馮浩承席其說亦曰：

首言相晤爲難，光陰易過。次言己之愁思，畢生以之，終不忍絕。五言惟愁歲不我與。六謂長此孤冷之態。末句則謂未審其意旨究何如也。此段（指大中三年）諸詩，寓意率相類。

張采田則肯定此詩作於唐宣宗大中五年（西元八五一年）春離開徐州、入朝晉謁宰相令狐綯之時。

此徐府初罷，寓意子直（令狐綯字子直）之作。『春蠶』二句，即諺所謂『不到黃河心不死』之意。結言此去京師，誓探其意旨之所向也。確係是時作，觀起結自悟。（《會箋》）

而汪辟疆師承其說，言之尤爲詳盡。

此當爲大中五年徐府初罷寓意子直之詩也。欲絕而不忍遽絕，中懷悲苦，故以掩抑之詞出之。然詩意固自顯然也。起句言相見既難，即決絕亦不易，此『別』字，非離別之別，乃決別之別。次句言綯既無意嘘植，而已則必就淪落。東風指綯，百花指己。……三四極言己心不死……。五句即詩人『維憂用老』之意。六句即極言孤獨無偶。然猶對綯有幾希之望，不能不藉青鳥之探看也。……史所稱屢啓陳情，此當其時所作。詞苦而意婉，百誦不厭。（《李商隱詩歌集解》引）

諸家均以爲屢啓陳情時寓意令狐丞相之作，然以詩中所抒寫之感情與義山令狐綯間之關係作對照，此說實滯泥難通，而言之鑿鑿如此，不知何故。揚榷言之，以義山與令狐之關係（令狐綯係令狐楚之哲嗣，李商隱係令狐楚之門生，二人有師兄弟之誼。）而論，其情分實已超邁等倫，非同浮泛。義山由於仕途蹭蹬，長年屈志藩僚，不得已而向令狐陳情告哀，冀求援引，乃情理之常，無足怪者，集中此類詩多達數十首。然以同心離居、卿我相憐相比擬，或以海枯石爛、之死靡它爲信誓，且欲並其〈無題〉、〈碧城〉、〈春雨〉、〈落花〉、〈錦瑟〉、〈暮秋獨遊曲江〉諸作亦併入此類，則必非人情。而其所以如此，無非在維護義山之形象，以祈合於儒家溫柔敦厚之詩教而已。其實義山撰寫豔詩，率能發乎情，止乎禮義，側重意象之美，而不流於儇薄，故能贏得『千古情聖』之美譽。例如『身無綵鳳雙飛翼，心有靈犀一點通』；『劉郎已恨蓬山遠，更隔蓬山一萬重』；『春心莫共花爭發，一寸相思一寸灰』；『神女生涯原是夢，小姑居處本無郎。』（以上均見〈無題〉）『一春夢雨常飄瓦，盡日靈風不滿旗』（〈重過聖女祠〉）；『紫鳳放嬌銜楚佩，赤鱗狂舞撥湘絃』（〈碧城〉）；『深知身在情長在，悵望江頭江水聲』（〈暮秋獨遊曲江〉）；

『玉璫緘札何由達，萬里雲羅一雁飛』（〈春雨〉）；『重衾幽夢他年斷，別樹羈雌昨夜驚』（〈銀河吹笙〉）等，無一而非纏綿其詞，悱惻其語，爲普天下有情人所愛誦。昔淮南王劉安評騭屈原〈離騷〉有云：『〈國風〉好色而不淫，〈小雅〉怨誹而不亂，若〈離騷〉者可謂兼之矣。』（王逸《楚辭章句》引班固〈離騷序〉）移以讚義山詩，亦甚愜當。抑退一萬步言之，以豔情詩作爲精神生活之調劑，不猶愈於沈溺聲色、追逐犬馬者耶。此則以儒家道德觀念而品鑑義山豔情詩之過也。

梅州白冠雲女史擢秀高門（其尊翁白志忠先生爲香港能仁書院之創辦人），恪守青箱，稟崑圃之玉石，潤梅江之波瀾，自幼於時俗好尚，一不屑意，而篤志銳進於學，於義山之詩，尤所心醉，握睇籀諷，靡間宵晨，至今已成爲痼疾矣。頃以碩士論文《李商隱豔情詩之謎》抵余，謂將梓行於世，而乞爲弁言，因抒所懷而歸之，既爲此一代情聖之侘傺不偶大鳴不平，亦爲其緣情諸什之橫遭曲解而深致慨歎。嗣觀厥製，獨運匠心，剖析固極精微，衡斷尤多允愜，然後義山之瓊章麗曲，勝義妙諦，粲然復明於世，而其豔體名篇亦因此而獲致崇高之評價，義山泉下有靈，必當驚爲千古之知己矣。宋敖陶孫評陳後山詩有云：『九皋鶴唳，深林孤芳，沖寂自妍，不求識賞。』（《敖器之詩話》）識者以爲篤論，冠雲此書倘近之歟。

民國八十年（西元一九九一年）歲次辛未荷月識於台北永和之揚芬樓

六朝駢文聲律探微序（一九九一）

廖君志強拔萃香江，偏嗜藝文，當茲世尚物華，人趨貨利之日，獨孳孳於六代麗辭之諷詠，探究音節之抗墜，期使駢文聲律粲然復明於世，用心良苦，深可嘉尚。頃以所撰《六朝駢文聲律探微》乞序於余，蓋此原爲君之碩士論文，而經王韶生教授所點定，復經全漢昇、鄺健行、李雲光、何沛雄諸教授口試通過者也。余披閱一過，感觸良多，爰綴蕪辭，以當喤引。

蓋嘗試論之，中國文字之特質，厥有二端：爲孤立，爲單音。惟其爲孤立，故宜於講對偶，在形式上則構成整齊美。惟其爲單音，故宜於務聲律，在韻語中則顯有音節美。二美幷具，衆製紛綸，若詩，若詞，若曲，苦賦，若駢文，若聯語，洋洋巨構，不一而足，遂蔚爲中國文學之特有景觀，而成爲世界上最優美之文學，抑亦最具姿采之文學，遠非並世各邦所能望其項背者。

抑又嘗試論之，駢文有廣狹二義：凡通篇以偶句連綴成文者，是爲廣義之駢文，初唐以前之對偶文章屬之。而狹義之駢文，通稱爲四六文，初唐以後之對偶文章屬之。四六文構成之要件有五：㈠對偶精工；㈡用典繁夥；㈢辭藻華麗；㈣聲律諧美；㈤句法靈動。此五者缺一不可，缺其任何一項，則不得謂爲純粹之四六文矣。其中聲律部分與駢文之發展最爲密切，亦爲廣義駢文與狹義駢文之分疆所在。今各舉一例，以資比觀：

㈠齊．謝朓〈辭隨王子隆牋〉（廣義之駢文——六朝文）

朓聞

潢汙○之水●。願●朝宗○而每竭●。

駑蹇●之乘●。希○沃若●而中疲○。

何則。

皋壤●搖落●。對之○惆悵●。

歧路●西東○。或以●嗚邑●。

況乃

服義●徒擁●。

歸志●莫從○。

邈若●墜雨●。

翩似●秋蒂●。

朓實庸流。行能無算。屬

天地●休明○。

山川○受納●。

故

褒采●一介●。

抽揚○小善●。

捨耒●場圃●。

奉筆●兔園○。

東亂●三江○。

西浮○七澤●。

契闊●戎旃○。

從容○讌語●。

長裾○日曳●。

後乘●載脂○。

榮立●府庭○。

恩加○顏色●。

沐髮晞陽。未測涯涘。
撫臆論報。早誓肌骨。

二唐・王勃〈滕王閣序〉（狹義之駢文——四六文）

勃

三尺微命。
一介書生。
無路請纓。等終軍之弱冠。
有懷投筆。慕宗愨之長風。
舍簪笏於百齡。
奉晨昏於萬里。
非謝家之寶樹。
接孟氏之芳鄰。
他日趨庭。叨陪鯉對。
今晨捧袂。喜託龍門。
楊意不逢。撫凌雲而自惜。
鍾期既遇。奏流水以何慚。

嗚呼

勝地不常。
盛筵難再。
蘭亭已矣。
梓澤丘墟。
臨別贈言。幸承恩於偉餞。
登高作賦。是所望於群公。
敢竭鄙誠。
恭疏短引。
一言均賦。
四韻俱成。
請灑潘江。
各傾陸海云爾。

觀乎上舉二例，吾人不難發現六朝文衍變而成四六文之軌跡，而其最大關鍵則在聲律一項。謝朓之文，不但平仄未盡諧叶，亦未調『馬蹄韻』，而且構成騈文之其餘各項條件亦未臻成熟。至王勃之文，則屬對工穩，用典繁富，辭藻華美，平仄相間，又有『馬蹄韻』絡乎其中，將中國文學之藝術美、音樂美發揮至極峰，曼聲吟哦，未有不令人拍案擊節、咨嗟贊歎者。故四六文乃是文藝、音樂、美術三者之綜合體，允稱中國唯美文學之極品，遠非世界任何美文所能逮。其所以被謚爲『中國之美文』(Chinese belles-lettres)者以此，其所以又被謚爲『有字之圖畫』、『有聲之文藝』者亦以此也。

夫詞藝一道，恆循螺旋而轉動，遞革而遞進，此其所以富美而日新也。即以五言詩而論，先士所作，藻思綺合，清麗芊眠，至宋齊已無可復加，所未盡美者，僅平仄聲調猶未格律化已耳。而永明諸子——王融、謝朓、周顒、沈約聲氣相求，桴鼓相應，乃共同倡爲音律之說，以期合於韻文聲律宜有相間相重之音學原理，故齊梁新體，下開三唐律近，其垂範後昆，沾溉來葉者，正靡有紀極，固不容輕易詆訶，一筆抹殺。且自古詩脫離音樂以後，對詩之欣賞方法，便由歌唱而轉入吟詠，詩之音樂性與詩句韻律之美，不復能仰仗絲竹管絃，而必須乞靈於語言文字之自身。故永明諸賢乃罄其心血，竭其思慮，創造人工音律，以濟詩樂分離之窮，使詩中之韻律，假借人爲力量，而更加諧叶，益趨完美。譬彼鄉僻無識之美人，苟能施以袨服靚妝，而又教以詩書禮樂，豈不更增其美耶。雖然，吾人固不可輕忽自然之美，以保持其純眞，惟當自然美逐漸殘褪時，則須力謀補救，不宜任其凋零。中年婦女之所以厚施脂粉，加工美容者，亦欲長保其青春，以濟歲月之窮耳。明乎此理，則於沈約諸子之刻意提倡人工音律，允宜斂衽以拜其賜也。

區區茲意，時以語人，人或未之省也，今特為我及門諸子言之，以資共勉。志強苟能口誦心維而有得焉，庶幾竿頭更進，造於極巔，以自成其馨逸焉耳。博雅君子見之，得無哂其迂悖也乎。

《唐詩采珍》卷首小語（一九九一）

一、余童年即酷愛中國古典文學，於唐代詩歌，尤所心醉，晨夕諷誦，定為日課。寒暑假期，或披閱於芸窗，或展讀於風簷，或雄吟於山澗，或低唱於水涘，一卷在手，寢饋皆忘，於世俗好尚固未嘗屑意也。惟當時坊間所陳列者，僅上海春明書局所出版之童蒙讀本《唐詩三百首》、《古唐詩合解》、《古詩源》、《千家詩》以及《李白詩選》、《杜甫詩選》等數種而已，固不足以饜飫余如壑如海之求知欲望。無奈地處鄉僻，貧逾原憲，除望洋向若興歎而外，實別無他途可出矣。迨民國四十一年進入初中就讀以後，始在圖書館得睹《全唐詩》，其麗製瑋篇富於童蒙讀本遠甚，為之狂喜。乃時常借閱，珍如拱璧，凡令我咨嗟詠歎之名篇，拍案擊節之雋句，輒以蠅頭小楷抄錄之，為數達五千餘首。自茲厥後，此薄物小篇遂儼然為余之「愛人」，而與我長相左右矣。

二、唐詩最吸引人處，蓋在雋語之多，冠絕古今，曼聲吟哦，往往令人情爲之移，神爲之往，氣盪腸迴則猶其餘事。憶余少時雒誦唐詩，每讀王維「九天閶闔開宮殿，萬國衣冠拜冕旒」（〈和賈舍人早朝大明宮〉），則默禱大唐盛世之重現；讀王昌齡「青海長雲暗雪山，孤城遙望玉門關」（〈從軍行〉），則讚歎西北高原之壯麗；讀杜牧「千里鶯啼綠映紅，水村山郭酒旗風」（〈江南春〉），則嚮往江南風光之旖旎；讀孟浩然「野曠天低樹，江清月近人」（〈宿建德江〉），則忻慕錢塘夜色之迷人；讀溫庭筠「雲邊雁斷胡天月，隴上羊歸塞草煙」（〈蘇武廟〉），則敬佩蘇武志節之堅貞；讀杜甫「片雲天共遠，永夜月同孤」（〈江漢〉），則嗟傷老杜晚景之淒涼；讀李商隱「春心莫共花爭發，一寸相思一寸灰」（〈無題〉），則憐憫詩人失戀之痛苦。他若「花迎劍佩星初落，柳拂旌旗露未乾」（岑參〈和賈舍人早朝大明宮〉）之工切對仗；「可憐閨裏月，長在漢家營」（沈佺期〈雜詩〉）之流水對仗；「曾經滄海難爲水，除卻巫山不是雲」（元稹〈離思〉）之舊典翻新；「東邊日出西邊雨，道是無晴還有晴」（劉禹錫〈竹枝詞〉）之雙關語意；「春蠶到死絲方盡，蠟炬成灰淚始乾」（李商隱〈無題〉）之將物擬人；「白髮三千丈，緣愁似個長」（李白〈秋浦歌〉）之適度夸飾；「亂山殘雪夜，孤燭異鄉人」（崔塗〈除夜有懷〉）之十層涵意。……語其創作功力，均已臻於登峰造極、爐火純青、出神入化之絕詣。杜甫贊西蜀樂曲有云：「此曲只應天上有，人間能得幾回聞。」（〈贈花卿〉）移贊唐詩，尤爲確切。惟前人詮評唐詩，多用形象語言，含糊籠統，曖昧不清，於詩人之創作技巧及藝術成就則不甚詳談，使閱其書者，如墮五里霧中，只知其妙，而不知其所以妙，馴至眞旨難明，清芬莫挹，詩道隱淪，由來已久。本書有鑑於此，乃一改舊貫，而直指詩心，闡發奥賾，批隙導窾，有蘊必宣，期使先士茂製粲然復明於世。

三、民國五十八年秋九月，余應聘爲臺灣師範大學講席，自此廁身上庠，從事舌耕，先後在臺灣南北各大學講授中國古典文學——六朝文學、駢體文、《詩經》、唐詩、宋詞、元曲。其中以唐詩爲獨多，專家詩有李白、杜甫、王維、孟浩然、李商隱五大家。所開課程均予錄音，再作整理，逐年修訂，務求趨於完美，歸於至當，然後刊諸報章雜誌，得七十二篇。於是纂輯成書，公之於世，以就正於海峽兩岸之治唐詩者。

四、在本書所收錄之七十二篇鑑賞詩作中，獨缺婦女作品，爲憾殊甚。爲彌補此一缺憾，特附錄二篇舊作，分別表章漢唐閨閣詩人——蔡琰、薛濤、魚玄機之傑出成就，並略加評隲，庶使瓊章麗曲，益增價於騷壇，瑰璧奇珍，再揚輝於珠澤。

五、本書原係隨堂授課講義，故僅作講述，未加注釋。其後逐篇刊布時亦然，以此類書刊尚無附刊注釋之前例也。惟從遊諸生與讀者諸君僉以詩中典故繁夥，若干詞義亦極艱深，建議稍加「注釋」，以利了解，且可免翻檢辭書之勞。其意甚美，婉卻爲難，於是廣採今人金性堯《唐詩三百首新注》之「注釋」，間亦竊附己意，略加增損。惟以行文方便，未能一一注明，謹向金氏致歉，並申謝悃。

六、孔子論詩有云：「入其國，其教可知也。其爲人也，溫柔敦厚，詩教也。」（《禮記·經解》)又云:「詩可以興,可以觀,可以群,可以怨。」(《論語·陽貨》)此溫和寬厚與興觀群怨之詩教,乃是孔子淑世牖民之要指,丕揚忠愛之利器。不寧惟是,詩之美者,尤足以淨化性靈,美化氣質。西人常謂「學音樂的孩子不會變壞」,吾今亦謂「學詩歌的孩子不會變壞」。吾願藉此書之問世,引起國人對唐代詩歌之重視,庶幾大唐英風復見於今日,吾將延頸俟之。

《李賀詩新探》序(一九九六)

余自幼即酷愛唐詩,握睇籀諷,靡間昕宵,輒忘寢食,時日既久,竟成痼疾。惟當時身處鄉僻,得書不易,其所瓣香者,不外李白、杜甫、王維、孟浩然、白居易、杜牧、李商隱諸大家而已,迨年事愈長,視野益寬,始知李、杜諸家之外,尚有所謂「怪誕」一派,譬彼稻粱菽粟雖常嗜,而今則別有龍肝鳳髓,中心狂喜,實非楮墨所能形容其萬一。

怪誕詩派萌生於唐代之叔世,以韓愈、孟郊、賈島、盧仝、劉叉、李賀六子最號雄傑。其創作旨趣,在於務去陳言,一空依傍,不落窠臼,自鑄新詞;以豪放通脫、恢宏恣肆之氣勢,雄奇險怪、幽冷生僻之風格,達到「筆補造化天無功」(李賀〈高軒過〉)之最高藝術境界。不但爲馥郁芳香之唐詩百花園增添一簇奇卉異葩,抑且爲千百年來之古詩血脈注入一支新藥劑。

不寧惟是，此派六大巨擘雖各騁巧思，互擅勝場，而其中風格最奇詭，色彩最濃豔，感情最眞摯者，則要以李賀爲尤著。每讀「女媧煉石補天處，石破天驚逗秋雨」（〈箜篌引〉），則贊歎其構思新巧，造語瑰麗。讀「衰蘭送客咸陽道，天若有情天亦老」（〈金銅仙人辭漢歌〉），則驚服其神馳千年，思落天外。讀「遙望齊州九點煙，一泓海水杯中瀉」（〈夢天〉），則歆慕其幻想奇異，遠邁前賢。他如「我有迷魂招不得，雄雞一聲天下白。」（〈致酒行〉）詩人在潦倒困頓之餘，仍有發憤圖強，積極進取之奮鬥精神，令人欽敬。又如：「秋墳鬼唱鮑家詩，恨血千年土中碧。」（〈秋來〉）在淒風冷雨之秋夜，詩人諷誦落魄才子鮑照之詩篇，百感交集，幽明同悲，才命相妨，古今一慨。再如：「羲和敲日玻璃聲，劫灰飛盡古今平。」（〈秦王飲酒〉）言秦始皇威力強大，直如羲和之可以驅策白日，故能鞭笞群雄，統一天下。詩人借古喻今，殷望李唐王朝亦能效法秦皇，敉平藩鎮禍亂，重振大唐雄風。抑有進者，其詩又擅於摹怪寫鬼，出神入幽，字譎詞險，意新語雋，爲自有蒼生以來所絕無者，此固夫人所周知，無待余之喋喋。故後人率以「鬼才」、「詩怪」、「詩鬼」譽之，而與「詩仙」（李白）、「詩聖」（杜甫）、「詩佛」（王維）、「詩星」（孟浩然）、「詩祖」（陳子昂）、「詩豪」（劉禹錫）、「詩魔」（白居易）、「詩囚」（賈島）、「詩天子」（王昌齡）同放異采，並臻絕詣。雖以天妒奇才，英年早謝，然其瓊章新曲，麗製瑋篇，已如桂林之一枝，崑圃之片玉，聲光煒然，永不磨滅。宋嚴羽撰《滄浪詩話》，特標舉其詩爲「李長吉體」，並備加推崇曰：「長吉之瑰詭，天地間自欠此體不得。」佛眼獨具，實邁等倫。

李君卓藩，毓自粵東，夙承庭訓，自幼於時俗好尙，一不屑意，而刻苦銳進於學，頻年以來，於公務鞅掌之暇，陸續完成高等教育，公私兩全，殊不易得。癸酉（西元一九九三年）秋九月，余自台北遠役香江，應聘爲新亞研究所客座教授，卓藩復以強仕之年，前來問學，並懇請指導其碩士論文。余嘉其志篤心虔，乃欣然允諾。竊維長吉歌行猶有許多妙諦勝義爲前修所未見者，經商酌旬日，題目遂定。卓藩即賈其餘勇，全力以赴，搜羅爬梳，闡微抉隱，而成斯編。今將付剞劂，公之於世，卓藩丐序於余，屢叩寒扉，難辭盛意，爰述所懷而歸之。

《稼軒詞探賾》序（一九九九）

我國文學發展之軌跡，至北宋而詞藝大興，蔚爲一代絕學。慶曆以前，其聲光煒然，各擅勝場，稱詞壇之巨擘者，要非晏、歐、張、柳莫屬。惟當時《花間》詞派所專擅之閨情、別意、流連光景之作依然風靡海內，雖淵雅如晏、歐之倫，俊爽如張、柳之輩，亦莫能擺脫町畦，自樹一幟。充其量不過在詞意上稍加溫厚，在音律上稍趨精整而已。於是詞中所特具之悽婉、惆悵、柔美、妍麗、纏綿、細膩、含蓄、委婉諸種風格，爲自來詩歌所不曾有者，遂成一代之詞風，並確然稱婉約派之正宗，迄今不廢。然而天道無常，物極必變，自眉山蘇氏東坡出，而有以開拓萬古心胸，推倒一時豪傑，於裁花剪葉之餘，鏤玉雕瓊之外，屹然別立一宗，即世所謂豪放詞派。此二派之基本差異，千百年來，言人人殊，難有共識。惟據俞文豹《吹劍錄》云：「東坡在玉堂日，有幕士善歌，因問：『我詞何如柳七。』對曰：『柳郎中詞只合十七八女郎執紅牙板，歌「楊柳岸曉風殘月」。學士詞須關西大漢抱銅琵琶，執鐵綽板，唱「大江東去」。』東坡為之絕倒。」其言最能道出東坡樂府之神髓，並將柳永與東坡之詞風分為兩個截然不同之類別。所謂「楊柳岸曉風殘月」即指柳氏婉約詞〈雨淋鈴・寒蟬淒切〉而言，所謂「大江東去」即指蘇氏豪放詞〈念奴嬌・大江東去〉而言。前者芊綿其詞，摧惻其懷，仍帶有《花間》遺響。而後者則風神豪曠，氣勢磅礡，慷慨縱橫，傾蕩磊落，確是前無古人，戛戛獨造，豪放詞派之宏基從是遂奠。綿衍至於靖康，北虜披猖，宋轍南邁，莽莽神州，鞠為茂草，慄慄黎元，淪為左衽。於是英雄志士，墨客騷人，無不蒿目時艱，椎心泣血，而〈黍離〉、〈麥秀〉之什遂充牣乎篇章，已全然無復東坡之風神意趣。其卓然稱雄傑者有張元幹蘆川、辛棄疾稼軒、張孝祥于湖、陸游放翁、陳亮龍川、劉克莊後村等。而稼軒在此數子中則又致力最專，用心最苦，氣勢最豪者，頗有千山獨行，不可一世之概。

辛氏所撰《稼軒長短句》凡六百二十六首，為宋代及古代詞人現存作品最為豐富之作家。由於才情博大，涵濡深厚，故能攬秀群芳，備具眾體，雖以豪放為基調，而婉約之什亦往往間出。

綜觀全集：雄渾者有〈永遇樂·千古江山〉，高昂者有〈南鄉子·何處望神州〉，浪漫者有〈水調歌頭·千里渥洼種〉，豪壯者有〈破陣子·醉裏挑燈看劍〉，別致者有〈賀新郎·綠樹聽鵜鴃〉，悲慨者有〈八聲甘州·故將軍飲罷夜歸來〉，憤激者有〈賀新郎·老大那堪說〉，託喻者有〈木蘭花慢·漢中開漢業〉，精拔者有〈滿江紅·湖海平生〉，沈鬱者有〈鷓鴣天·唱徹陽關淚未乾〉，輕倩者有〈清平樂·茅簷低小〉等。

若乃自憐幽獨，心境悲涼者，則有〈青玉案·東風夜放花千樹〉。誓殲兇頑，志切匡復者，則有〈菩薩蠻·鬱孤台下清江水〉。自傷遲暮，殺敵無力者，則有〈水調歌頭·落日塞塵起〉。寄情煙霞，壯志莫伸者，則有〈水調歌頭·白日射金闕〉。報國無門，英雄揾淚者，則有〈水龍吟·楚天千里清秋〉。弔古傷今，情來興往者，則有〈念奴嬌·我來弔古〉。語豪言壯，自抒偉抱者，則有〈滿江紅·漢水東流〉。纏綿悱惻，曲折淒婉者，則有〈念奴嬌·野塘花落〉。清俊嫵媚，細膩婉轉者，則有〈蝶戀花·九畹芳菲蘭佩好〉。昵狎溫柔，魂銷意盡者，則有〈祝英台近·寶釵分〉等。

此外，如〈摸魚兒·更能消幾番風雨〉之群魔亂舞，憂憤莫紓。〈太常引·一輪秋影轉金波〉之氣象恢宏，豪情洋溢。〈踏莎行·夜月樓台〉之憂國傷時，遠企宋玉。〈鷓鴣天·壯歲旌旗擁萬夫〉之對比強烈，寄慨遙深。〈水調歌頭·客子久不到〉之劍氣橫秋，中州遺恨。〈醉太平·態濃意遠〉之情態俱遠，潤逼《金荃》。〈賀新郎·甚矣吾衰矣〉之匠心獨運，寄託憤慨。〈錦帳春・春色難留〉之傷春傷別，詞麗情柔。〈賀新郎・鳳尾龍香撥〉之運典入化，泯然無跡。〈喜遷鶯・暑月涼風〉之文霞淪漪，緒飆搖曳。〈臨江仙・金谷無煙宮樹綠〉之丰姿秀逸，音情頓挫。〈烏夜啼・晚花露葉風條〉之詞采蔥蒨，氣體清華。凡若此類，皆稼軒平生鏤肝鉥腎，瀝血嘔心所鎔鑄者。觀其鉅製瑋篇，瓊章麗曲，實已臻於登峰造極，爐火純青，出神入化之絕詣。固足以氣蓋東坡，豪邁放翁，而睥睨於南渡諸公之間。可謂墨海之洪濤，詞峰之巨嶽，永為後人所瓣香膜拜而無疑。

我於癸酉（西元一九九三年）仲秋飛渡香江，膺任新亞研究所客座教授，在該所新開「中國韻文綜合研究」、「魏晉六朝文學綜合研究」、「唐宋文學專題討論」三門課程。其中對中唐騷壇鬼才李長吉之詩，南宋憂國英傑辛稼軒之詞特加詳評，曲予推闡，批隙導窾，無藴不宣，二氏終身從事文藝創作之孤詣苦心，乃能深獲從遊諸生之歆慕與景仰。而李君卓藩則為其中之尤著者，自是晨夕諷誦，定為日課，並決意長期綆汲鑽研，撰著學術論文，庶使先德之幽光華彩燦然大明於世。日居月諸，綿歷六載，始竟其功。雖以青之不敏，乃兩度忝為指導教授，於是欣然陳其棉力，陸續助成此「名山事業」，實為人生之至樂。其碩士論文《李賀詩新探》已於數年前梓行於世，儒林耆宿，文苑魁父，衆口一辭，揄揚備至，隱然而有後賢之畏，可謂功不唐捐。今茲博士論文《稼軒詞探賾》又將付諸梨棗，長吉、稼軒泉下有靈，必當為之狂喜，不意千載以後，猶能得此嶺南知己。杜老讚太白詩云：「千秋萬歲名，寂寞身後事」，衡校先哲，寧復有憾。

國立中山大學《采詩》序（二〇〇〇）

千百年來，唐詩、宋詞、元曲三者一向被譽爲吾國文學遺產之精華，亦爲文學百花園中之三簇奇葩，馥郁芳香，歷久彌盛。清儒焦循嘗謂：「一代有一代之所勝，自楚〈騷〉以下撰爲一集，漢則專取其賦，魏晉六朝至隋則專錄其五言詩，唐則專錄其律詩，宋則專錄其詞，元專錄其曲。」慧眼獨具，實非漫言。近人王國維更進一步指出：「凡一代有一代之文學，楚之〈騷〉，漢之賦，六代之駢語，唐之詩，宋之詞，元之曲，皆所謂一代之文學，而後世莫能繼焉者也。」又云：「律詩與詞固莫盛於唐宋，……若元之文學，則固未有尚於其曲者也。」將詩、詞、曲鼎立並稱，均爲一代之絕學，並謂其價值之高，絕不在騷、賦、駢文之下，煌煌議論，世無間然。

根據今日坊間所得資料，李唐立國三百年，詩家多達二千二百餘人，作品約五萬首（詳見清康熙敕編《全唐詩》）。趙宋立國三百二十年，詞家凡一千五百餘人，作品約二萬一千首（詳見唐圭璋孔凡禮編《全宋詞》及《全宋詞補輯》）。蒙元立國九十年，曲家僅二百十二人，作品約四千三百二十首（詳見隋樹森編《全元散曲》）。可謂琳瑯滿目，美不勝收。

惟吾人所當注意者，詩詞曲雖分別盛行於唐宋元三代，然非謂其後即成爲〈廣陵〉絕響，或謂其後之麗製瑋篇一概視爲旁枝末節，充其量亦不過狗尾續貂而已。實則大謬不然，自後梁以迄民國，騷人墨客所苦心鑄造經營之篇什，或不能超軼前代，度越往哲，而其瓊章雋句則往往間出，裝點江山，增華邦國，有足多者。例如在詩歌方面，宋代歐陽修、王安石、蘇軾、陸游、楊萬里、范成大，以至江西派鉅子黃庭堅、陳師道、陳與義所作近古各體，無論風韻體格，均足以爭美唐賢，略無愧色。在詞藝方面，明代學林魁首楊愼、清代陽羨派祖師陳維崧，浙西派盟主朱彝尊，常州派宗匠張惠言，以及顧貞觀、龔自珍、厲鶚、納蘭性德、朱祖謀、況周頤等，咸能變古翻新，春容雅正，亦足方駕兩宋，卓然自樹一幟。在散曲方面，明代北方之王九思、康海、馮惟敏，南方之王磐、施紹莘、梁辰魚，清代之孔尙任、趙慶熹、沈謙、吳錫麒等，無不擺脫町畦，自成馨逸，以視元之關馬喬張諸大家，實不遑多讓。

我中山大學自民國六十九年（西元一九八〇年）創辦以來，即順應世界潮流，配合國家政策，以培養理工、科技、海洋、企業、資訊、人文等各類高級人才爲目標。尤其對於傳統文化與古典文學之教學、研究以及主辦國際學術研討會特加重視，並寬籌經費，多方獎勵。此外，又設立「西子灣文學獎」，積極鼓勵學生從事詩詞曲之創作，期使從游諸生於曼聲吟哦之中，收淨化心靈之效。諸生輒馳騁巧思，揚葩振藻，二十年來，燦然可觀，可謂深耕易耨，功不唐捐。

王君蕙瑄，敏慧好學，雅耽吟詠，受業餘閒，輒傾注心力，蒐羅爬梳，靡間昕宵，綿歷數月，纂輯成帙，並付諸梨棗，俾作二十周年校慶之獻禮，然後諸生心血之結晶乃得以粲然呈現於世人之前，其意可嘉，其心可感。西人常謂「學音樂的孩子不會變壞」，吾今亦謂「學詩詞的孩子不會變壞」，苟能由此薄物小篇，進而引起世人篤愛詩詞之興趣，並美化人生，形成一個祥和之社會。趙甌北〈論詩〉有云：「詩文隨世遠，無日不趨新。」又云：「江山代有才人出，各領風騷數百年。」意謂詩藝代變，富美日新，管領風騷，端賴俊才，對青年有積極的鼓舞作用。所願我全系校友及在校諸生，今後仍能一本熱愛古典詩詞之初衷，以弘揚古典詩詞爲己任，朝斯夕斯，寢斯饋斯，戮力筆耕，潛心創作，庶使清詞麗句，益增價於騷壇，瑰璧奇珍，再揚輝於珠澤。吾其馨香禱之，吾將翹首俟之。

《平遠會訊》發刊詞 代台北市平遠同鄉會撰（二〇〇一）

吾邑平遠，古稱程鄉，雄峙粵東，毗鄰閩贛，陽嶂綿亙於左，梅江縈迴於右，嵐光霞影，飛映其間，堪稱五嶺之精華，無異世外之桃源。遠在朱明嘉靖四十一年（西元一五六二年）即設縣治，四百餘年來，世蘊瑰材，蔚作國華，或擅郅治之勝場，或揚英聲於奕世，山川炳靈，賢豪繼軌，有足多者。

惜乎民國三十八年，天意佳兵，塵揚滄海，吾鄉賢達乃間關海道，棲止台陽，春日遲遲，難斷新亭之淚，星輝耿耿，彌切典午之思，故國故都，嶺梅喬木，固未嘗一日或忘也，於是而有台北市平遠同鄉會之設，流光如駛，駒隙頻遷，迄今已荏苒三十五年矣。《詩》云：『維桑與梓，必恭敬止。』漢樂府云：『胡馬依北風，越鳥巢南枝。』夫草木之微，飛征之賤，尚知戀舊，況其爲含識之倫，萬物之靈乎。

某某猥以輇才，多蒙抬愛，謬推爲同鄉會理事長，深感仔肩綦重，難副寵嘉，有負全體同仁之厚望，中夜捫心，良用惶愧。今後矢當賈其餘勇，黽勉從事，念茲在茲，服務鄉親。惟願我全體鄉賢先進，以至後進英髦，毋忘本源，永懷廬墓，步前修之高躅，耀華釆於中邦，無愧於我列祖列宗之胼手胝足，瀝血嘔心，以創造此瑰麗之家園則幸矣。吾其焚香禱之，吾將引領望之。謹再拜手而獻頌曰：

梅江浩浩，天嶂蒼蒼。山川毓秀，祚蔭我鄉。
清遠華族，肇自軒皇。名賢作哲，大放霞光。
羈鳥戀舊，池魚思淵。願我多士，永續呈妍。
願我鄉民，福澤綿延。願我家邦，億萬斯年。

《李商隱絕句詩闡微》序（二〇〇一）

晚唐詩人李商隱義山，古之振奇人也，亦古之傷心人也。以曠世高邁不羈之逸才，竟然終身侘傺不偶，坎壈困厄，先後輔佐八個幕府，屈居下僚，時而影落涇原，時而飄淪兗州，時而窮愁巴蜀，時而羈泊嶺海，塵霜滿面，心力交疲，流離轉徙，不遑寧處，卒以四十六歲之英年奄然殂謝。其生平之悲慨，蓋在〈淚詩〉中可以一窺全貌。

永巷長年怨綺羅，離情終日思風波。
湘江竹上痕無限，峴首碑前灑幾多。
人去紫台秋入塞，兵殘楚帳夜聞歌。
朝來灞水橋邊問，未抵青袍送玉珂。

首句言宮女失寵之淚，二句言常人生離之淚，三句言夫妻死別之淚，四句言懷念名宦之淚，五句言美人沈淪絕塞之淚，六句言英雄窮途末路之淚。六句平列，各不相干，皆是陪意，至尾聯始予以綰合，結出正意，以灞水橋邊之青袍寒士而送別玉珂貴客，其悲苦之情絕非前述六種傷心人所能共喻也。易詞言之，前列六種傷心人眼淚之總和不如自己一人眼淚之多也。運格高奇，心裁別出，此種章法謂之「合筆見意之歸納法」。在《玉溪詩集》中用此法創作者，尚有〈牡丹〉、〈茂陵〉、〈無題〉（颯颯東風細雨來）等，無煩縷舉。苟非義山文才之美，境遇之窮，曷克臻此。

揚搉言之，義山以稀世之高才，個人所具條件之優越，理當優游宦海，迴翔廊廟，一償其經邦軌物，霖雨蒼生之夙願，在早年所作〈安定城樓詩〉中即已展現偉抱。

迢遞高城百尺樓，綠楊枝外盡汀洲。
賈生年少虛垂涕，王粲春來更遠遊。
永憶江湖歸白髮，欲迴天地入扁舟。
不知腐鼠成滋味，猜意鵷雛竟未休。

可見詩人在年輕時代確是憂心宗國，痌瘝在抱，尤其腹聯更是追慕范蠡之志業，在旋乾轉坤，安邦定國之後，高翔遠引，徜徉江湖，此種「功成不受爵，長揖歸田廬」（左思〈詠史詩〉）之一等襟抱與作風，實爲五千年來吾國知識分子奉爲進退出處之最佳楷模，最高境界。惟以當時牛、李兩黨（牛黨以牛僧孺爲首，李黨以李德裕爲首。）相互傾軋，攬權奪利，詩人依違於其間，茫然不知所從，竟成爲政治鬥爭下之犧牲品，以致仕途偃蹇，抑塞終身，極古來文士書生之至慘，非惟三唐所未有，抑亦舉世所僅見，泚筆至此，不禁令人擲筆三歎。綜括以言，義山所備具仕宦之優越條件有五端，分析如下：

㈠擁有進士身分。唐文宗開成二年（西元八三七年），進士及第，取得任官資格，時年二十五歲。㈡**恩師爲牛黨鉅子令狐楚**。唐文宗大和三年（八二九），天平軍節度使令狐楚愛其才，聘爲巡官，特加優遇，令在門下與諸子綯等同學，親自指點課讀，教爲駢體文，時年十八歲。按當時中央政府公文悉用四六駢體，凡欲榮登台省，位列鼎司者，例必能優爲之，可見令狐楚乃是刻意栽培，深寄厚望，絕非公餘之消遣。㈢**岳父爲李黨巨擘王茂元**。開成三年（八三八），涇原節度使王茂元聘爲掾屬，並以女妻之，義山因此招致牛黨當權者令狐綯等忌恨，責其「背恩」。嗣是以往，義山即斷絕宦途，坎坷潦倒，春秋方盛，竟齎志而歿，與此有絕大關係。㈣**近體詩睥睨群英**。義山工詩，尤擅律絕，富於文采，長於抒情，語言凝練，典麗高華，傑然稱晚唐大家。先與杜牧齊名，時稱小李杜；後又與溫庭筠齊名，時稱溫李。㈤**駢體文爲一代宗師**。義山早歲從事令狐楚幕，蒙楚親授駢文，標示津逮，於是盡得其衣鉢眞傳；加以天才英特，鎔鑄古今，遂能推倒一時豪傑，卓然稱駢壇盟主。據《新唐書·文藝傳》載：

> 商隱初爲文，瑰邁奇古，及在令狐府，楚本工章奏，因授其學，商隱儷偶長短，而繁縟過之。時溫庭筠、段成式俱用是相夸，號三十六體。

三人雖云鼎峙，而時論皆以義山最號雄傑。著有《樊南四六甲集》、《樊南四六乙集》、《樊南文集補編》三種。（按上列三書皆輯錄其四六駢體，至其詩則別編爲《李義山詩集》，馮浩改稱《玉溪生詩集》，並作箋注。）

綜括以言，前列五端正爲書生釋褐登朝，致身榮顯之最大助力，而義山則無得而用之，或竟反成阻力，故自生民以來，詩人運數之窮，身世之厄，求諸中外古今，殆未有酷於義山者。夷考晉之陶潛，唐之李白、杜甫，清之黃景仁；遠至義大利之丹丁（Dante 一二六五——一三二一），德意志之歌德（Goethe 一七四九——一八三二），英吉利之拜倫（Byron 一七八八——一八二四）、雪萊（Shelley 一七九二——一八二二）諸大家，均瞠乎其後，不可同日而語。義山既歿，其摯友崔珏哀痛難名，曾賦〈哭李商隱〉七律二首以悼之，錄其詞於次：

成紀星郎字義山，適歸黃壤抱長歎。
詞林枝葉三春盡，學海波瀾一夜乾。
風雨已吹燈燭滅，姓名長在齒牙寒。
只應物外攀琪樹，便著霓裳上絳壇。（二首之一）

虛負凌雲萬丈才，一生襟抱未曾開。
鳥啼花落人何在，竹死桐枯鳳不來。
良馬足因無主踠，舊交心爲絕絃哀。
九泉莫歎三光隔，又送文星入夜臺。（二首之二）

「詞林枝葉三春盡，學海波瀾一夜乾」，盛讚其才華豐贍，博極群書，足當學界之祭酒，鄧林之魁宿。「只應物外攀琪樹，便著霓裳上絳壇」，稱譽其才行高邁，文采煒燁，應是天上之謫仙人，非世間所有，此殆濬源於賀知章之歎美李白。「虛負凌雲萬丈才，一生襟抱未曾開」，則深惜其枉負絕世之才而不能大用，所以一生懷抱未嘗開展也。高度概括義山成爲悲劇人物之大凡，可謂佛眼獨具，語語中的。昔人謂得一知己，可以無恨，義山魂兮有知，亦當捻髯含笑於九泉也。梅成棟評云：「後人無數輓詞，未能出此。」（《精選唐律耐吟集》）推崇備至，洵非虛說。

余自民國六十七年（一九七八）畢業於國立台灣師範大學國文研究所，並倖獲國家文學博士後，即僕僕風塵，馳驟南北，在數所大學中國文學系講授義山詩，至於今已歷二十餘年矣。綜覽義山詩凡六百十一首，古體、律詩、絕句大概各佔三分之一，儼然三國鼎立，余則偏愛其近體，而在近體中又獨鍾情於其絕句。蓋自盛唐李白、王昌齡以絕句飲譽海內以還，嗣響者寥寥不易多覯，直至晚唐杜牧之、李義山出，而有以上接李、王之芳軌，振藻揚葩，戛戛獨造，然後絕句所特有之風神韻味，及其姿致迷人之處，粲然復現於世。

絕句之特點，惟在篇幅短小，精悍無匹，五絕僅二十字，六絕僅二十四字，七絕亦僅二十八字而已。舉凡用典、敷藻、對偶諸端均使不上力，縱令勉強爲之，亦輕易不能討好。要而言之，絕句之佳者，必須情感眞摯，興會淋漓，神與境會，境從句永，景溢目前，意在言外。不寧惟是，若專門欲以此名家者，尚須注意節奏明快，音調鏗鏘，韻味綿長，詞句流利，吐屬自然，文字淺近。其與律詩最大不同處即在於此，其所以易學而難工者亦在於此。（按自古以來，詩壇盛傳「律詩難學而易工，絕句易學而難工」，衡諸事實，確是深造有得之言。）在義山絕句中，各種題材，各種風格，以至各種創作手法，各種藝術技巧，無不燦然畢備，朗若列眉，今試就平日講貫所得，率舉數十首，以作管中之虎焉。

綜觀《玉溪詩集》現存二百餘首絕句，固皆字字琳琅，篇篇珠玉，色澤斑斕，美不勝收，然細加辨析，亦各具風貌，各呈姿采。

茲先言五絕。措語自然，而用意婉曲者有〈餞席重送從叔余之梓州〉；活用曲筆，而頡頏盛唐者有〈悼傷後赴東蜀辟至散關遇雪〉；憂心唐室衰微，亦自歎年華老去者有〈樂遊原〉（向晚意不適）；借對巴江楊柳之頌讚，以抒懷寄意者有〈巴江柳〉；運思深婉，而又以反筆出之者有〈滯雨〉；鉛華弗御，而情味悠長者有〈早起〉；自比寒梅，嗟歎生不逢辰，亦不能及時而仕者有〈憶梅〉；自傷遠役，長期幽淪，借鶯爲喻，涕淚滂沱者有〈天涯〉；以禰衡之高才自許，笑傲王侯，一吐憤懣之氣者有〈聽鼓〉；以襪喻所歡，構思新巧者有〈襪〉（按王安石仿之作〈月夕詩〉云：「誰能挽姮娥，俯濯凌波襪」，因舊而語意俱新矣。）；深戒色荒，詞意警策者有〈歌舞〉；以櫻桃自況，言宏才小用，見賞無由，人皆騰踴，己獨困蹇，自嘲又兼自傷者有〈嘲櫻桃〉；用南朝樂府體追憶平生第一紅粉知己，兩情相悅而鴛夢難圓，悱惻纏綿，有聲有色，與元縝〈離思詩〉「曾經滄海難爲水，除卻巫山不是雲」異曲同工者有〈柳枝五首〉。

次言七絕。義山少與杜牧齊名，行誼既同，詩風遂相接近，均有清麗俊秀之格調；而其奇特之想像，則汲取李賀之浪漫主義手法，故能卓然獨樹一幟，自成馨逸，而喧騰衆口，歷久不衰。如〈夜雨寄北〉之婉轉纏綿，蕩漾生姿，語淺情深，獨闢蹊徑。（按王安石仿此作〈封荊國公〉）

〈宿駱氏亭寄懷崔雍崔袞〉之寓情於景，含蓄蘊藉，向人展示一個孤獨痛苦的心靈世界，予人心酸苦澀的美感享受。（按林黛玉最愛此詩，蓋才子佳人均具悲劇性格，遂萌生同病相憐之情，惺惺相惜之意，其或然歟。）〈夕陽樓〉之借鴻對寫，映出自己，筆意曲折，情韻悠遠。〈初食筍呈座中〉之託物寓懷，借詠嫩筍進行諷喻，規勸當權者應呵護青年才俊，使之順利成爲爲棟樑之材，切不可橫加摧殘，予以扼殺。於時詩人春秋方盛，閱世未深，故雖有遭受剪伐之隱憂，而豪情壯志仍流注筆端。〈嫦娥〉之借嫦娥以自況，言嫦娥從前不當竊藥，遂致長期孤寂落寞，既哀嫦娥，亦所以自哀也。〈賈生〉之借喻與〈嫦娥〉略同，一男一女，只差在性別而已。觀其〈安定城樓〉（詳前）腹聯，意氣風發，躊躇滿志，頗有經綸邦國，汜濩群生之雄心，然而終身沈淪幕府，爲人作嫁，際遇劣於賈誼遠甚，悵望千秋，有不涕泗滿襟者乎。〈杜司勳〉之借杜牧以寄慨，亦與〈嫦娥〉略同。「短翼差池」隱含仕途連蹇，壯志不遂；「傷春傷別」兼包憂國傷時，心眷蒼生。二人志同道合，金蘭相契，其奈翅短力微，不能奮飛何。〈寄酬韓冬郎兼呈畏之員外〉以雛鳳比韓偓（小字冬郎），以老鳳比其父韓瞻（字畏之，義山連襟。），想像新奇，筆意超妙，尤其虛己憐才，獎掖後生之風範，永爲世人所樂道，堪稱世間至情至性，至善至美之作。

此外，〈暮秋獨遊曲江〉係仿南朝樂府民歌體極爲成功之作，言語平易自然，而情致悠遠深長。此當是詩人於曲江春季「荷葉生時」遇意中人而種下相思之恨；於曲江秋季「荷葉枯時」而伊人遠去，鑄成傷逝之恨。者番舊地重遊，悵望江頭，聆聽江聲，遂覺此身一日不死，則此情一日不斷也。細繹詩旨，當是追憶舊歡，不能忘情之作。〈寄令狐郎中〉之不亢不卑，布置工妙，格韻俱高，神味雋永，絕句之正鵠也。〈爲有〉係同情貴夫人之作，殆與「悔教夫壻覓封侯」（王昌齡〈閨怨〉）、「春色惱人眠不得」（王安石〈春夜〉）取意甚似。言貴婦心理十分矛盾，既思嫁貴壻，貪圖物質上之享受，而今如願以償，反畏春宵之短而常有「辜負香衾」之憾。此種略帶情緒化之閨怨詩，唐人最優爲之，義山乃絕世香奩高手，自然游刃有餘。影響所及，宋、元之詞曲家多仿效之，呂本中之〈采桑子〉（恨君不似江樓月），姚燧之〈憑闌人〉（欲寄君衣君不還），則是其中之尤者。〈瑤池〉係諷刺求仙之愚妄，與其〈海上詩〉「直遣麻姑與搔背，可能留命待桑田」意趣相類。良以唐代帝王多迷信神仙，亂服丹藥以求長生，結果卻枉自送命，此詩即有感於此而作。〈華嶽下題西王母廟〉係專諷周穆王求仙之無益，是〈瑤池〉之姊妹篇。明言長生與好色不可兼得，名姬既中夜而沒，穆王亦不免於一死，情緣仙緣，兩皆落空，不可依恃。蓋帝王之好求仙，每與其希圖長期縱慾密切相關，詩則兼此二者而諷之，筆力駿快，杼軸獨運，別成一格。

又如：〈詠史〉（北湖南埭水漫漫）係詠史名篇，亦是撫今感昔之懷古詩，有勝蹟猶在，而人事已非之慨，作意與劉禹錫「千尋鐵鎖沈江底，一片降幡出石頭」無異。音節高亮，雄美可誦；以反詰法出之，尤見奇警。〈北齊〉二首亦是議論體之詠史詩，與前〈詠史〉同是深寓鑑戒之作。詩人選取北齊後主高緯作樣板，極力抨擊其昏聵荒唐，奢淫無度，但知沈湎酒色，縱情圍獵，置社稷蒼生於不顧，終履覆亡之厄運。按民國二十年（一九三一）九月十八日，日本軍閥發動侵華戰爭，攻佔瀋陽，東北軍統帥張學良正在北京夜總會擁抱美女跳舞狂歡，廣西大學校長馬君武乃仿此詩，並步原韻，亦賦〈哀瀋陽〉二絕，刊諸各大報，痛加譴責，舉國譁然。錄其詞如下：

趙四風流朱五狂，翩翩胡蝶最當行。
溫柔鄉是英雄冢，那管東師入瀋陽。（其一）

報急軍書夜半來，開場絃管又相催。
瀋陽已陷休回顧，更抱佳人舞幾回。（其二）

〈隋宮〉（乘興南遊不戒嚴）係諷刺隋煬帝荒淫愚昧，不惜傾天下之資財以供一己之享受，獨夫行徑，刻劃無遺，措詞極饒風致，譏諷卻極辛辣，足以抵得許多議論，可謂以少許勝人多許者，義山眞唐之董狐歟。

再如：〈離亭賦得折楊柳〉二首係艷體傷別之作，與柳永「衣帶漸寬終不悔，爲伊消得人憔悴」（〈蝶戀花〉）差相擬似。前首設爲自戒自解之辭，寫足別離之苦；後章爲調停之說，以抒不盡之情。奇思妙想，曲折反覆，翻騰轉化，跌宕多姿，洵爲《玉溪集》中錚錚之作。〈霜月〉係以虛寫與虛擬之手法分詠霜月與女仙。先將無生命之霜月予以人格化，成爲超凡脫俗之美的象徵。然後將霜之神青女與月中仙嫦娥予以讚歎一番，謂其體質得天獨厚，能耐住寒冷。而主旨則歸入女子之天性——善妒與愛美，在寒霜滿天，清輝普照之月夜，彼青女、嫦娥猶在鬥美競艷，造成一片銀色的美麗世界。按宋石曼卿賦月詩云：「素娥青女元無匹，霜月亭亭各自愁」，意相反而句皆工，惟前者積極樂觀，而後者消極頹唐，詞意稍嫌衰颯耳。

凡上所舉，皆義山慘淡經營，鏤肝鉥腎之神品，雖大海巨瀾，未窮涯涘，而吉光片羽，亦足觀賞，可謂江河長流，萬古不廢，此非余一人之私言，乃詩壇之公論也。許學夷《詩源辨體》云：「商隱七言絕……較古、律艷情尤麗。」田雯《古歡堂雜著》進一步推挹之云：「商隱（七絕）佳處不可思議，實為唐人之冠。」而葉燮《原詩》更為之低首云：「李商隱七絕，寄託深而措詞婉，實可空百代無其匹也。」雖間有溢美之辭，要多為持平之論。

清青女史蘊奇嶺海，恪守青箱，蘭質蕙心，尚古篤學。民國七十一年（一九八二）春暮，偕女弟子張韻湘惠然造臨寒廬揚芬樓共品香茗，見庋藏古籍甚豐，尤以歷代詩集為獨多。（按當時藏書僅四萬冊，七十七年海峽兩岸開放後，親赴大陸十餘省市，大量選購文史哲出版品，至今已多達十萬冊矣。）乃決意研鑽詩學，終身以之，自是長歌低唱，靡間宵晨，並央余指點學術論文之撰作方法。余嘉其汲古心虔，同參慧業，於是度與金針，傳授彩筆，歷時三載，而生平第一部著作《齊梁詩探微》乃告殺青，一時士林耆宿，交相讚譽，咸目為後起之秀。清青信心大增，復央余重作馮婦，再度指導，時光荏苒，彈指又逾十年，終於又順利完成《李商隱絕句詩闡微》。今將付梨棗，梓行於世，義山泉下有靈，必將驚此千年以後之巾幗知己。而余則深望清青能一鼓作氣，再賈餘勇，繼續撰寫《李商隱律詩闡微》，以成雙璧。清青見之，得毋哂其迂悖也乎。

《唐代青樓詩人及其作品研究》序（二〇〇一）

吾華雖號稱世界四大文明古國之一，擁有光輝燦爛之歷史文化，然而自古以來，即重視男性，歧視女性，將婦女當作男人之附屬品，責令其溫婉貞順，三從四德，並再三強調「女子無才便是德」，「餓死事小，失節事大」，此種封建落伍觀念深中人心，牢不可破，鮮有能衝出其藩籬者。至於書香門第或閥閱世家之閨秀千金，充其量亦不過延師講授漢·班昭《女誡》、唐·宋若莘《女論語》、明·成祖仁孝文皇后《內訓》、明·王相母劉氏《女範捷錄》（按以上四種俗稱「閨閣女四書」），以及漢·劉向《列女傳》、清·賀瑞麟《女兒經》、唐·陳邈妻鄭氏《女孝經》、明·呂德勝《小女兒語》、明·溫璜母陸氏《溫氏母訓》、明·呂坤《閨範》、宋·司馬光《家範》、宋·張載《橫渠女誡》、無名氏《閨訓千字文》……等十餘種童蒙入門之書而已。其有關治國安邦、經世濟民之典籍，悉予屏除，使其無緣涉獵。故終其一生，「大門不出，二門不邁」，外面之大千世界自然一無所知，馴致心胸狹窄，目光短淺，既無謀生之能，復乏應世之方，而成爲相夫教子、料理俗務之管家婆。我泱泱中華居然長期存在此種怪異現象，殊屬匪夷所思，令人扼腕三歎。本人有鑑於此，因於民國七十八學年度起，在國立中山大學中文系新開「歷代女子名作選讀」課程，上起西漢之烏孫公主，下迄清末之秋瑾，精選歷代閨閣詩文一百篇，作為教材，庶幾瓊章麗曲，益增價於騷壇，瑰璧奇珍，再揚輝於珠澤。（按該教材業已整理成書，分「作者」「說明」「注釋」「集評」四個項目，顏曰《歷代女子名作選讀》，民國九十六年三月由台北萬卷樓圖書公司印行。）

唐代為我國繼兩漢以後之大帝國，國力空前強盛，社會空前繁榮，思想空前開放，婦女之身分地位遂亦相對提高。於是掃眉才子，繡幌佳人，紛紛突破傳統，馳騁文苑，其麗製瑋篇，尤多流光溢彩，眩人耳目，不啻為千百年來馥郁芳香之詩詞百花園增添一簇奇卉異葩。據《全唐詩》所收錄者，詩人凡百餘人，詩作達千餘首，風雅之盛，非惟遠邁前代，抑且睥睨後世。而在此偌多女詩人中，其管領風騷，聲華卓懋者，又非青樓裙釵莫屬，如李冶、薛濤、魚玄機（按魚氏本女冠，並未列名樂籍，但其行跡放蕩，後人多以青樓目之。）劉采春，被人稱為唐代四大女詩人，皆巾幗不讓鬚眉，盛譽揚輝，楷模百代，允宜大筆特書者。

試看李冶之作，如〈寄校書七兄〉：「遠水浮仙棹，寒星伴使車。」分別用西漢張騫乘槎至天河及東漢李郃出使益州之事，運典入化，渾然無跡。比肩大曆十子，應無間然。〈湖上臥病喜陸鴻漸至〉：「相逢仍臥病，欲語淚先垂。強勸陶家酒，還吟謝客詩。」微情細語，思婉詞雋，隱然有嬌鳥依人，菟絲附蘿之意。

次看薛濤之作，如〈送友人〉：「水國蒹葭夜有霜，月寒山色共蒼蒼。誰言千里自今夕，離夢杳如關塞長。」構思新巧，想像獨特，非斲輪老手，曷克臻此，信是集中有數瑋篇。又如〈題竹郎廟〉：「竹郎廟前多古木，夕陽沈沈山更綠。何處江村有笛聲，聲聲盡是迎郎曲。」鍾惺《名媛詩歸》評云：「『更綠』二字在沈沈中想像出來，不必映帶古木，已復深杳。語氣一直說下，愈緩愈悲。」清新流美，雋永可誦，世咸推爲《薛濤詩》中壓卷之作，足與元、白爭一日之長。

再看魚玄機之作，如〈遊崇眞觀南樓睹新及第題名處〉：「雲峰滿目放春晴，歷歷銀鉤指下生。自恨羅衣掩詩句，舉頭空羨榜中名。」蓋自恨身爲女子，空懷詩才，不能應舉。此與五代前蜀黃崇嘏之「幕府若容爲坦腹，願天速變作男兒」，頗有異曲同工之妙。專制時代，女子縱有絕大才華，亦不得應試，此一人權橫遭摧殘，爲憾實甚。又如〈贈鄰女〉：「易求無價寶，難得有心郎。」亦在慨歎世間無價之寶物易得，而終身相愛之情郎難覓。蓋古代女子既無職業，自然視愛情爲第二生命，無愛情之生命，必然黯淡無光，故無歡樂可言。既慰鄰女，亦所以自慰。

最後看劉采春之作，《全唐詩》僅錄其〈囉嗊曲〉六首，其一云：「不喜秦淮水，生憎江上船。載兒夫壻云，經歲又經年。」其三云：「莫作商人婦，金釵當卜錢。朝朝江口望，錯認幾人船。」其五云：「昨日勝今日，今年老去年。黃河清有日，白髮黑無緣。」此爲商婦怨情之組詩。詩中不但寫恨別、恨人，而且恨「秦淮水」、恨「江上船」，此種情緒化之怨恨當然無理，而作者卻將商婦之怨情予以揭示出來，一層深入一層，層層遞進，極爲感人。末首誇張青春之不可挽回，以黃河尚可變清以反襯白髮不可返黑，更使人對商婦之命運一掬同情之淚。由於感情熾熱，詞意淒苦，更富有強烈的藝術感染力。相傳劉氏每次演唱此詩，閨中婦女與路上行人均佇立傾聽，不覺涕淚之滂沱。

沈惠英女史系出名門，資質穎秀，自幼即刻苦銳進於學，淹貫中西，良堪嘉佩。西元一九八一年，與現任玄奘大學學務長蔡輝龍博士締結鴛盟，鶼鰈情深，相濡以沫，遂在夫壻鼓勵之下，利用公餘暇晷，進入香港能仁學院文史研究所繼續深造。一九九四年以《丁西林喜劇研究》榮獲文學碩士學位，菊壇耆彥，文苑魁宿，無不衆口一辭，交相推許，隱然有後賢之畏。既而再賈餘勇，竿頭更進，復考入香港新亞研究所，從余問學，專攻詩詞。越三年，又提出博士論文《唐代青樓詩人及其作品研究》，余忝爲口試委員，見其徵引繁博，條理密察，多言前人之所未言，發前人之所未發，尤其對青樓詩人之境遇不但深致同情，對青樓詩人之造詣更是斂衽而拜，不以淪落風塵而稍減肅敬之意。余深然之，並予首肯。今即將付諸鉛槧，梓行問世，惠英丐序於余，爰綴蕪辭，用質來哲。

國立中山大學中文系詞課弁言（二〇〇二）

民國六十九年（西元一九八〇年）秋九月，余欣然南下高雄之西子灣，在國立中山大學中文系從事舌耕，長達二十三年。其間所開授之科目，以詩、詞、曲、韻文、駢體文爲獨多。以詞而言，有花間派巨擘溫庭筠、韋莊、孫光憲、牛嶠父子，婉約派祖師晏殊父子、張先、歐陽修、柳永、秦觀、李清照，格律派宗匠周邦彥、姜夔、吳文英、周密、張炎，豪放派鉅子蘇軾、辛棄疾、陸游、張元幹、張孝祥等，各種體裁，各種風格，無不窮原竟委，傾囊相授。抑又強調研讀應與習作並重，不宜偏枯，故於布局謀篇之法，摛詞鑄句之方，以至剪裁、鋪排、對偶、用典、審音、選韻、雕章、錘字諸端，亦均巨細靡遺，面面俱到，知無不言，言無不盡，期使先賢往哲所苦心經營之稀世瑰寶，不致淪爲〈廣陵〉之絕響。從游諸生皆瀛台之精英，黌府之俊彥，咸能潛心鑽研，銳意追摩，同噓煙墨，共振詞葩，稍加點竄，不乏佳章。爰遴選如干首公之於世，非徒作雪泥之鴻跡，抑亦供世之治詞藝者觀覽焉。

（原載民國九十年十二月台北《中華詩學雜誌》）

中國文化大學中文系詩課弁言（二〇〇二）

壬午（民國九十一年・西元二〇〇二年）秋仲，應中國文化大學之聘，爲中文系諸生講授中國古典歌詩，重來名山（民國五十四年九月，余曾就讀本校中文研究所，歷時三月，即因故休學。七十七年九月應本校之聘，爲兼任教授，在戲劇系國劇組講授唐宋詩詞。），再作馮婦，時見嵐光霞影，飛映黌宮，神怡心曠，非言可宣。遂乃一本重振中華詩學，宏揚古典詩藝之初衷，於騷壇先賢所苦心經營之茂製瑋篇，瓊章麗曲，往往批其隙而導其窾，抉其幽而闡其光，庶幾荆山美璞，崑圃玄珠，燦然復見於世。嗣又以爲鑑賞應與習作並重，不可偏廢，蓋此二者實猶一紙之兩面，無鑑賞則霧豹之采難以顯現，無習作則衆香之國莫見英華，因令諸生命筆，以體會先士創作之甘苦。諸生資質明敏，力學心虔，咸能各騁巧思，競摛翰藻，略經潤色，尚呈奇觀。當此新潮陵蕩之時，文苑塵霾之會，刊布斯作，或有助於延續古典詩歌之命脈乎。吾將盥手斂衽以禱之。

（原載民國九十一年十二月台北《中華詩學雜誌》）

《李白詩醇》自序（二〇〇三）

李白（西元七〇一——七六二年）字太白，唐・隴西・成紀（今甘肅・天水縣）人。其先代於隋末流寓西域，故白出生於安西都護府所屬碎葉城（在今吉爾吉斯斯坦境）。中宗神龍初年，遷居蜀中綿州昌隆縣（今四川・江油縣）青蓮鄉，因自號青蓮居士。

白天才英特，志氣宏放，飄然有超世之心。幼從俠客道士隱於岷山，喜縱橫之術，擊劍爲任俠。二十五歲以後，仗劍去國，漫遊大江南北，遍交天下名士，詩文酬答，聲譽日隆。玄宗天寶初，因吳筠薦，入長安，往謁賀知章，知章見其文，歎爲謫仙，言於玄宗，供奉翰林，甚見愛重。一日，侍宴酒醉，命宦者高力士脫鞋，力士恥之，摘白所作〈清平調〉：「一枝紅豔露凝香，雲雨巫山枉斷腸。借問漢宮誰得似，可憐飛燕倚新妝。」以激楊貴妃，因是帝屢欲官白，輒爲妃所阻。白乃益驁放不自修，與賀知章、李適之、王璡、崔宗之、蘇晉、張旭、崔遂爲酒中八仙人，力求還山。後高臥廬山，永王李璘辟爲僚佐，璘起兵反，逃還，及璘敗，連坐當誅，爲郭子儀所救免，詔長流夜郎，會赦得釋，寄居安徽宣城歷陽間。代宗立，以左拾遺詔，而白已卒，享壽六十二歲。著有《李太白集》三十卷行世。《舊唐書》入《文苑傳》，《新唐書》入《文藝傳》。

中國詩以唐爲盛，唐詩尤以盛唐爲極盛，而盛唐詩復以李白、杜甫二人作品爲登峰造極，開空前未有之境界，然因其思想、生活以及性格俱不同，所表現於作品者，無論風格、內容，以及對於社會人生之態度亦全異。要而言之，杜爲儒家詩人，亦爲寫實主義（Realism）之社會派；李爲道家詩人，亦爲浪漫主義（Romanticism）之個人派。唐宋以降，中國文化爲儒家人文思想所籠罩，故世人多崇杜而抑李，注杜詩者號稱百家，可知宗杜者衆；注李詩者僅三四家，可知宗李者寡。羅大經《鶴林玉露》云：「李太白當王室多難，海宇橫潰之日，作爲歌詩，不過豪俠使氣，狂醉於花月之間耳，社稷蒼生曾不繫其心膂，其視杜陵之憂國憂民，豈可同年語哉。」此則千年來正統派評論李杜優劣之代表，雖不免稍涉偏頗與武斷，而實際上李詩遠較杜詩爲難學，亦爲一大原因。王世貞《藝苑卮言》云：「五言選體及七言歌行，太白以氣爲主，以自然爲宗，以俊逸高暢爲貴。子美以意爲主，以獨造爲宗，以奇拔沈雄爲貴。其歌行之妙，詠之使人飄飄欲仙者，太白也。使人慷慨激烈，欷歔欲絕者，子美也。」此誠顛撲不破之論，世之評李杜者甚多，應以王氏所言較爲公允。

盛唐時代之天才型人物有三：於繪畫得吳道子，世稱畫聖，所畫景雲寺〈地獄變相圖〉，不著鬼怪，而陰森襲人，致有見而懼罪改業者；嘗奉命於大同殿寫嘉陵江三百餘里山水，一日而畢，非絕大天才而何。於書法得懷素，自言得草聖三昧，家貧無紙可書，乃於故里種芭蕉萬餘株，以供揮灑，世傳有草書《千字文》、《四十二章經》等。太白歌之云：「吾師醉後倚繩牀，須臾掃盡數千張。飄風驟雨驚颯颯，落花飛雪何茫茫。起來向壁不停手，一行數字大如斗。怳怳如聞神鬼驚，時時祇見龍蛇走。」亦非絕大天才不能。於詩歌得太白，杜甫〈春日夢李白詩〉云：「白也詩無敵，飄然思不群。清新庾開府，俊逸鮑參軍。渭北春天樹，江東日暮雲。何時一樽酒，重與細論文。」鄭日奎〈讀李青蓮集詩〉云：「青蓮詩負一代豪，橫掃六宇無前矛。英雄心魄神仙骨，溟渤爲闊天爲高。興酣染翰恣狂逸，獨任天機摧格律。筆鋒縹渺生雲煙，墨騎從橫飛霹靂。」又云：「冥心一往搜微茫，乾端坤倪失伏藏。佛子嵌空鬼母泣，千秋詞客孰雁行。」故太白之詩與懷素之書、吳道子之畫可合稱盛唐三絕。

茲精選太白古近體詩百餘首，都為一集，顏曰《李白詩醇》，交由台北天工書局印行，亦所以宏揚中華之詩學，闡發先哲之幽光云爾。

按《李白詩醇》民國九十二年（西元二〇〇三年）一月由台北・天工書局印行。

《歷代女子名作選讀》卷頭小語（二〇〇六）

㈠本書精選歷代女子名作，上起西漢之烏孫公主，下迄遜清之秋瑾，凡一百篇，顏曰《歷代女子名作選讀》。

㈡自古以來，重男輕女，「女子無才便是德」之錯誤觀念深中人心，牢不可破，遂使婦女作家急遽減少，絕妙好辭更多湮沒。梁代鍾嶸《詩品》評介自漢至梁一百二十二名詩人，其中婦女作家只有四人；蕭統編纂《文選》三十卷，只遴選曹大家〈東征賦〉與班婕妤〈怨歌行〉而已；清代康熙敕編之《全唐詩》九百卷，其中婦女作品只有九卷。如今坊間所見者，惟趙世杰・朱錫綸輯評之《歷代女子詩集》（台北・廣文書局）、汪祖華編選之《中國女性詩詞雜鈔》（台北・大眾時代出版社）、周道榮・許之栩・黃奇珍編選之《中國歷代女子詩詞選》（北京・新華出版社）、陳新・周維德・俞浣萍合編之《歷代婦女詩詞選注》（北京・中國婦女出版社）等不過三數種而已，固未能窺其全豹，爲憾實甚。

㈢歷代女子名作卷帙浩瀚，披閱紛繁，將使學者汰沙而得金，貫串以成統，恐非時力所許，是有需乎經過整理之書編矣。今所選注者，作者僅數十家，作品僅一百首，滄海遺珠之憾，固知不免，而嚐鼎一臠，亦可稍概其餘也。

㈣本書所選，多爲世人所習知者，不標宗派，不嗜一味，凡其人之卓然名家，作品之朗麗高華者，均在甄采之列。各種體裁，各種風格，紛然雜陳，而以時代之先後爲序。詩風變遷之軌跡，詩運升降之大概，均可於此覘之。

㈤民國七十八年九月，本人有鑒於歷代婦女作品長久以來，不爲世人所尊重，因在國立中山大學中國文學系新開「歷代女子名作選讀」課程，以復興中華詩學，延續溫柔敦厚詩教爲最高目標。故所選各詩，務求精粹優美，文質並茂，其足以搖蕩性情，疏瀹靈知之篇什，採錄較多，俾學者於從容涵泳之中，收默化潛移之效。

㈥本書所錄各詩詞，俱從善本選出，訛奪異同，皆詳愼考正，衍文俚字，悉從刪削。

㈦詩詞佳處，頗不易辨，所謂「詩無達詁」，「詞無確解」，自昔已然，於今尤甚，初學儉腹，多感滯礙。本書視實際需要，間錄名家評語，批隙導窾，有蘊必宣，承學之士，庶知準的。

㈧本書所收錄者，以宋李清照與朱淑眞爲獨多，各佔十八篇，冠冕儕輩，以其詩詞文章，不但珍膾於世，而且二人皆有專集——王學初《李清照集校注》（台北．天工書局）與冀勤《朱淑眞集注》（杭州・浙江古籍出版社）行世。庶使江花早萼，郢雪爭霏，飛鴞在林，逸驥前路。瓊章麗曲，益增價於騷壇，瑰璧奇珍，再揚輝於珠澤。

《李群玉詩歌探微》序（二〇〇六）

昔歐陽文忠公有云：「予聞世謂詩人少達而多窮，夫豈然哉，蓋世所傳詩者，多出於古窮人之辭也。」又云：「蓋愈窮則愈工，然則非詩之能窮人，殆窮者而後工也。」（均見〈梅聖俞詩集序〉）余讀李群玉文山詩集既竟，而深有所感，蓋詩窮而後工，舉凡含識之倫，罔不如是，初非一人，尤非一世也。

文山生値晚唐，不染輕靡僻澀之習，不涉雕琢刻畫之跡，近古各體，饒有素風，絕少警拔，其於溫李，固不爲也，亦不能也。不但爲馥郁芳香之晚唐百花園增添一簇奇葩，抑且爲千百年之詩歌血脈注入一支新藥劑。

晚唐近百年間，地靈無闕，邦俊代興，其中如椽筆大，擲地聲高者：有杜牧之清秀爽朗，風神俊邁；溫庭筠之文思敏捷，濃豔精巧；李商隱之沈鬱穠麗，流美厚重；趙嘏之酣暢多采，明快清逸；羅隱之喻物託志，專諷時事；許渾之弔古傷時，悲歌慷慨；皮日休之清圓熟練，文采爛然；

陸龜蒙之有心立異，力求奧博；韋莊之詞語精絕，包蘊宏富；韓偓之悲歌亂離，情多哀婉；鄭谷之傷春傷別，風調清新；杜荀鶴之自然樸質，語意淺近。而文山在此數子中，則又瓣香陶謝，低首王孟，生面別開，自樹一幟者也。

在李氏二百餘首古近體中，哀感抒怨者有〈烏夜啼〉，形象清新者有〈引水行〉，空寂無奈者有〈靜夜相思〉，音節蒼涼者有〈黃陵廟〉（〈黃陵廟前莎草春〉），隱喻路險者有〈放魚〉，委婉有致者有〈寄友〉，飽經戰亂者有〈客愁〉，造意新穎者有〈漢陽太白樓〉，才筆縱放者有〈寄人〉，清圓渾脫者有〈南莊春晚〉，懷古傷今者有〈湖中古愁〉，煙水微茫者有〈沅江漁者〉。若乃妃青媲白，雕琢曼藻者，則有〈感舊〉。自抒胸臆，掃絕依傍者，則有〈長沙陪裴大夫夜讌〉。設采繁豔，吐韻鏗鏘者，則有〈送唐侍御福建省兄〉。結體森密，旨趣遙深者，則有〈寶劍〉。登塔望遠，舉首高歌者，則有〈登西陵寺塔〉。燈照雨聲，形影淒絕者，則有〈寄韋秀才〉。灑聲浩浩，碧樹沈沈者，則有〈題王侍御宅〉。筆力奔放，希冀援引者，則有〈將遊荊州投魏中丞〉。情詞斐美，音調高朗者，則有〈勸人廬山讀書〉。自憐幽獨，懷才不遇者，則有〈言懷〉。悲惋悽惻，猿鶴哀鳴者，則有〈和人贈別〉。鑄句奇險，深饒理趣者，則有〈秋登涔陽城〉。雄渾遒練，清淨修潔者，則有〈文殊院避暑〉。聲長味永，音情搖曳者，則有〈送客往涔陽〉。文情斐亹，風神秀逸者，則有〈湘妃廟〉。孤高情懷，託物寄興者，則有〈感興〉。韻高氣清，格老味遠者，則有〈黃陵廟〉（〈小姑洲北浦雲邊〉）。意境超妙，修辭雅潔者，則有〈湖闊〉。

此外，如〈九子坡聞鷓鴣〉之婉約峭蒨，情致旖旎。〈火爐前坐〉之畫意詩情，相形益彰。〈贈人〉之使事遣言，紛綸葳蕤。〈鸂鶒〉之繪繡錯施，韶濩並作。〈書院二小松〉之推陳出新，自鑄偉辭。〈將欲南行陪崔八讌海榴亭〉之水遠山遙，步步生愁。〈秣陵懷古〉之霸業鼎圖，水雲惆悵。〈金塘路中〉之清麗閒肆，涵演深遠。〈望月寄人〉之美人千里，情思無窮。〈送秦鍊師歸岑公山〉之孤清雋潔，幽邃峭拔。〈送友人之峽〉之清圓渾脫，不事雕繢。〈江樓閒望懷關中親故〉之氣格清迥，意度閒遠。〈池塘晚景〉之以動襯靜，高秀異常。凡此皆鉥腎鏤肝，嘔心瀝血之作，足以藏之名山，傳諸其人者也。

綜而論之，文山之詩，無論題材內容，常涉及山人、門客、干謁、倖進，頗有「身在江湖，心存魏闕」之意味，是其爲江湖詩人所短處。惟其羈旅之篇，遊覽之什，往往用具體的事物，或形象的語言，表達出深摯濃厚的感情，是其爲江湖詩人所長處。尤其是其七絕，常帶清麗深婉，別具幽芳冷豔之境，更爲同時群彥所難望其項背者，洵哉藝海之洪濤，詩峰之鉅嶽矣。

文山卒後，家無餘財，蕭條之狀，可以想見。老子云：「天道無親，常與善人。」所謂善人，竟侘傺淪落至此，天之所以報施於善人者爲何如耶。於是其友人紛致弔唁，以慰此一代詩豪自負才高，不甘心老死牖下之情狀。方干〈過李群玉故居詩〉云：

訐直上書難遇主，銜冤下世未成翁。
琴樽劍鶴誰將去，惟鎖山齋一樹楓。

意在惜其不幸，不遇明主，僅獲致一個弘文館校書郎之冷官而已。周樸〈弔李群玉詩〉云：

群玉詩名冠李唐，投詩換得校書郎。
吟魂醉魄知何處，空有幽蘭隔岸香。

惜其空負凌雲萬丈之高才，而未能一償經邦軌物之宏願，馴至終身沈湎麴神，莫能自拔。段成式〈哭李群玉詩〉云：

酒裏詩中三十年，縱橫唐突世喧喧。
明時不作禰衡死，傲盡公卿歸九泉。

美其不作禰衡之死於曹營，而情願傲盡公卿，直歸九泉之下，保持讀書人應有之風骨。以上皆其朋輩眷眷追懷之作，文山泉下有靈，亦當掀髯含笑，而了無遺憾矣。

祁陽毛麗珠女史清分鳳吹，秀挹鮫珠，萃衆美於一身，揚先芬於累葉，耽詩有癖，汲古維勤。頃以所撰碩士論文《李群玉詩歌探微》將付鐫刊，屬加點定，觀其餘韻繞絃，古芬凌紙，清源自濬，滋活水於一泓，綵筆常新，絢層雲之五色。麗珠力學心虔，增繁榮葉，波澄碧海，鵬運九霄，花燦華林，鶯飛三月，自今以往，其將有以高翔而遠引耶。茲當殺青有日，功在學林，爰綴蕪辭，以光慧業。

成母徐太夫人事略（二〇〇六）

太夫人姓徐氏，諱文淑，字素瓊，籍隸湖北陽新縣。世為鼎族，被服儒素，後有懋遷漢皋者，因即家焉。及笄之年，卒業武漢第一女子中學，品學冠其曹。既而傾其睿知，襄助嚴君，通物鬻貨，丕展鴻圖，曾不旋踵，而駿業勃興，徽聲遠播，儼然號一方之雄矣。民國二十二年，來歸同邑成惕軒先生，成先生宣勤邦國，敭歷巖廊；太夫人則中饋獨操，衆務咸理，事威姑以孝，遇戚黨以禮，賢稱遐邇，譽滿閨襜。

三十八年，中樞拓業三台，恢基九府，成先生自考試院祕書轉總統府參事。四十九年，特任考試院第三屆考試委員，並蟬聯至第六屆，前後凡二十四年。在職期間，奉總統派令，膺任國家特考典試委員長三十餘次，位望之隆，倚畀之重，民國建元以來，一人而已。退食餘暇，都講上庠，歷任國立政治大學、國立台灣師範大學、國立中央大學、中國文化大學等教授，專授駢儷之文，幾近四十年，甄陶多士，澤遍瀛湄，巍然稱一代駢文宗師。而太夫人則帷燈伴讀，賓敬有加，鴻案相莊，老而彌篤。

太夫人生丈夫子四，曰中英、中豪、中傑、中興，女公子三，曰中芬、中輝、中平，春暉溥愛，夏楚弛威，昭示義方，期成令器。惟中豪、中興昆仲以及中芬、中輝雙胞胎姊妹，或歿於抗倭之頃，或誤於庸醫之手，七去其四，殤損過半，實乃人世間至痛至慘之事，而太夫人以蘭蕙之弱質，竟聯翩而遭遇之，其肝腸寸裂，血淚交迸之情狀，絕非楮墨所能形容其萬一。故每對清風朗月，吟誦《毛詩》「鳲鳩在桑，其子七兮，淑人君子，其儀一兮」之句，輒長號不自禁。

所幸違難來台者尚有二子一女，劫後餘生，彌慰軫懷。長君中英，美國哈佛大學哲學博士，曾任台灣大學哲學系教授兼主任，現任教美國夏威夷大學，燕翼承徽，鳳毛擢秀，丰姿玉朗，博學多通，爲數理邏輯之世界級權威學者；並長期精研東西方哲學之融合，及中國哲學之現代化與世界化，名震西海，聲高上國，卓然爲當代哲學大師。季子中傑，美國哈佛大學天文學博士，曾任美國海軍太空研究所顧問。幼女中平，美國南卡羅南那州立大學食品工業學碩士，曾任職台北榮民總醫院，適美籍穆締福博士。凡此皆太夫人之鞠育顧復，恩勤提命有以致之。老子有云：「天道無親，常與善人」，天之所爲報施善人，彌補其缺憾者，非信而有徵歟。

綜觀太夫人一生，蓋合敬慎、慈悲、博愛爲一體，集令妻、賢母、壽姥於一身，非惟舊道德之楷模，抑亦新女性之典範。平居篤信教義，拳拳惟基督是依，研習《舊約》，奉行不怠，頌禱必虔，捐獻無缺，且推聖母之旨，惠及孤寒，歲時賙恤餽遺，固未嘗有吝色也。方幸萱喜叢開，上享期頤，而天不憖遺，竟於九十五年六月二十六日溘然怛化，永居天國。距生於清光緒三十三年夏正五月二十六日，旅世一百載，倘所謂至行感神，上膺帝召者耶。

（五）語體文

新科舉（一九七三）

自中樞遷臺以後，無論政治、軍事、經濟、文化、教育……都在飛躍的進步之中，而其中發展得最快、成就也最輝煌的，則莫如教育，這是大家有目共睹的事實。不過，天下之事，多是相對（Relative）的，很少是絕對（Absolute）的，有利亦必有弊，教育高度發展的結果，遂形成空前的投考浪潮，各級學校的學子們，往往不問自己的志趣，也不問自己的能力，更不問國家、社會的需要，祇是一窩蜂的由小學而私立初中，由私立初中而高中，由高中而大學，由大學而留學（或國內研究所），作階梯式的往上跳，中途不幸跌跤的，則忍著一時之痛，懷著一顆破碎的心，暫且找個職業學校棲身，一俟時機成熟，再作捲土之舉。這種不正常的現象，眞是冰凍三尺，已非一日之寒，雖然教育當局一再的謀求改進，而舉鼎絕臏，力終不逮，只有徒呼負負而已。

回溯明清兩代，科舉掛帥，當時的莘莘學子，必須寒窗苦讀十年，才有勇氣去參加考試，由縣試（錄取的叫做「秀才」）而鄉試（中式的叫做「舉人」），由鄉試而會試（中式的叫做「貢士」），由會試而殿試（題名的分成三種：一甲三名，叫做「賜進士及第」；二甲若干名，叫做「賜進士出身」；三甲若干名，叫做「賜同進士出身」。通稱皆曰「進士」。），然後惟其所願。由大名鼎鼎的明·歸有光、清·沈德潛、宋·梁顥直到五十九、六十七、八十二歲才考中進士看來，當時學子苦讀的情況，也可以見到一斑了。所以近年來，有很多人把我國現在的考試制度叫做「新科舉制度」，語雖近謔，也不是完全沒有道理的。

如果要消滅這種現象，造福千萬學子，治標的辦法是齊一學校水準，並且重用職業學校的畢業生，使「萬般皆下品，惟有讀書高」的錯誤心理，不復存在於今日。而治本的辦法則是根本廢除考試制度，教育當局應嚴令每一所大專學校都辦得具有獨特的風格，使全國高中畢業學生都能按照自己的志趣申請進入理想的學校繼續深造。杜少陵詩云：「安得壯士挽天河，淨洗甲兵長不用」，現在把它套過來說：「安得聖哲救群生，盡廢考試長不用。」莘莘學子，實利賴之。

《思齋說詩》序（一九七六）

猶憶民國五十年（西元一九六一年）就讀臺灣師範大學國文系二年級時，有一位身材魁梧，英氣勃發的體育系學生經常來我們班上聽課，同學們都對他投以驚奇的眼光，經探問之後，原來他就是心儀已久，飲譽師大的青年詩人張夢機。由於我們聲氣相投，又都酷愛詞章之學，所以很快的便成了莫逆之交。十五年來，或圍爐煮酒，或碧亭品茗，或賞析詩文，移晷忘倦，或暢談今古，每到中宵，故對其才情學養，知之甚深。

夢機早年游於湘潭李漁叔先生之門下，李先生為現代詩學大師，在台灣師大講授詩學多年，常以古典文學創作之後繼無人而惄焉憂之，故自得夢機，為之狂喜，遂傾囊相授。夢機天資穎秀，一點即通，未幾而登其堂且入其室，盡得其奧蘊，卓然為李詩之傳人，而又予以發揚光大。我國學術界一向重視師承，若夢機者，可以說是師承有自了。

慨自「五四」新文化運動以後，受到打擊最大，受到創傷最重的，莫過於古典文學。自茲厥後，莘莘學子率多畏舊學之繁難，慕新學之簡易，沈浸醲郁者既少，古典文學之英華遂鮮為人咀嚼而日漸凋零。這是古典文學的一次浩劫，恐非人力所能挽回，言之令人悽愴不已。

不過，我們冷眼旁觀那聲勢浩大、氣燄高張的近六十年來的新文學界，則又令人感慨萬千。有若干新文藝作家，往往腹笥空儉，僅恃其「才氣」，信手塗鴉，即自封詩人，顧盼自雄，不可一世，甚且呼朋引類，互相標榜。而詳觀其作品，則多半摭拾西人之餘唾，生吞活剝，強自效顰，既乏傳統精神，又無鄉土氣息，不中不西，不倫不類，遂為廣大群衆所厭棄。吾人以為文學作品固須隨時注意「橫的移植」，然而「縱的繼承」無寧是更加重要。易詞言之，「橫的移植」只是其末節而已，「縱的繼承」才是其根本，雖聖人復起，亦不易吾言。而最令人惋惜的是，從「五四」以後的新文藝作家，類多捨其本而逐其末。蓋揚棄傳統，漠視鄉土，則必不肯作「縱的繼承」，不肯作「縱的繼承」，則必束書不觀，束書不觀則必詞彙不豐，詞彙不豐則必不能表達錯綜複雜的種種情事。以少得可憐的詞彙，而欲創作富有傳統精神及鄉土氣息的純中國式的優良文學作品，殆無異癡人說夢。故此類作家所創作出來的文學作品，正如無源之水，無根之木，其不立即乾涸枯萎者幾稀，其不貽譏高明、見棄當世者幾稀。國民教育雖已日趨普及，新文藝作家雖多如恆河之沙礫，而至今猶鮮有出色的新文藝作品出現，個中原因，實在值得吾人繞屋三思。所幸近幾年來，部分新文藝界人士已幡然覺醒，改弦易轍之呼聲已隨處可聞，對於「縱的繼承」亦已逐漸加以重視，這是很可喜的現象。

夢機在此新文藝的狂飆巨潦凌蕩整個文壇之時，卻能綆汲千秋，踵美前哲，孜孜於「縱的繼承」，而自成其馨逸。觀其作品之推陳出新，風華俊秀，頗令人有古典文學光大有人的滿足感。夢機自獲得師大文學碩士後，一面繼續進修博士學位，一面在各大學教授詩學，剖析舊詩，靈心獨運，多言古人之所未言，發古人之所未發，絕非昔賢解詩之空泛不著邊際者可比，故能深得學生之敬佩。頃將其近稿彙集成編，將付梨棗。此書固然可以作有意摸索古典文學青年的明燈，同時亦為有志從「縱的繼承」的後起之秀開闢了一條新蹊徑，實不止為中華文化復興之一助而已。而「縱」「橫」相錯，新舊交融的民族文學作品，或將加速問世，在世界文壇上吐放萬丈光芒，以重振我大漢之雄風，吾其焚香以禱之。

（民國六十五年十一月張仁青識於中央警官學校）

怎樣提高自己的國文程度（一九七九）

（一）博　覽（眼　到）

①杜甫詩：「讀書破萬卷，下筆如有神。」

②蘇軾詩：「腹有詩書氣自華。」

③黃庭堅云：「三日不讀書，便覺面目可憎，言語乏味。」

④昔人謂「韓文杜詩無一字無來歷」，即在稱美韓杜之博學。

⑤國畫大師溥心畬教畫，必令學生先讀《四書》《五經》、唐詩宋詞作基礎，俾免淪爲畫匠。

⑥英國生物學家達爾文（一八〇九～一八八二）研究生物演變之現象達三十年，始終想不出一個簡單貫串的道理，及讀經濟學家馬爾薩斯（一七六六～一八五四）《人口論》之「人口增加率大於物料增加率，前者爲等比級數，後者爲等差級數。」乃悟出生存競爭之原則，而創「物競天擇，適者生存，優勝劣敗」之說，大爲當世所重視。此即博學之功也。

（二）熟　讀（口　到）

①揚雄云：「能誦千賦而後能賦。」

②語云：「讀書千遍，其義自見。」

③諺云：「熟詩唐詩三百首，不會作詩也會吟。」

年少之時，記憶力強，最宜背誦，雖一知半解，亦無大礙。迨年事稍長，閱歷漸多，自能融會貫通，了無凝滯。古人特重熟讀，其故在此。

（三）沈　思（心　到）

①賈島詩：「兩句三年得，一吟雙淚流。知音如不賞，歸臥故山秋。」

②盧延遜詩：「爲安一個字，撚斷數根髭。」

③語云：「吟成一個字，捻斷數根鬚。」

此皆前人經驗之談，沈思之要，從可知矣。

（四）勤　作（手　到）

少壯時期，生活單純，精力充沛，宜多創作，不計工拙，以待晚年，學富識深，始予重加刪訂。梁簡文帝得年僅四十九，著書凡六百五十五卷。梁元帝得年僅四十七，著書凡六百五十卷。近人劉師培得年僅三十六，著書已近百種（劉氏門人合其詩文遺著輯爲《劉申叔先生遺書》，由大新書局印行。）以詩而言，李白杜甫蘇軾諸人，所作均在千首以上；而陸游、楊萬里、樊增祥三氏且逾萬首，宜其各領風騷，楷模百世也。

（民國六十八年三月在中央警察大學演講之講詞綱要）

應用文淺說（一九八一）

應用文雖然是我們日常交際應酬時所使用的文字，但是社會上卻有許多人只知其然，而不知其所以然，正如孟子所說的「行之而不著焉，習矣而不察焉，終身由之而不知其道者衆也。」（《孟子．盡心篇》）不過這只是美中不足，還不至於出紕漏。另外有些人把它使用錯誤，輕則貽笑大方，有損自己的形象；重則損害他人，引起誤會，所謂「言者無心，而聽者有意」，假如因此而破壞彼此的交情，那就很划不來。現在我想就這個問題，舉出一些實例，加以說明，提供社會大衆參考。

㈠**弄璋・弄瓦**　祝賀他人生男謂之「弄璋之慶」，祝賀他人生女謂之「弄瓦之喜」，這是出自《詩經・小雅・斯干》：「乃生男子，載弄之璋；乃生女子，載弄之瓦。」璋是美玉，蓋祝其成長後德美如玉，爲王侯執圭璧，然後因緣際會，逐步高升到朝中重臣，享受榮華富貴。唐玄宗時代的宰相李林甫祝賀姜度妻生子，竟寫作「聞有弄麞之慶」，因而騰笑朝野，被譏爲「弄麞宰相」，他把美玉誤作野獸，致有此失。瓦是紡磚，古時婦女紡織所用，蓋祝其成長後喜愛織布工作。時下有許多新女性平時不讀書，竟誤解作蓋房子所用的磚頭，因而認爲有侮辱女性之嫌，實在是會錯了古人的意思。對於這些膚淺庸俗之輩，我們只有搖頭歎息。

㈡享　壽　訃聞中常見到「享壽○○歲」，嚴格說來，壽字不能亂用，古人認爲必須六十歲以上才有資格稱壽。依照《淮南子・原道訓》的說法，六十到六十九歲稱爲下壽，七十到七十九歲稱爲中壽，八十歲以上稱爲上壽。後人從之，在訃聞中六十歲以上才用「享壽」，三十到五十九歲則稱「享年」，而三十歲以下則稱「得年」或「存年」，這種用法一直沿襲至今，不可隨便更改。又古人平均壽命較短，長壽之人不多，故杜甫〈曲江詩〉云：「酒債尋常行處有，人生七十古來稀」，後來遂以「古稀」作爲七十歲的代稱。古人能活到七十歲已經相當稀少，那麼活到八十歲以上更是千難逢一。所以替八十歲以上的壽星辦喪事，不但沒有哀傷的氣氛，甚至還把它當喜事辦呢。譬如訃聞不用白色而用紅色，桌布、蠟燭等也都不用白色而用紅色。這種習俗也沿用至今，沒有改變。

㈢先生・太太　現在一般人向他人提到自己的配偶時喜歡說「我先生如何如何」，或「我太太如何如何」，這是不夠謙虛的，也不像禮義之邦的國民所說的。應該說成「外子如何如何」或「內人（或內子）如何如何」，我發覺這樣說的人數和國文程度的高低成正比。但是最近有許多台籍朋友寫信或當面向我訴苦說，「外子」和「內人」用台語發音很拗口，不易爲閩南系的人士所接受。這個問題很有意義，我認爲台閩地區人士既然習稱丈夫爲「頭家」、妻子爲「牽手」，那麼何不順水推舟，提到丈夫時用「阮頭家」或「阮頭仔」，提到妻子時用「阮牽手」或「阮牽仔」呢。旣與事實相符，又含有謙遜的意味，兩全其美，何樂不爲。我認爲這種「因地制宜」而又帶著本土性、草根性的稱呼應予推廣。

㈣鄙　人　「鄙」是粗野不文，所以常常用爲提到自己的謙詞，例如「鄙人」、「鄙意」。但是許多人卻誤寫作「敝人」、「敝意」。按「敝」是破敗的意思，所以謙稱自己的家叫「敝廬」，謙稱自己的家鄉叫「敝鄉」，謙稱自己的國家叫「敝國」，謙稱自己的親戚叫「敝姻親」，謙稱自己的學校叫「敝校」，謙稱自己的公司叫「敝公司」，謙稱自己的商店叫「敝店」，謙稱自己的工廠叫「敝廠」，……總之，除了自謙時用「鄙」外，其餘一律用「敝」，此二字絕對不可混用。

㈤文　定　文是聘金，定是訂婚，娶妻要花一筆錢是天經地義的，不花錢就想得到一個美嬌娘，天底下那裏有這種美事。所以周公當年制定婚禮時，就爲女方家長著想，以免女家「人」「財」兩失，那誰還願意生女兒呢。又宋朝人受到理學昌盛的影響，很講義氣，連嫁女兒都不收「聘金」，以致有三個女兒以上的家庭，選購嫁妝，所費不貲，最後多淪爲貧戶。連小偷也講義氣，小偷只要發現某家有三個以上的女兒，就放棄不偷了，莊子所謂「盜亦有道」，卻在宋朝的盜賊身上得到印證。

（民國七十年五月在高雄國際商業銀行演講之講辭）

大學聯考國文科應考須知（一九八五）

（一）前言

暑氣炎炎，長夏漫漫，正是馳騁綠野、登山臨水的好時光。然而卻有數以幾十萬計的青少年朋友正在揮汗如雨，埋首芸窗，積極準備各種考試，以期獲取功名或繼續深造。前人詩云：「三更燈火五更雞，正是男兒立志時。」可見榮登金榜之心固無間於古今也。

在國內，任何升學或就業考試，都將「國文」列為必考之科目，政府對此科之重視，從是可知。國文雖非決定成敗之關鍵科目，卻足以影響錄取與否，尤其對某些考生而言，更被目為第一重要科目。例如高考司法官考試，國文成績不滿六十分者，一概不予錄取。又如高考普通行政人員文書組、法制組、新聞行政人員、律師、普考法院書記官等類考試，國文成績不滿五十分者，亦一概不予錄取。如大學聯考主科加重計分，各校多將國文一科予以列入。因此要想順利過關，非在這科上面下點功夫不可。

國文一科可以說是最易得分的科目，也可以說是最難得分的科目，此話並非矛盾。所謂最易得分是因爲考生從小學中年級起，就開始練習作文，生平不知已作過多少篇文章了，一旦應試，當能駕輕就熟，信筆揮灑，略無難事。所謂最難得分是因爲現在是科技掛帥的時代，各級學生都不重視國文，並且學到了陶淵明「讀書不求甚解」的名士作風。上作文課亦是漫不經心，敷衍了事，以爲東拉西扯，隨便吹吹牛皮就可以了。時日既久，積非成是，寫作能力自然就日趨衰退。各種考試的閱卷委員在評閱作文時，其所以搖頭者多，點頭者少，擊節稱賞者可謂絕無僅有，殆即種因於此。

吾華自古即以文章立國，五千年來，作者之衆，作品之美，舉世無有其匹。清代乾隆時所纂修的《四庫全書》，「集部」居其大半，即爲明證。惟令人不能無憾者，即文章作法，言人人殊，迄無定式，古人雖有獨得之祕，亦輕易不肯示人。遂使學者悉賴暗中摸索，自行領悟，虛耗歲月，莫此爲甚，言念及此，令人感嘆無已。

昔人常謂孟子文章之大氣磅礴，得之於養氣之功，太史公文章之縱橫馳騁，得之於江山之助。則文章之作法，似悉由個人之修養深、閱歷多而得，初無門徑與訣竅可言。雖然，依我個人之觀察與體驗，文章本無一定之格式，亦無一定之作法，尤其是經國、傳世之作，多得自天賦。惟一般性或臨場考試之文章，則仍有其客觀的標準，苟能合乎此一標準，即爲佳篇，以之示人，必不出醜，以之應試，必得高分。茲就個人多年來從事筆耕之心得，以及評閱高普特考、大學聯考、研究所入學考試試卷之經驗，提供要點，以供有志寫作及應考者之參考。讀者倘能有得於筌蹄之外，則尤爲作者之深幸也。

(二)文章十要

㈠厚植根柢　爲文之要，首須博覽群書，吸取他人之智慧，以自營養。營養既多，根柢自固，根柢既固，下筆自不同凡俗。杜甫云：「讀書破萬卷，下筆如有神。」蘇軾云：「腹有詩書氣自華。」黃庭堅云：「三日不讀書，便覺面目可憎，言語乏味。」近人胡適亦云：「爲學要如金字塔，要能博大要能高。」博覽之要，於斯概見。惟讀書須讀益智、推理、有用之書，不讀消遣、娛樂、無用之書。如司馬光之《資治通鑑》（天工書局印行）、梁啓超之《飲冰室文集》（中華書局印行）、蔡東藩之《幼學故事瓊林》（文化圖書公司印行）、柳詒徵之《中國文化史》（正中書局印行）等，均宜置諸案頭，隨時翻閱，以厚植根柢。

惟是，由於各種考試應考人數衆多，競爭激烈，一般考生多不肯博覽課外書籍，以爲迂闊而不切實際。其實大謬不然，蓋欲寫出一篇精彩的文章，教科書與參考書是不能爲役的，必仰賴於浩如煙海的名家著作，攝取各方面的知識，下筆時才能洋洋灑灑，帶有濃厚的書卷氣或學院派的味道。倘若根基薄弱，而考期又迫在眉睫，則每日應騰出十餘分鐘時間選讀下列五種書報雜誌：

①《中央日報》、《中國時報》、《聯合報》、《自由時報》之社論、短評、專欄、方塊。

②《中華雜誌》、《天下雜誌》、《中外雜誌》、《傳記文學》。

③曾霽虹著《歷屆高普考試國文試題答案》（三民書局印行）
④宋瑞著《勵志文集》及宋瑞譯《勵志文粹》（中央日報印行）
⑤梁實秋著《雅舍小品》（遠東圖書公司印行）

蓋一般考生離校已久，鮮少握管爲文，詞彙自漸遺忘，一旦臨場，思路閉塞，筆端枯窘，恐不能免。欲謀補救，必賴速成，速成之道，除此之外，實別無他途可出。

㈡看清題意　題目上每一個字都是作文的對象，必須仔細看清楚，不可隨意掃描，以免文不對題，大意而失荆州。茲列舉眞實笑話數則，以博一粲：

①每種考試都有少數考生將作文題目下面括號內的「文言白話不拘」當作作文題目，而大發議論。某年且有考生將黑板上寫的「缺考人數」當作作文題目，而大談缺考之不當。
②民國初年國立北京大學入學考試作文題爲「論項羽與拿破崙」，有些考生寫道：「根據史書記載，項羽力氣甚大，連大山都可將之拔起，何況是拿一個破輪子呢。」
③民國三十三年西南聯大入學考試作文題爲「現代青年應效法馬伏波班定遠的精神」，有些考生誤將「定遠」解作「探險」，又將「馬伏」「波班」當作西洋的兩名探險家，而暢論青年應多探險。這些考生竟然把先賢馬援（封伏波將軍）與班超（封定遠侯）加以「分屍」，何其殘忍。
④民國四十五年大學聯考作文題爲「論國文之重要」，有些考生誤將「文」看成「父」，居

然大談孫中山先生是如何如何的偉大。此類笑話，年年出現，「薪火相傳」，永不斷絕。閱卷委員則如護「至寶」，相互傳閱，而當作消暑聖品。

㊂**把握重點**　一般閱卷委員對漫無統緒，文不對題的卷子印象極壞，給分極低。此類考生並非文才不高，而是審辨試題時未能把握重點，此乃心細不足所致，假若因而落榜，實在冤枉。故題目重點之所在，必須用心去審定，凡與題旨無關之字句，均不可入文，務使內容絕不溢出題外。如題爲「容忍與自由」，重點在「與」字，須說出「容忍」與「自由」二者之關係，而非在分別闡明「容忍」與「自由」之可貴。如題爲「如何復興中華文化」，重點在「如何」上，須提出復興中華文化的具體辦法，切不可反覆強調中華文化之博大精深。舉此二例，足當隅反。所以一篇好文章除了要「對題」外，還要「切題」。

㊃**擬定大綱**　許多考生作文沒有擬大綱的習慣，振筆疾書，漫無章法，往往辛苦寫完一段後，又劃掉重寫，既費時，又費力，此實應試之大忌。若先擬定大綱，則胸有成竹，可以有恃無恐，篤定泰山，何樂不爲。至於大綱之擬定，仍以「起」「承」「轉」（或「開」）「合」四段爲宜，此乃千古不易之定式，報館主筆撰寫社論，名家撰寫專欄，多用此法，鮮有例外，常加研揣，自能豁然貫通。茲試製簡表以明之：

議論文之組織

- ①起（引論）——扼要闡明題旨
- ②承（正論）——正面申論題意
- ③轉（反論）——反面申論題意
- 　開（旁論）——舉例證明題意
- ④合（結論）——提出具體主張

抑有進者，大綱既定，不要立刻動筆，應重新作通盤的檢討與安排，考慮文章前後是否相應，取材是否精當，內容是否合乎邏輯，各段文字是否需要加以移置等。吾常謂文章之「大綱」，有如作畫之「輪廓」，造屋之「間架」，機械之「模型」，乃成敗關鍵之所繫，請勿河漢斯言，而以輕心掉之。

㈤段落分明　考試文章，多屬議論文。議論性之文章，以四段至五段為宜，每段均有精采的內容，始稱佳作。全文結構宜停勻，宜相稱，每段都能寫得恰到好處。凡「喧賓奪主」、「頭重腳輕」、「血脈不暢」、「自相矛盾」、「雜亂無章」、「不能自圓其說」之病，均所宜戒。如欲避免上述諸病，惟有擬定大綱，則萬無一失。

㈥平易通達　文章最忌佶屈聱牙，使人讀未終篇，即昏昏欲睡，因而失去寫作之意義與目的。一篇上乘之作品，必是字句暢順，流利可讀，有如長江大河，一瀉千里，令人讀之，惟恐其盡。

欲達到此一標準，並非難事，當文章作完後，低聲誦讀數遍，即可發現其中缺點。苟有一字不妥，一句不順，須即時修正，如面對仇人的文章，千挑萬剔，絲毫不能放過。

㈦思路清楚 文章亦忌零亂無統，忽說東，忽說西，漫無條理，或意思重複，或意象不明，或內容含糊，或同樣字句出現次數太多，凡此均屬劣作。例如：

牧童騎在牛背上，邊走邊吃草。

此類文句，足以令人大綯眉頭，作者顯然犯了修辭學上「不當省而省」的毛病。究竟是牧童在吃草，抑或是牛在吃草，沒有敍述清楚，若在「邊走」上面加「牛兒」二字，則無語病。又如：

我們走到樹林裏，聽鳥鳴，花香，樹葉的輕搖，清風的細語……。

「花香」居然可「聽」，可見作者耳朵構造之特別，那他的鼻子不是作廢了嗎。此乃思路不清之例，允宜戒絕。

㈧內容精闢 文章係由許多詞彙所組成，故選用詞彙應特別慎重，不可信手亂拈，張冠李戴，使人莫名其妙，不知所云，故必須相當了解其意義，才能下筆。至於文章內容，尤須推陳出新，不可落入俗套。一般考生作文，往往不出下列六種老套：

❶人生在世式

❷時代式

人生在世，不過短短幾十年，如果想要有一番大作爲，必須時時刻刻努力奮鬥。

時代的巨輪，一刻不停的前進著，我們若不努力奮鬥，必為此無情的巨輪所輾碎。

❸**天下式**
天下最難能可貴的，乃是知己的朋友。

❹**光陰式**
光陰似箭，日月如梭，自求學以來，已匆匆度過十二個年頭了。

❺**朋友式**
朋友，讓我們大家一起來奮鬥，開創光明的前程，你說是嗎？

❻**木流式**
求木之茂者，必培其根，欲流之長者，必浚其源，欲事業之成功，必有恆心。

按此乃模仿魏徵〈諫太宗十思疏〉：「臣聞求木之長者，必固其根本，欲流之遠者，必浚其泉源，思國之安者，必積其德義。」

閱卷委員看到此種試卷，除了感到滑稽外，只有搖頭歎息，則作者的命運如何，當可不卜而知也。

㊈**字跡端正**　字跡猶如人之儀表，予人之印象最深，與得分之關係最大，不可不慎。大抵男性考生好表現性格，字跡多潦草，而女性考生之字跡則較為娟秀，予人有悅目賞心之感。試看各種考試女性考生錄取率之逐年提高，可以思過半矣。又寫錯字及修改文句，人所難免。男性考生多信手塗抹，破壞卷面之乾淨。女性考生則多用橡皮沾口水擦拭，不免妨害衛生。其實祇須在廢

字之左上角重重的劃一個圓圈即可，絕不影響分數。

㈩字數適中　字數多寡本無一定之標準，亦無一定之限制，似乎是不是問題的問題，但一般閱卷委員的看法是字數適中的卷子較易討好。蓋字數太少則不能暢所欲言，內容必致貧乏，固非所宜。字數過多則時間倉卒，字跡必定潦草，亦非其道。所謂適中，以我個人的看法是：初中考高中以四百至六百字爲宜，高中考大學以六百至八百字爲宜，普考以八百至一千字爲宜，高考則以一千至一千五百字爲宜。惟此不過就其大體言之，運用之妙，存乎一心，固不必過於拘泥。

(三)文章十戒

㈠虛字多　文章貴緊湊而忌鬆弛，緊湊則文氣強，鬆弛則文氣弱，文氣之強弱固有賴於虛字之靈活運用，但用得過多，則將嚴重破壞文章之密度。試看各大報之「社論」、「專欄」，極少用虛字，是其明證。但是我們總發現少數男性考生和多數女性考生喜以虛字入文，「呢」「嗎」「呀」「啊」「哩」「哪」「麼」「哦」「耶」諸字充牣紙上，實非所宜。蓋閱卷委員多爲飽學之士，固不必如此淺白，如對幼童說話也。

㈡錯字多　錯字即筆畫錯誤之字，中國學生寫錯字居世界之冠，問題相當嚴重，究其原因，一方面是由於學生的粗心大意，一方面是各級國文教師沒有細心糾正，又不講文字構造的原理，如此日積月累，相沿成習，遂至終身寫錯字而不自知。而偏偏閱卷委員個個目光如炬，對錯字的敏感度特別強烈，往往會把錯字挑出來予以扣分，吃這種虧的考生實在太多了，幾乎無一倖免，只是多寡不同而已。以下所列是考生常寫錯的字，爲顧慮排版的困難，只列舉正字，而不列舉錯字，希望讀者多看幾遍，加深印象，永不寫錯。

腦 肅 紙 獲 落 茫 薄 達 寬 雖 宰 粱 步 嘗 染 內 盡 切 貌 棄

節 寧 沒 助 尋 歲 蒙 含 念 陷 夢 段 假 迎 洩 勤 補 初 禮 樣

認 眞 奮 恭 速 兩 滿 够 辜 被 袖 練 舉 察 祭 登 踏 喪 奧 徵

熙 暴 慕 適 淹 德 強 暇 窗 裕 諂 際 察 隨 添 廚 拋 築

㈢別字多　寫別字人所難免，但卻有多寡輕重之分，在一本學術著作裏，出現三兩個別字，是極平常的事，這是由於我國同音字太多，通假字繁富的緣故，此一現象恐將永難改善和避免。但是如果你的卷子落在「整人爲快樂之本」的閱卷委員手上，那就慘了，內容再精采，也不可能得高分。所幸這種採高標準的閱卷委員畢竟爲數不多，絕大多數閱卷委員是宅心寬厚，「得過且過」的，他們對卷子上偶爾出現三兩個別字多能予以原諒，對講得通或約定俗成的別字——例如「終身」寫作「終生」、「莫名其妙」寫作「莫明其妙」、「每下愈況」寫作「每況愈下」、「老闆」寫作「老板」、「名不副實」寫作「名不符實」、「雨過天青」寫作「雨過天晴」、「情致」寫作「情緻」、「家具」寫作「傢具」、「憑添」寫作「平添」、「丰采」寫作「豐采」、「了解」寫作「瞭解」、「徹底」寫作「澈底」、「身分」寫作「身份」等多予以放過。不過對嚴重錯誤之別字，則予酌情扣分。茲列舉如次，以供參考（括號內爲正確字）：

關念（觀）　冒然（貿）　孤息（姑）　年青（輕）　影嚮（響）　即然（既）　景緻（致）
沾辱（玷）　僅管（儘）　去逝（世）　勾踐（句）　敝人（鄙）　迷漫（彌）　倒霉（楣）
附合（和）　奢糜（靡）　發奮（憤）　甘脆（乾）　興緻（致）　嚮應（響）　克苦（刻）
氣慨（概）　一昧（味）　別緻（致）　辣手（棘）　天秤（平）　唾涎（垂）　晃子（幌）
遭致（招）　前題（提）　究裏（就）　一愣（楞）　供獻（貢）　遭蹋（糟）　浮淺（膚）
煩重（繁）　砌磋（切）　牽就（遷）　裝璜（潢）　智識（知）　查覺（察）　難到（道）
頭昏腦漲（脹）　沽惡不悛（怙）　可見一般（斑）　持才傲物（恃）　入不符出（敷）
按步就班（部）　美侖美奐（輪）　顧名思意（義）　自立更生（力）　恭逢其盛（躬）
聲敗名裂（身）　走頭無路（投）　滿腹經論（綸）　合衷共濟（和）　惹事生非（是）
必恭必敬（畢）　沾花惹草（拈）　名列前矛（茅）　敝絕風清（弊）　返樸歸眞（璞）
競競業業（兢）　振弊起衰（敝）　彼彼皆是（比）　濫芋充數（竽）　西裝畢挺（筆）
習習相關（息）　迴然不同（迥）　不徑而走（脛）　相當利害（厲）　固步自封（故）

㈣校園俚語多　近年來通行於校園之俚語日益增多，極爲學生所樂道。此類俚語，出之於口則可，表示年輕、俏皮、親切。但入之於文則不可，入之於應試之文則尤欠莊重。況且閱卷委員未必看得懂，豈非弄巧成拙。今將原文及譯語擇四十四種列後，藉以提醒考生。

①蹺課：逃課。②亂蓋：胡說。③好菜：很差。④好驢：滑稽。⑤好塞：傻瓜。⑥好鮮：可笑。⑦好神：很棒。⑧好跩：很得意。⑨好屌：很得意。⑩好糗：窩囊事。⑪壓馬板：逛街。⑫壓地板：跳舞。⑬散（上聲）了：分手了。⑭當了：功課不及格。⑮馬子：女孩子。⑯泡馬子：交女朋友。⑰杏子：男孩子。⑱條子：警察。⑲招子：眼睛。⑳帶種：有膽子。㉑玻璃：屁股。㉒海玻璃：大屁股。㉓搞飛機：被耍。㉔好尿：倒楣。㉕飛機場：胸部平坦。㉖太平公主：胸部平坦。㉗游乾泳：打麻將。㉘撇輪子：坐計程車。㉙撇條兒：大便。㉚放鴿子：被騙了。㉛K書：啃書。㉜亂沒面子：很沒面子。㉝雞婆：愛管閒事。㉞起雞母皮：起雞皮疙瘩。㉟堵爛：火大。㊱起毛壞：情緒不好。㊲高竿：很好。㊳小氣巴拉：小氣。㊴神經兮兮：神經不正常。㊵可憐巴巴：可憐。㊶哇塞：驚歎聲。㊷好酷：很神氣。㊸洗衣板：胸部平坦。㊹美眉：美少女。

(五)簡體字多　簡體字不是不可以寫，而是要儘量的少寫，因為閱卷委員雖然不討厭簡體字，卻也不喜歡看到太多的簡體字，萬全之策，在於適可而止。大致說來，被通融的簡體字只限於筆畫較多的字，例如：體、龜、獻、讀、鹽、鬪、關、豐、藥、響、瓊、矚、灑、灣、瀏、纔、曬、攔、靈、屬、囑、嚮、鑽、驢、嚴、難、離、盡、斷、獨、闖、雞、爛、類……等字。至於筆畫少的字，尤其是十二畫以下的字，仍以不寫為妙。

(六)徵引錯誤　徵引中外學者之名言，固然可使文章生色，但不能有誤。如果張冠李戴，或脫漏文句，則立刻暴露缺點，會被認爲讀書不够扎實而給低分，吃虧甚大。故當徵引時，須確知爲某人之名言，有絕對的把握，才可落筆。如果一時記憶不清，可用「先聖有言」、「先哲有云」、「西哲嘗謂」、「西人恆言」、「語云」、「昔人云」、「諺云」、「常言道」……等代替之。

㈦用錯成語 在行文時，適當的援用成語，的確可使文氣緊湊，亦可使文章看起來較爲高雅，但必須以確切了解該句成語之眞正意義爲其先決條件。例如形容中年婦女賣弄風騷的「徐娘半老」，不可用以稱自己的母親、妻子和親人。又如祖君彥數隋煬帝罪惡的「罄竹難書」，不可用以稱讚善人或美事。再如「解衣衣人」只能用於男性慈善家，不可用於女性慈善家。「寸草春暉」只能用於母親，不可用於父親。諸如此類，不遑多舉。如果沒有把握，則寧可割愛，庶免貽畫虎類犬之譏。

㈧西化句法 考生修習多年英文，寫作時多多少少會受到一點影響，在文章裏摻雜了若干西化句子，會被認爲純度不够而遜色不少，故行文不可不愼。試舉數例如下：

①我想明天去爬山，假如時間許可的話。

②我現在決定離開你了，儘管我曾經愛過你。

③請你吃慢一點好不好，雖然你的嘴巴很大。

④幽靈般的心絃，彈出新的煙土皮里純（inspletion）。

⑤匹克里克（picnic）江邊。

這些文句都不合國人的口味，千萬不可入文。

⑨有頭無尾　文章沒有寫完是最嚴重的問題，閱卷委員僅酌情給一點同情分數，略示矜憫而已。故應考時必須帶手錶入場，以便控制時間。如果時間不夠，應在交卷前十分鐘開始寫結論或最後一段，那怕是歪理，也得寫上去，總比沒有寫完的好。

⑩措詞不通　閱卷委員對措詞不通的文章非常厭惡，往往給予極低的分數，與有頭無尾之作約略相等，考生應該注意及之。此類例子，因人而異，甚難列舉。今特舉清人不通之古體詩一首，以當趣談。（括號裏的文字是作者所要表達的意思）

太窺牆若豆（我看見一個老太婆站在牆外暗中注意我，眼睛像豆子一樣。）

丫洗水漂薑（又看見一個丫頭在河邊洗腳，她的小腳看起來很像生薑漂在水面上。）

門外飛三百（我家門外經常有三百隻鳥兒在飛來飛去。）

庭前走萬章（我妹妹把我所讀的《四書》撕破了，當我發現搶回來時，只剩下《孟子・萬章篇》尚完好無損而已，我拿著它茫然的在庭前走來走去。）

五彩從窗去（我母親縫製衣服剩餘的碎布，共有五種顏色，經常被她從窗口丟出去。）

三康拾道旁（前幾天我在路邊撿到三個康熙時代的銅錢。）

屋高貓跳直（我家房屋雖高，但貓兒卻可直跳上去。）

洞小狗鑽忙（我家狗洞太小，幾隻狗兒成天忙著鑽進鑽出。）

見驢思母舅（我每次看到驢子，就會想到我舅舅，因為他好驢哦。）
過渡想姨娘（每當我坐渡船看到雙槳時，就會想到我姨媽，因為她的腳好大哦。）
況妻簪玉假（我三哥（況字析分為三兄）的太太夾在頭髮上的玉簪是仿製品，並非眞玉。）
肉妹金鐲光（我內人的妹妹（肉字析分為妻妹）手上戴的金鐲是眞的，還會閃閃發光呢。）

此詩共十二句，可謂無一句通順，作者如果不作解說的話，我敢擔保全世界沒有一個人看得懂它的意思，像這種詩不作也罷。猶記民國五十年代，友人簡君（時任大學講師）作〈元日詩〉云：「不日誓師摧鐵幕，黃龍痛飲慶重光。」被時人視為劣等之作，但至少還算通順，比起這名清人，起碼略勝一籌。不過此二人既然沒有詩才，則應另謀出路，以免貽誤終身。

（四）結　語

上之所言，也許不無懸的過高，不盡切合實際，但其悉為寫作心得與閱卷經驗之結晶，則是敢於自認的。杜甫詩云：「文章千古事，得失寸心知。」得失心理，人所同有，希望考生能細心體會，糾正缺失，則終身用之，有不能盡，固不止馳騁場屋，無往不利而已。

（原載民國七十四年九月台北《國文天地》第四期）

怎樣學作文言文（一九八六）

文言文又稱古文，亦稱散文。它是先民智慧的結晶，也是自有文字以來知識分子用來寫作的主要文體。試看清高宗所敕修的《四庫全書》，計收書三千四百六十種，凡七萬九千餘卷，全部都是文言文的著作，便是明證。因此，五千年來，儘管江山不斷的更換主人，文化也不斷的向前衝刺，文字更不斷的改變形狀，但此一文體卻依然通行華夏，屹立不搖。

即以白話文風靡全國之今日，爲了充實腹笥，以強化文章的內容，固然要多閱讀文言著作；爲了使文字簡潔，以增加文章的魅力，亦非有深厚的文言根基不爲功。

根據我多年來在各中學講授「國文」以及在各大學講授「歷代文選」的經驗，一般青年學子對於閱讀文言著作並不感到十分吃力，惟獨對於寫作文言文卻往往有心餘力絀之憾，究其原因，殆非三言兩語所能盡述，姑予從略。

這裏只提出簡單而易行的方法，以供有志於學作文言文的青年朋友的參考：

❶背誦古文一百篇——諺云：「熟讀唐詩三百首，不會作詩也會吟。」正說明了背書的重要性。學詩如此，習文亦然。背書就是爲作文言文打基礎，正如同蓋房子必須先打地樁，學

古箏必須先練指法，唱京戲必須先弔嗓子，繪人像必須先畫輪廓，臨字帖必須先臨「永」字……一樣，最爲重要。一個具有高中畢業程度的青年，當他在中學肄業時，已經背過五、六十篇古文了，只要發憤再背四、五十篇即可。而背誦的文章，長短不拘，駢散不論，可以隨己所好，在《昭明文選》、《古文觀止》、《古今文選》、《古文評注全集》、《古文觀止新編》、《駢體文鈔》、《古文辭類纂》、《經史百家雜鈔》八書中任意挑選。古代私塾教學，特別著重背書。例如《四書》，不但責令學生背誦《四書》的原文，就連朱熹的《集注》也要背得滾瓜爛熟。這並不是苛求，也不是無理，而是因爲朱子的注釋也寫得十分流暢，足供學童模擬啊！

❷**養成閱讀古書的習慣**——古書浩如煙海，當然要加以選擇，以免遇難而退，或產生厭惡之心。我認爲初學者應先從文字淺近，而又富有趣味性的小品文和小說入手，例如朱劍心《晚明小品選注》、羅貫中《三國演義》、蒲松齡《聊齋誌異》、《今古奇觀》、《唐人傳奇小說》、沈復《浮生六記》、李昉《太平廣記》、徐枕亞《玉梨魂》及《雪鴻淚史》等，都是淺顯通俗，明白如話，稍讀書者，類能解之。迨閱讀興趣養成之後，再循序漸進，涉獵較深奧的學術名著。

❸**多看當代名人的文言著作**——古人的思想、情感和造句方法都和現代人不盡相同，而近百年來東西洋的新詞彙更大量湧入中土，知識的領域或作者的視野無形中爲之擴大。因此現

代人要想寫出唐宋八大家那種文章，不但懸的過高，抑且無此必要。前面提到背誦古文一百篇，不過是用來充實腹笥罷了，蘇東坡嘗云：「腹有詩書氣自華」，其作用即在於此。至於眞正要動筆寫作，那就非從模擬當代名人的文言著作入手不可。像梁啓超的《飲冰室文集》、柳詒徵的《中國文化史》、呂思勉的《兩晉南北朝史》、胡適的《留學日記》，以至劉師培、蔡元培、蘇曼殊、柳亞子、王國維、魯迅、黃秋岳、朱東潤、陳寅恪、錢穆、錢鍾書、錢仲聯、熊十力、牟宗三、成惕軒……諸大師的全集或文集，均宜置諸案頭，經常翻閱。

❹寫作宜勤——初學者應勤於寫作，不可偷懶，以免日久文思枯竭，運詞生澀。梁之蕭綱、唐之白居易、宋之歐陽修、蘇軾、陸游、楊萬里、明之楊愼、清之洪亮吉、李慈銘、民初之劉師培、梁啓超、王國維等，均爲多產作家，生平幾於無一日不寫作，故能聲光煒然，歷久彌盛，至今猶喧騰衆口，令人肅然起敬。

所以有志於學作文言文的青年朋友，應該師法前賢，勤事創作，持之以恆，不可間斷。若無題材，則以日記代之，當能收到立竿見影的功效。

（原載民國七十五年六月廿五日《中華日報》）

《駢文觀止》自序（一九八六）

『科學以求眞，哲學以求善，文學以求美。』這是吾人所熟知的名言。由此可見世界上最美的東西，殆莫過於文學。因此在十九世紀中葉之頃，英國大文豪斯文本（A. C. Swinburne）、莫里斯（W. Morris）共同開創唯美主義（Aestheticism）的文學，其後經過王爾德（O. Wilde）予以發揚光大，便成爲西洋文學中的一大流派，而與古典主義（Classicism）、浪漫主義（Romanticism）、自然主義（Naturalism）、寫實主義（Realism）……各派文學角戰坫壇，迭相雄長。他們主張盡量發展個性，離絕社會，隱藏在藝術之宮或象牙之塔中，積極追求強烈的歡樂，希望能夠獲得新感覺與新刺激，以便充實其精神生活之內部，這就是所謂爲藝術而藝術，爲文學而文學。與敖陶孫評隱陳後山詩所說的『九皋鶴唳，深林孤芳，沖寂自妍，不求識賞』諸語完全若合符節。其實這種唯美主義思潮早在一千五百年前便已澎湃於中國文壇，只是沒有形成一種流派，更沒有人刻意去宏揚罷了。我編撰這本書的最大用心所在，就是希望能藉這本書的發行，把我國最美麗的文學作品很清晰的呈現在每一位讀者之前。

爲什麼唯美文學會產生於一千五百年前的六朝時代呢，細究原因，叢雜繁複，正如『一部二十五史不知從何說起』。在這裏我不想長篇大論的作學術性的探討，而只簡單扼要的一述其緣由。

一般所謂的美學（aesthetics），大致可區分爲形式（form）美與內容（contents）美兩大部分。譬如建築物形體之比例，色彩之配合如何美觀，則屬於形式美。其所表現莊嚴偉大，或小巧玲瓏之精神，則屬於內容美。一件藝術品必須兼具內容與形式之長，始能予人有悅目賞心之美感（sense of beauty）。藝術作品如此，文學作品亦復如此。文學之功用，原爲表現作者之情感，傳達作者之思想，或記述客觀之事物者。然而人類皆有愛美之天性，欲使他人接受作者之情意，感發其情緒，必須具有動人之美感，在文學之廣大領域中，其所以有美文之產生，實即種因於此。而駢文則是美文當中最具有代表性的文體。

六朝人由於具有濃厚的藝術氣息，多認爲藝術本身自有其崇高價值，凡從事藝術工作者，當爲藝術而藝術（art for art's sake），不可爲人生而藝術（art for life's sake），純粹屬於『藝術的人』。加以愛美之情特別熾熱，故創作文藝，乃逐漸脫去自然而講求修飾，時日既久，遂成風尚。他們不僅講究詞句的整齊，故事的運用，更進一步講究對仗的工整，聲調的和諧和辭藻的華麗，這便是駢體文的特徵。試舉數例如次：

㊀暮春三月，江南草長，雜花生樹，羣鶯亂飛。（梁‧丘遲〈與陳伯之書〉）

㊁零雨送秋，輕寒迎節，江楓曉落，林葉初黃。（梁‧簡文帝〈與蕭臨川書〉）

㊂心如膏火，獨夜自煎，思等流波，終朝不息。（梁‧何遜〈爲衡山侯與婦書〉）

四輔仁難驗，神情易促，雹碎春紅，霜凋夏綠。（梁・劉令嫺〈祭夫徐敬業文〉）

五露萎庭蕙，霜封階砌，坐視帶長，轉看腰細。（梁・蕭繹〈蕩婦秋思賦〉）

六麟亡星落，月死珠傷，瓶罄罍恥，芝焚蕙歎。（北周・庾信〈思舊銘序〉）

平情而論，這種平仄相間、音調鏗鏘的文句，讀起來的確十分順口，沒有一點詰屈聱牙的毛病，足以增加文章裏的音響效果。所以駢體文可以說是文藝而兼音樂的一種特殊的文學，也可以說是唯美文學的極品。這種旖旎風華的美文，在使用複音字的國家是絕對產生不出來的。諺語所謂『祇此一家，別無分店。』移以語此，尤爲確切。因此只有我國才在韻文和散文之外，會發展出這種文體來。這是我們炎黃華胄智慧的結晶，也是列祖列宗遺留給我們的寶貴文化資產。前國立北京大學教授劉師培氏曾經很感慨的說：『儷文（按即駢文）、律詩爲諸夏所獨有，今與外域文學競長，惟資斯體。』（《中古文學史》）可謂晨鐘暮鼓，足以發人省思。深望有靈性、有思想的中華兒女能够特別珍惜它，寶愛它，光前裕後，繼美揚徽，使其長耀瀛寰之表，永垂無疆之休。吾其斂衽以俟之，吾其馨香以禱之。

按《駢文觀止》所選各篇文章先後刊載於台北《國語日報》副刊《古今文選》，其後集結成册，民國七十五年九月交由文史哲出版社梓行問世。

漫談應用文（一九八六）

今天我在這裏同各位漫談應用文，我覺得非常高興。應用文和我們日常生活、交際應酬的關係實在太密切了，任何一個現代國民——尤其是知識分子都應該對它有基本的認識，進而正確的使用它，以促進人際關係的和諧，使社會上呈現一片祥和之氣，不愧爲具有五千年歷史文化的泱泱大國的國民。我在各大學以及政府機關講授應用文將近二十年，深深感到各機構的負責人都很重視它，一般高級知識分子也以認眞的態度學習它，使這種非學術性的文書逐漸成爲「顯學」，這是良好的現象，値得讚揚。

首先我們必須認清應用文的定義和範圍。大家都知道，人類是合群的動物，當然不能離群而獨居，而社會是由許多人所組成的一個整體，我們生存在社會上，每天所接觸到的，不是人物就是事情，爲了要應付這些複雜的人事，必然會有特種文體產生，以爲社會大衆所共同遵循，共同使用，這種文體就是應用文。換句話說，凡是個人與個人之間，或機關團體和機關團體之間，或個人和機關團體之間，互相往來所使用的特定形式的文字，就叫做應用文。

我國的文章大致分成三類：㈠**載道之文**。也就是學術性的論文。㈡**怡情之文**。也就是抒發個人感情、記載各種事物的文藝作品。㈢**應用之文**。也就是人們交際應酬所使用的特定文書。第三種應用文雖然與學術無關，但它卻是和我們日常生活有著密切的關係，我們總得花一點時間去認識它，學習它，當作現代國民所應該擁有的知識。唐朝有許多雁塔題名的進士，卻不會寫借錢的借據；現在也有很多能寫洋洋數十萬言的學術論文的博士、碩士，卻不會寫一封八行書或一張便條。這是講不過去的。

其次就我個人平日的所見所聞，提出一般人經常發生的錯誤，以當「趣談」。

⑴不久以前，某國立大學中文系一名社團負責人寫信給我，請我作專題演講，信封上赫然出現「張仁青先生敬啓」字樣，等到演講那天，我拿著這封信會見她的系主任，笑謂：「令高足專函請我演講，竟然要我恭恭敬敬的拆開她的信，不知是何道理。」某系主任連聲向我道歉說：「你要原諒這個學生，她才大二，還沒有修大四的應用文課程。」很顯然的，這個學生並沒有把「敬啓」兩字弄清楚，才會如此誤用。「啓」是拆開的意思，所以明信片用「收」而不用「啓」。正確的用法是：給父母師長用「安啓」，給學者、專家、師長用「道啓」，給黨政軍界人士用「勛（勳）啓」或「鈞啓」，給長輩、長官用「賜啓」，給機關、學校、公司、團體用「公啓」，給平輩用「台啓」或「大啓」或「惠啓」，給晚輩用「啓」，有機密性的信件用「親啓」，給婦女也可用「慧啓」、「玉展」。

⑵某君想調到某中央機關任職，首長已召見，即將委派，某君在得意之餘，寫信給那位首長

表示感謝，信末寫道：「愚○○拜啓」，那位首長看了很不高興，認爲此人狂妄無禮，不可重用，遂收回成命。其實某君可能不知「愚」字乃是長官對部屬或長輩對晚輩的自謙，以致上下顚倒，違悖倫常，卒有此敗，可謂因「愚」僨事，眞是愚不可及。正確的用法是：對長官應謙稱「職」（如尚未到職則謙稱「晚」），對父母應自稱「兒」，對師長應自稱「受業」，對學者專家應謙稱「後學」或「晚」，對平輩應謙稱「弟」（女性可省），對晚輩、部屬始可謙稱「愚」。

⑶信封的中央是郵差對收信人的稱呼，卻有許多人給兒子的信寫作「○○吾兒啓」，給父親的信寫作「○○父親啓」，前者之失是把自己的兒子變成郵差的兒子，後者之失是把自己的父親變成郵差的父親，豈不荒唐。正確的寫法是，不論收信人的身分，一律稱對方是「先生」或「女士」、「小姐」。

⑷信封的中路也有很多人這樣寫著「孔偉仁先生　啓」，「陳佩芳小姐　啓」，這些都是錯誤的寫法。其實只要把「孔偉仁先生　大啓」七個字大小相同一路寫下去即可，不必把「先生」或「小姐」兩字寫在旁邊或左右邊。至於有職銜的人就應寫作「馬市長英九　勛啓」，把市長的名字縮小三分之一寫在右邊，以示尊敬。茲舉二例以明之：

㈠通　用

王　九　皋　先　生　惠啓

㈡有職銜者

蘇 院 長 貞昌 勛啓

(5)臺灣地區的學生經常在信箋末尾（即署名敬禮）寫作「友○○敬筆」，這裏犯了兩大錯誤。㈠「友」字不敬，應改爲「弟」（「女性可省」），已見前述。㈡「敬筆」二字不通。其正確的寫法是：對父母用「稟上」，對長輩用「拜上」或「敬上」，對平輩用「敬啓」或「謹啓」或「頓首」或「再拜」，對晚輩用「手啓」或「手泐」，對兒女用「父字」或「母示」。

(6)春節期間，許多家庭都貼有春聯，左右貼錯的十分普遍，以致被路過的內行人譏笑而不自知。其分辨的方法是端看上下聯的末字，上聯的末字必是仄聲，下聯的末字必是平聲，上聯貼在右邊，下聯貼在左邊。例如：「生意興隆通四海（右），財源茂盛達三江（左）」。「天增歲月人增壽（右），春滿乾坤福滿門（左）」。不只春聯如此，所有的對聯亦莫不如此，鮮有例外。

(7)某人寫信給尼姑，一開頭就寫道：「○○尼姑道鑒」，引起那位尼姑的不悅。其正確的稱呼是：對尼姑應稱「師太」、「師姑」，對和尚應稱「上人」或「道人」或「大師」，對神父應稱「司鐸」，對修女應稱「修道」，對道士應稱「法師」、「道姑」，對牧師則仍稱「牧師」。

(8)某大學畢業生寫信給母校的校長請求介紹工作，一開頭就寫道：「○○校長仁兄大鑒」，也引起那位校長的不悅，當然不會爲他介紹工作。某君可能不知道校長雖然沒有教書，但仍然具有教授身分，故應稱「○○校長吾師」，表示尊敬與親切；或通稱「○○校長先生」亦可。至於提稱語「大鑒」也不對，其正確的用法是：對父母用「膝下」或「膝前」，對長輩用「尊前」或「賜鑒」，對長官用「鈞鑒」或「勛鑒」，對師長用「壇席」或「道席」，對平輩用「大鑒」或「台鑒」或「惠鑒」，對晚輩用「如晤」或「如握」，對兒女用「收之」或「知之」。

(9)某君為其父作八十大壽，在給親友的請帖上寫道：「謹詹於○月○日為家嚴八十壽辰，潔治桃觴，恭請光臨。」某君可能不知道「詹」是「占」的假借字，有占卜、選定之意，只能用在必須選擇吉日的訂婚或結婚請帖，而生日請帖應寫作「月之○日」或「○月○日」。

(10)有一次，我去拜訪一個朋友，按下門鈴後，其子出來開門，我問道：「令尊在家嗎？」他答道：「令尊在，請進。」其子年僅十六，就讀高中，可能還弄不清「令」「尊」「家」「舍」四字的用法，致有此誤。正確的用法是：尊稱別人的父親用「令尊」或「尊翁」，尊稱別人的母親用「令堂」或「尊萱」。對人謙稱自己的父親用「家父」、「家嚴」，對人謙稱自己的母親用「家母」、「家慈」。尊稱別人的兄弟姊妹用「令兄」、「令姊」、「令弟」、「令妹」，對他人自稱自己的兄姊用「家兄」、「家姊」，對他人自稱自己的弟妹用「舍弟」、「舍妹」。

(11)應用文中有些詞彙有它特定的用法，不可任意更改，稍一不慎，即鬧笑話。例如「教澤長存」、「音容宛在」只能用來懷念死者，而不能用來懷念活人。可是某教授退休後，在校學生寫信給他，信中居然出現這兩句，使某教授讀後為之驚心動魄，毛骨悚然。又如「玉樓赴召」（為玉皇大帝召請唐詩人李賀作祕書之事，李賀死時年僅二十七歲，詳見李商隱《李賀小傳》。）只能用來哀輓年輕人，不能用來哀輓老年人，而「痛失老成」則與此相反。再如「壽終正寢」只能用於男子死亡，而「壽終內寢」只能用於婦女死亡，兩者不可錯亂。惟今人多改為「病逝○○醫院」。

⑿今人談話或寫信，常對他人自稱自己的丈夫為「我先生」，妻子為「我太太」，嚴格說來，這是不禮貌的，應分別改稱「外子」、「內人」（或「內子」），才合於謙虛之道，同時也顯現了個人的學養。（閩台語系人士可改稱「阮頭仔」、「阮頭家」、「阮牽仔」、「阮牽手」。）

以上拉雜的列舉了十二則「趣談」，雖然看起來都是微不足道的小事，但是，我們畢竟是一個文化大國，禮義舊邦，應用文字的使用稍有不當，小則損害個人利益，大則破壞整體社會的形象，實在不容我們草率從事，掉以輕心。

應用文就像茶米油鹽等日常用品一樣，是每一個現代國民所必備的精神食糧，因此我們除了在書架上備置一兩本內容新穎充實的此類書籍，以供隨時翻閱參考之外，平時應多留意報紙雜誌刊登的有關論著，不斷擷取新知，擇其善者而從之。如果遇到疑難問題，應立即以函電向學者專家請教。現在國內大專院校多開有「應用文」這門課程，任課教師亦多有此類著作問世，只要虛心求教，一定會得到圓滿答覆的。

（民國七十五年六月在台北國際扶輪社演講之講詞）

國立中山大學七十七年畢業典禮致詞

代林基源校長撰（一九八八）

今天是本校研究部第七屆研究生、大學部第五屆學生畢業典禮，本人以十分興奮的心情來主持這個典禮，同時也祝賀各位同學榮獲學位，邁進人生的一個新里程。

大家都知道本校是國父孫中山先生所創辦的高等學府，中山先生當年創辦本校之宗旨，即在積極的培養各方面的高級人才，以便蔚為國用，加速國家現代化的進行，使我國早日登上世界強國之林。只惜創校不久，日寇即發動侵華戰爭，其後中共又發動內戰，大陸沈淪，國府南遷，使此長期為國育才之目標未能順利達成。所幸民國六十九年政府毅然決定在高雄復校，經過前任校長李煥先生和趙金祁先生的苦心擘畫，慘淡經營，乃能略具規模，成為南台灣地區的學術重鎮。基源承乏以來，至今適屆一年，仔肩綦重，不勝惶悚。今後當竭其駑鈍，秉承中山先生的創校目標，配合國家社會的需要，在原有的基礎上加強擴展，積極進行，庶幾校務蒸蒸日上，校譽愈益振隆，而成為全世界第一流學府。

本校教育的目標，固然是在為國家培養各種高級人才，不過這只是有形的目標而已，更重要的是無形的目標。所謂無形的目標，便是開闊的胸襟和恢宏的氣度。我國五千年來傳統的知識分子，當其束髮受教時，即有經邦軌物、霖雨蒼生之壯志，將一己的休戚榮枯置之度外。漢范滂在青年時代，即有攬轡中原、澄清天下之意，這是何等的志氣。宋范仲淹爲秀才時，即以天下爲己任，並且標舉「先天下之憂而憂，後天下之樂而樂」爲終身奉行的崇高理想，這是何等的抱負。清末革命志士毀家紓難，視死如歸，這是何等的雄壯。抗戰期間，在學青年請纓殺敵，喋血沙場者不可勝數，這又是何等的壯烈。知識分子之所以可愛，之所以爲四民之首，要皆種因於此。反觀時下一般知識青年，由於受到歐美功利主義的影響，都普遍的犯了胸襟狹窄、眼光短淺的毛病，恩怨不分，是非不明，只看眼前，不看將來，只顧一家一人之私利，而不顧社會國家之公利，往日讀書人那種「守先待後，捨我其誰」的豪情壯志，「振衣千仞岡，濯足萬里流」的特立獨行，幾已蕩然無存。曾經有許多人批評我們這一代青年是最迷惘的一代，也是最頹廢的一代。衡諸實情，當非厚誣。

所以今天我想趁這個機會，殷切的希望我全體中山大學畢業同學，務必把胸襟開拓，把眼光放遠，處此波雲詭譎、危疑震撼的大時代，當思如何去扭轉國家的命運，如何去喚起民族的靈魂，如何去增加社會的福祉，如何去爭取絕對的自由，如何去達成眞正的民主，如何去促進全民的均富，因而使「中國的前途在台灣，台灣的希望在大陸」這兩句話更爲落實。而時賢亦常鼓勵青年說：「計利當計天下利，求名應求萬世名。」皇皇箴言，可謂晨鐘暮鼓，足以振聾發聵，稀聲達遠，謹與各位同學共勉之。

漫談語言文字的使用方法（一九八八）

我國是一個具有五千年悠久歷史的文明古國，我中華民族更是世界上最崇尚禮節、最重視禮儀、最講究禮貌的民族。在日常生活和交際應酬中，產生了許多合乎謙遜、禮貌的語言文字，而爲社會大衆所共同遵循。這些特定的語言文字早已「約定俗成」。所以我們應該花一點時間去學習它，並且正確的使用它。茲舉數例如下：

（一）鄙人・敝國

「鄙」是粗野、庸俗、淺薄、粗陋、粗俗、卑賤的意思，所以古人恆用「鄙人」作爲自謙之詞，表示自己的粗野無知。《文選》司馬相如《難蜀父老》：「今割齊民以附夷狄，敝所恃以事無用，鄙人固陋，不識所謂。」這種謙詞，非常符合我們謙卑自牧的民族性，沿用至今，不宜更改。可是許多人卻捨棄不用，而用「敝人」，令人不解。其實「敝」是破敗、破爛、陳舊、腐朽、敗壞的意思，所以古人常用爲居室、地區、場所的謙稱。例如：謙稱自己的國家叫「敝國」、「敝邑」，謙稱自己的家叫「敝寓」、「敝廬」。以此類推，如「敝鄉」、「敝校」、「敝公司」、

「敝廠」、「敝縣」、「敝店」、「敝社」等，均與此同。又對他人自稱自己的平輩、老師則爲「敝族兄」、「敝親家」、「敝表兄」、「敝內兄」、「敝襟兄」、「敝業師」、「敝同學」、「敝友」。由此可見自稱的謙詞是「鄙人」而非「敝人」，二者不可相混。

(二)和尚·尼姑

自六朝以來，對男僧人通常稱「和尚」，對女僧人通稱「比丘尼」或「尼姑」或簡稱「尼」，並沒有尊敬的意味。友人某君寫信給尼姑，一開頭就寫道：「〇〇尼姑道鑒」，引起那位尼姑的不悦。其實對出家的宗教界人士是有敬稱的，不可妄加唐突，以免失禮。正確(含有敬意)的稱呼是：對年輕尼姑稱「師姑」，對中年尼姑稱「師太」，對老年尼姑稱「老師太」。對和尚稱「上人」(言其具備德智善行之人，見《圓覺要覽》。)或「道人」(道行高深之人)，對老年和尚稱「大師」或「禪師」(禪宗是佛教的宗派之一，也是中國化的佛教，所以僧堂又名「禪堂」，僧杖又名「禪杖」，寺院又名「禪林」，僧人又名「禪客」，佛門又名「禪門」，打坐之牀叫做「禪牀」等。)。對道士稱「法師」或「道人」(與和尚同)。對年輕女巫稱「師娘」，對老年女巫稱「師婆」或「師姥」。對神父稱「師鐸」。對修女稱「修道」。對牧師則仍稱「牧師」。

（三）我先生‧我太太

今人談話或寫信，常對他人自稱自己的丈夫爲「我先生」，妻子爲「我太太」，嚴格說來，這是不禮貌的，應分別改稱「外子」、「內人」，才合於謙虛之道，同時也顯現個人的學養。茲爲清晰計，再將夫妻正確的稱呼列舉如左：

❶對他人自稱丈夫——外子、拙夫、我丈夫、我老公、我頭家、我頭仔。（後二者台語專用）
❷對他人自稱妻子——內人、內子、拙荊、賤內、阮牽手、阮牽仔。（後二者台語專用）
❸尊稱他人之丈夫——您先生、令夫、令夫君、尊夫君。（後三者寫信可用）
❹尊稱他人之妻子——您太太、夫人、大嫂、尊夫人、嫂夫人、尊閫。（後三者寫信可用）。
❺尊稱他人之夫妻——賢伉儷。
❻對他人自稱夫妻——愚夫婦。

（四）我爸爸‧我媽媽

今人無論談話或寫信，常對他人自稱自己的父親爲「我爸爸」，母親爲「我媽媽」，這也是失禮的，應分別改稱「家父」或「家母」。堂堂炎黃遺冑，豈可毫無文化素養，正之之道，惟賴全體國人的共同努力。茲將對父母的正確稱呼明列如次：

㊀對他人自稱父親——家父、家嚴、家君、嚴君、家大人。
㊁對他人自稱母親——家母、家慈。
㊂尊稱他人之父親——令尊、尊翁、家尊、尊公。
㊃尊稱他人之母親——令堂、尊堂、尊萱、令萱。

（民國七十七年四月在高雄聯勤兵工廠演講之講辭）

風木哀思——代林氏家屬作（一九九三）

——先父林尹先生逝世十年祭

歲月不居，時節如流，轉瞬之間，父親去世已經十年了，在這三千多個日子裏，父親的聲音笑貌無時無刻不深印在我的腦海，縈繞在我的耳畔。尤其在他八十二歲冥誕前夕，更令我思潮起伏，情緒激盪，其中有敬佩，有慚愧，有感慨……都在此時一起湧上心頭，久久不能自已。

父親最令我敬佩的地方，就是他在學術方面的卓越成就。他從小就資質穎秀，潛心力學，終日手不釋卷，對於時俗好尙，均不屑意，在先祖父（諱辛，字次公。）嚴格督導之下，奠定了深厚的國學基礎。後來又從先叔祖父（諱損，字公鐸。）那兒學得了老莊學術的精粹，從蘄春黃侃（字季剛）先生那兒學得了文字音韻之學的奧窔，並加以融會貫通，纘緒發皇，至今猶有耿光。

父親第二點令我敬佩的地方，就是對黨國的忠愛，生死不渝。抗日戰爭初期，他毅然以學者身分投入救國行列，期以所學貢獻邦國，出任中國國民黨漢口特別市黨部主任委員兼綰游擊，卻不幸爲汪僞政權之鷹犬所劫持，幽囚半年，脅誘百端，他始終都以文信國公自許，不爲所動，在獄中屢賦詩以見志，這種寧殺身以成仁、毋求生以害仁的高風亮節，實在是書生報國的楷模，不僅是我們林家的榮光而已。

其次令我慚愧的是，在諸多兄弟姊妹當中，無論在學術上或在事業上，多能卓然有所樹立，不致辱沒林氏的門風和父親的期許。惟獨我學書學劍，兩無所成，長年奔馳西海，勞碌半生，僅圖溫飽而已。既不能如大哥耀曾之坐擁皋比，復未能如大妹穎曾之榮獲高級學位，亦未能如二弟光曾之蜚聲影壇，午夜思維，汗顏無已。深願上天再假我以年，我當賈其餘勇，繼續努力，再次出擊，惟願以後半生之歲月矢志爲文化傳播事業克盡棉薄，非達目的，決不終止。今後努力之方向，其一是追隨《華美日報》當軸諸公之後，兢兢業業，黽勉以赴，必使其聲震西海，譽滿上國，成爲國際上赫赫有名之大報而後已。其二是決定於近期內斥資創辦景伊文化事業公司，藉以紀念父親，並大量印行中外優良學術名著，以爲中華文化復興之一助。父親泉下有知，必當欣然首肯，備致嘉許，並樂觀其成。

最後是我的些許感慨。古人常以人情冷暖、世態炎涼之語慨歎人間之現實，世情之澆薄，沒想到我居然親自體驗到了。父親在國立台灣師範大學國文研究所擔任教授及所長歷時達二十年之久，春風廣拂，桃李盈門，久已被尊爲「中華民國文學博士之父」。父親秉性仁慈，對受業學生備極關愛，視如子姪，不但傳道解惑而已，同時還憑藉自己的聲望和私人的交情，陸續推介到海內外各大學任教，數十年如一日，未嘗間斷，受惠者不計其數，這種愛心，求諸中外古今，殆難多覯。老子云：「天道無親，常與善人。」像父親這種善人，照理說應該得到受惠者的崇仰與回饋才對，可是事實上並不盡然。在父親去世之後，其中過河拆橋者有之，背師叛道者有之，忘恩負義者有之，態度冷漠者有之，不相往來者有之，絕口不提者有之，畫清界線者有之……花樣繁多，不一而足。父親宅心寬厚，若其沖靈不遠，當復莞爾置之，而不以人心不古相責也。

茲値父親逝世十週年忌辰，追憶前塵往事，百感雜陳，誠不知將何以爲懷。惟每誦皋魚「樹欲靜而風不止，子欲養而親不待」之句，輒令人長號不自禁。爰綴數語，用申哀悃，方寸瞀亂，不知所云。

按民國八十二年四月爲先師林景伊先生逝世十週年紀念，其哲嗣煥曾原擬撰文追懷，惜適嬰風疾，礙難握管，遂由余瓜代，以表哀思。

（原載民國八十二年三月一日西班牙馬德里《華美日報》）

師門雜憶（一九九九）

流光如駛，駒隙頻遷，先師陽新成楚望（諱惕軒）先生長眠於臺北淡水之北海墓園忽忽已屆十年，在這十年裏，先師的聲音笑貌猶復時縈耳目，彷彿親謦欬於生平。唐・李義山憶其師令狐楚有〈九日詩〉云：「十年泉下無消息，九日樽前有所思。」我此刻的思慕之情恐怕要十倍於義山。日前飛離海嶠，影落匡廬，塵鬨莫接，潛心修省，猿鳥悲鳴，增淒長夜，翹首師門，情何能已，爰綴蕪辭，以誌哀思。

猶記民國四十九年（西元一九六〇年）十月，我負笈臺灣師範大學不久，參加全校一千多名新生論文比賽，題目是〈大學聯考甘苦談〉，僥倖奪魁，文章刊在《師大青年報》，該報每星期出版一次，免費贈閱全校師生，人手一份，因此立刻引起轟動，而名噪一時。拙文是用六朝體寫的，共二千多字，並夾入一首步辛稼軒〈摸魚兒・更能消幾番風雨〉原韵所塡的慢詞，詞中概敍青燈苦讀的況味和企求功名的心境。先師時任師大兼職教授（本職是考試院考試委員），一見拙文，既爲之擊節稱賞，並立即約見。第一句話便問我今年幾歲？我答以二十一歲。（我因家境清寒，無法順利求學，故提前當兵，退伍後考上大學，自然年歲稍大。）先師聽後更爲之狂喜，既而用極其嚴肅的語氣說：「近二十年來，我在考試院擔任典試委員，也在各大學擔任兼職教授，只發現三個會寫駢體文的青年：第一個是民國三十九年高考獲雋的湖南長沙人曾霽虹（按曾氏後任考試院考試委員）；第二個是民國四十一年高考中榜的山東沂水人劉孝推（按劉氏後任行政院簡任祕書亦爲嚴家淦總統之機要祕書）；第三個是台師大國文研究所文學碩士安徽合肥人婁良樂（按婁氏獲國家文學博士後任師大教授）；你是第四個。他們三人都年近不惑，業已定型；只有你才二十一歲，可塑性甚大，我決定栽培你，使你成爲駢文界的後起之秀，學術界的棟梁之材，希望你善體我心，前途未可限量。」又說：「你的文章才氣有餘，而功力不足，腹笥學養，急待充實，遣詞運典，尤待磨練，苟能持之以恆，加之以勤，他日必成大器。」繼而諄諄告以習文之道，不可只尊一代，或專奉一派，而應綜獵博觀，兼容並包，以開拓萬古心胸，匯集衆家精華，然後可以長才致遠，自樹一幟。語畢即令我每周作文一篇，題目自定，駢散不拘，按時呈閱。

自此之後，我便摒棄一切娛樂和多采多姿的社團活動，而過著嚴肅的讀書、寫作生活。既寶惜寸陰，鑽研學校的課業，又恪遵師訓，從事長期的筆耕。先師對我所呈閱的每篇文章均詳加評騭，悉心潤色，並頻頻授以寫作要訣，略無隱祕。大約是一年半以後的寒食節，先師召見我說：「辛苦年餘，功不唐捐，你可以『出師』闖蕩江湖了。」我當時興奮莫名，含淚拜謝，自喜之情，洋溢臉上，久久不能回復。蓋以拙作駢散文章已得到當代駢文大師的肯定，平生快慰之事實無有逾於此者。金・元遺山詩云：「鴛鴦繡出從教看，莫把金針度與人。」先師既讓我觀看精心繡出的鴛鴦，又把刺繡的祕法傾囊相授，可謂恩翔春風，功深化雨。如果說我今天在學術的研究上，在古典文學的創作上及鑑賞上有些微成就的話，當悉拜先師之所賜。

先師生平所作駢體文凡三百餘篇，經分類整理，先後交給兩家書店出版。臺灣中華書局印行的是《楚望樓駢體文內篇》及《外篇》，煌煌兩巨册，全由我一人獨力完成詮釋工作。先師學究天人，筆參造化，故尋繹寶典，宣發奧義，極經周折，煞費苦心，絕非「上窮碧落下黃泉」所能比擬。昔惠棟訓纂其師王士禎所著之《漁洋山人精華錄》，注釋與原文均爲學林所稱，譽爲「二美」。先師嘗以「功侔惠棟」相許，師生二人相顧大笑，而我則於笑後慚惶不已，蓋年未三十，學殖荒陋，何敢上比一代淳儒。至於《楚望樓駢體文續篇》則由臺灣商務印書館印行，我當時正在修讀博士學位，餘晷不多，訓詁之役，乃商請同門臺灣師大陳弘治教授、中正大學莊雅州教授、淡江大學陳慶煌教授、新竹師院李周龍教授、外交部專員林茂雄碩士與我等六人合力完成。

在我所梓行問世的二十四種學術著作中，與先師有關者凡六種，茲分別說明其緣由：

（一）《歷代駢文選詳注》（民國五十二年台北臺灣中華書局初版）

這是我的處女作，民國五十一年起在先師的指導下完成的，精選歷代駢文名作，上起東晉，下逮清末，凡一百首，作詳盡的導讀及詮釋。出版後立即爲臺灣大學、臺灣師大、成功大學、東吳大學等十餘所大學中文系採用作教本，令我信心大增，雀躍不已。

按本書及以下四書（《應用文》除外）均已印行數十年，多已絕版，爰於民國九十五年九月重新修訂，將五書合爲一集，改名爲《駢體文大全集》，由杭州・浙江大學出版社梓行問世。

（二）《應用文》（民國六十八年臺北文史哲出版社初版）

民國六十七年我獲得國家文學博士學位後，即應臺灣大學中文系之聘，開授「應用文」，於是埋頭編寫講義，以應教學之需。由於先師自釋褐從政以來，迴翔廊廟已逾四十年，相關資料甚豐，蒙其大量供應，減少搜羅之苦。加上我自二十二歲「出師」以後，經常承命爲先師代筆，撰寫各種官用文書及交際應酬文章、詩詞、對聯等，可以用作範例，所以學年一結束，積稿即盈數尺，遂交由書局排印。所幸既託先師之福，又任「校訂」之實，故自問世以後，即暢銷全國，並遠及日本、南韓、新加坡各國，以及香港、澳門兩地區，至今已印行四十餘版。推原其故，或以資料全新，不落窠臼，內容廣泛而實用，深爲海內外各階層讀者所青睞；而先師的赫赫威名——應用文全國第一高手——恐怕才是震撼讀者的眞正原因。

（三）《中國駢文發展史》（民國五十八年台北臺灣中華書局初版）

這是我就讀臺灣師範大學國文研究所碩士班時所撰寫的碩士論文，由先師擔任指導教授，凡四十萬言。畢業口試竟以九十五分最優等通過，依例留校任講師，乃得以廁身上庠，分絳帳之餘春，苟非先師加意潤飾，曷克臻此。

（四）《魏晉南北朝文學思想史》（民國六十七年臺北文史哲出版社初版）

這是我就讀臺灣師範大學國文研究所博士班時所撰寫的畢業論文，凡六十餘萬言，也是由先師擔任指導教授（按教育部規定，博士論文指導教授須二人以上，另一位指導教授則爲所長林尹博士。），經教育部學術審議委員會口試，全票通過，獲頒國家文學博士學位。先師仔肩已卸，喜不自勝，欣然向朱匯森部長及諸口試委員臺靜農、鄭騫、高明、王靜芝、潘重規等諸教授強調說這是我國五千年來的第一個駢文博士，保存國寶，實利賴之。諸公皆頻頷其首，並深佩先師爲國育才之賢勞，而又在斯文殆喪之時（時值大陸文化大革命結束不久）刻意培養出一個接棒人。

（五）《六十年來之駢文》（民國六十一年臺北文史哲出版社初版）

民國五十九年，中央政府爲隆重慶祝開國六十年，約請六十名各類科學者專家撰寫專文，略述六十年來各類科學術的發展概況，每篇大約五萬字，我被約請撰寫「駢體文」。於是搜羅爬梳，廣徵文獻，審酌再三，嚴加去取，然後定稿。計選列民國建元以來十大駢文家，簡明扼要的介紹其成就。此十人爲劉師培、李詳、樊增祥、易順鼎、饒漢祥、孫德謙、黃侃、黃孝紓、陳含光、成惕軒。皆名擅一時，聲光煒然之大家。此書既出，先師謙遜有加，謂駢文高手甚多，何敢與諸賢並列。前輩風範，謙謙有光，足以激勵末俗。

（六）《駢文學》（民國七十三年臺北文史哲出版社初版）

我從民國五十八年起，即先後在臺灣師大、中央大學、文化大學等校講授「駢文選及習作」，當時此門課程尚被教育部列爲必修，直至七十三學年起才改爲選修，以是莘莘學子均極認眞學習，毋敢稍怠。鑑於駢文運典繁富，板書甚多，於是精編講義，庶使教者學者兩皆稱便，本書即經過多次修訂而後成帙，都五十萬言。書中除將駢文精義及其相關知識詳加闡述外，特仿「建安七子」、「竟陵八友」、「唐宋八大家」之例，標舉〈駢林七子〉一章，選取歷代駢文七大名家，一庾信，二徐陵，三陸贄，四蘇軾，五汪中，六洪亮吉，七成惕軒。鄙意以為：庾信「集六朝之大成，導四傑之先路，自古迄今，屹然為四六宗匠。」（紀昀《四庫全書總目提要》），故尊之為駢文界之萬世師表，宜無間然。徐陵雖多廟堂之作，而少情志之篇，然其遣詞鑄句，典重高雅，聲華卓懋，朝野推服，亦足方駕子山，世咸以徐庾並稱，而尊為「徐庾體」。陸贄崛起中唐，光芒四射，其〈奉天改元〉一制，使驕將悍卒皤然改圖，泫然涕下，居臺閣而運籌策，以駢文而導中興，伊古以來，得未曾有。至眉山蘇軾則英才特茂，冠絕古今，其術多方，非獨四六一道而已，然亦傑然為兩宋宗師。下逮遜清，藝文興復，駢林魁率，項背相望，其時則以乾嘉二朝為尤盛，其人則以蘇揚一帶為獨多（請參閱拙作〈歷代駢文家之地理分布〉，見《揚芬樓文集》，台北：文史哲出版社。），求其遠法六季，博綜衆美，卓然挺秀鄧林者，則非江都汪中、陽湖洪亮吉莫屬。而先師亦屢屢告以二子蟬蛻之高，足冠一代。今汪氏《新編汪中集》、洪氏《洪北江全集》具在，可以覆按。清鼎既革，邦命維新，桀才挺生，名世間出，而拔幟駢壇，睥睨群英者，蔚有其人，前文已約略言之。惟先師成氏則綆汲千載，臯牢百家，博大精深，海涵地負，集歷朝之大成，發稀世之耿光，可謂有美皆備，無麗不臻，實已上達登峰造極，爐火純青，出神入化之絕詣，堪稱學海之洪濤，文峰之巨嶽，江山文藻，信為不朽，遂為七子之殿。

先師往矣，妙旨莫承，德音永絕，固難喻我沈哀；惟其恂恂儒者之風，摩挲駿骨之狀，一襲布衣，一枝藜杖，宛然魏晉間高士之形象，已深深地烙印在朋輩友生的腦海裏，永不磨滅。遙望南楚（成氏籍隸湖北．陽新縣，在湖北省之南方。），暮靄沈沈，引瞻北海（成氏長眠於台北．淡水之北海墓園），白雲漫漫，孺慕之情，非言可宣，泚筆至此，又不知涕泗之何從也。

民國八十八年七月於江西廬山之五老峰旅次

（六）詩

旅金詩鈔 有序・十二首（一九五九）

余於丁酉暮春三月奉調金門，戍守前方，躬逢「八二三」聖戰，我英勇將士湯火不辭，浴血還擊。或裹屍馬革，紅歸先軫之元，或埋骨沙場，碧化萇弘之血，雖古之忠臣烈士不以加也。其地沙漠綿亙，童山濯濯，頗有置身塞外之感。余既獻身國家，棲遲戰地，痛禹甸之沈淪，嗟紅羊之再墮，而頻年以還，命途多舛，臨茲艱屯之會，媿乏尺寸之效，瞻來軫之方遒，益中心之兢兢。爰效顰放翁，聊將一年心痕賦諸詩篇，用志雪泥鴻爪，並就正於博雅君子耳。

庚子孟夏之夜序於台北指南山下之國立政治大學政治系

由臺赴金機上望金門

碧空風送小兵來。漸近金門笑漸開。本是圖中星一點。大山大地大樓臺。

即晚登太武山望大陸

高登太武望中原。山影淒迷海氣昏。剩有殘陽紅一線。飄飄四下入崑崙。

在「毋忘在莒」碑前佇立

姜桓在莒終回國。陳氏重奔亦破燕。片石前頭凝立久。要看鮑叔與田單。

從古寧頭觀察所遙望神州

雄碉高踞古寧頭。大陸風光眼底收。只惜未裝千里耳。能聽父老賦同仇。

秋夜寄懷

長夜無聊遣以詩。詩心依樣感流離。憑欄閒話興亡事。極目天涯意更癡。

望月懷遠

紅羊歷劫感滄桑。百二山河似海棠。坐對浮雲懷故國。嬋娟千里緒茫茫。

夜讀李陵〈答蘇武書〉

欲扶漢室靖邊塵。誰向當場鑑苦辛。為國持家原一例。古今同有可憐人。

悼孔偉仁同志殉國

身經百戰老英雄。齎恨而今冀北空。靈旂既歸忠塔上。浩然正氣塞寰中。

遠 眺 閩 江

皎皎銀河水。懸空入海流。東南西北落。洗滌舊神州。

戊戌生日書感

韶光虛度意狂癡。蒿目時艱雙淚垂。世難頻繁奚止境。海波盪漾靡平時。

一身遙落關山外。三載長縈江國思。望斷秋風孤島上。中原何日返王師。

寄袁震寰馬祖

連江簫鼓起興基。愛國精神克敵宜。題畫凌煙同奮勉。凱歌唱到太平時。

弔金門陣亡將士

黃沙百戰眾英雄。河洛揚旌未竟功。金甲磨穿歸淨土。千秋鴻烈仰英風。

呈林景伊師門（一九六〇）

聲華京洛滿。海嶠拜瞻初。品詣三秋月。胸羅萬卷書。
窮通身不計。學術道之餘。游刃緇林外。春風故故噓。

余於民國四十九年九月考入台灣師範大學，即拜林景伊（尹）先生爲師，先生對余愛護有加，照顧備至。每一念至，輒中心銘泐，感念無已，爰賦短章，以表仰止之忱。

碧潭泛舟（一九六〇）

橋自橫空水自流。遠山如畫暮雲秋。盪舟芳侶歌聲度。雙槳衝波洗客愁。

陽明即景（一九六〇）

翱翔天際忘憂鷺。聚散無端嶺上雲。松石陰清宜久坐。鳴泉底事落紛紛。

辛丑生日抒感（一九六一）

廿二年如夢裏過。愁懷莫遣任高歌。多情最是窗前月。夜半窺幃似素娥。

秋夜詠懷（一九六一）

往事如煙意轉癡。相逢夢裏復相思。窗前夜雨添新恨。惟有多情杜牧知。

野柳浪跡（一九六一）

吟鞭遙指過彎橋。春暖人間柳絮飄。一霎濃雲掩殘照。基隆河上雨瀟瀟。

本事詩（一九六二）

水面萍踪鏡裏煙。春宵長憶此中緣。冤禽銜石難填海。芳草牽情欲到天。
雨過陽臺原是夢。舟通妙境轉疑仙。蒹葭悔未賡新詠。負卻冰絲舊七絃。

賞菊（一九六三）

凌霜晚節成孤秀。滿眼浮金挺異姿。碩影卻嫌秋太瘦。還將斗酒酹東籬。

贈閔蜀鵑女史（一九六四）

玲瓏倩影映珠簾。骨秀容娟意亦甜。淡掃蛾眉依繡闥。輕攏雲鬢惜香奩。

芸窗開帙情難遣。蕙帳彈箏興益添。林下何妨耽雅詠。漫因柳絮薄飛鹽。

碧潭臨泛（一九六四）

懸橋倒影入孤舟。漾碧悠悠淨客愁。霽彩漸隨林色盡。鐘聲遠逐水煙浮。
市頭野渡生新火。巖上危亭鎖暮秋。如此溪山千古秀。一年能事幾回遊。

月　夜（一九六五）

一笑拈花始悟禪。登龍占鳳兩無緣。撫樽底事堪長歎。怕見中天月自圓。

春日寄懷（一九六六）

客地何堪聽暮鴉。欲歸難得有雲車。舉杯常酹蓬壺月。擁鼻微吟富貴花。
蝶舞鶯歌常作伴。松軒竹徑合為家。詩心萬里天同遠。別夢依依歲律賒。

憶　昔（一九六六）

憶昔蘭陽任嘯歌。題鞭駐馬撫煙蘿。秋風吹散槐安夢。忍教浮名逐逝波。

贈湯雁湘女史（一九六六）

羈旅台陽愁未消。忍聽夜雨打芭蕉。秋蟬到死聲方歇。野菊經霜色不凋。
剩水殘山縈舊夢。黃雲白草動寒飆。幽情脈脈憑誰訴。羞見嬋娟鬥楚腰。

冬日寄懷（一九六六）

澄清壯志幾回休。竟臥元龍百尺樓。且看寒花環水笑。那堪弱柳抱霜愁。
仲宣羈楚原非計。子晉吹簫豈可求。夢醒黃粱驚歲晚。詩盟萬里逐沙鷗。

楊花落有序（一九六六）

丁未除夜，棲遲臺陽，感身世之飄搖，悵孤蹤之靡託，率爾操觚，賦此以遣。

何處飄零覓斷魂。荒砧月笛水邊村。無端悵望懷宣武。底事蕭條出玉門。
眉黛銷殘應有恨。瑤琴捶碎已無恩。長亭記得垂垂別。一段柔情似夢痕。

春思三首（一九六六）

蘭心蕙質無人惜。楚楚堪憐一白珉。萍水痛悲相見晚。倚琴長笑弄琴人。

長夜漫漫愁繞身。忍聽杜宇泣芳春。羅城仙子難通夢。燭影搖紅伴恨人。
觀音山上翠成堆。前度劉郎拾翠來。咫尺天涯人已渺。緩尋芳草苦徘徊。

無端（一九六七）

無端遺我雙紅葉。紅葉情深空寄愁。瘦盡沈腰終不悔。相思夜夜繞蘆洲。

琴心（一九六七）

殘宵孤影伴桐音。一曲陽關別恨深。玉蘊藍田盟尚在。珠沈碧海夢空尋。
有情皓月嗟虛度。無賴芳辰難復臨。蝶化青陵終不悔。天涯夜夜共琴心。

秋夕（一九六八）

吹簫人戀晚陽紅。鳳去還沈醉夢中。霜圃煙霏來墨客。月塘芳興在丹楓。
吟成恨別心方碎。目斷瀟湘路已窮。不羨青陵雙蝶舞。癡魂長繞廣寒宮。

戊申上元偕小蘋螢橋賞月（一九六八）

團團明月露華新。相對無言草映身。玉樹香車渾不顧。龍燈花面共爭春。

夏日偶成（一九六八）

徙倚蒼茫送落暉。回看空翠入荊扉。縱無美酒消長夏。卻有殘書伴舊幃。
湖海十年情繾綣。關山萬里夢依稀。星霜漸向鏡中老。敢慕五陵裘馬肥。

本事詩二首（一九六八）

亭亭紫玉已成煙。月落參橫獨自煎。沈帶已寬潘鬢改。還從劫後認華年。

其二

十載伶俜識面遲。盟深帶結兩心知。收將綺思歸黃絹。裁盡人間絕妙詞。

憶舊古體（一九六八）

湘女柔情林下才。月明倩影入夢迴。花開我不見。花落我纔來。忍將揮手去。
恨無紅葉作良媒。

天　涯（一九六八）

天涯飄泊負書行。悵望芳洲漫度笙。解惜蓬心通一夢。是周是蝶喜分明。

冬　雨（一九六九）

冬雨敲窗離恨牽。天涯飛夢舊妝前。酡顏未老傷心早。應悔蹉跎書劍年。

贈林麗珠女史嵌字詩（一九六九）

璀璨林家一麗珠。依依長伴舊詩書。吟懷莫向秋風減。最是妝臺對雨初。

贈陳淑麗女史（一九六九）

力學真能接古歡。浯州此去隔風瀾。他年征屐回鯤北。應識陽明舊翠巒。

山房秋思（一九六九）

玉銷香斷畫樓空。往事還留憶夢中。幽谷已更芳草綠。寒郊又染醉霜紅。
柳牽長恨來窗畔。蟬曳殘聲過澗東。白水從今盟夙志。遙追謝客作詞雄。

遣　興（一九六九）

少小飄零望遠津。攜將書劍拂煙塵。迷離好夢驚蕉鹿。贏得青山許託身。

紅　梅二首（一九六九）

收殘黃葉送秋風。又見東皋數點紅。玉骨凝霜疏影瘦。貞魂長孕一枝中。

黃昏竹外暗浮香。瓊萼無言韻正長。醉臉偏邀高士賞。不同文杏試新妝。

觀魏海敏女史演太真外傳（一九六九）

麗質翻疑是太真。含梅吐尚更無倫。霓裳新曲敲寒玉。要算梨園第一人。

梅指梅蘭芳，尚指尚小雲，與荀慧生、程硯秋並稱清末民初菊壇四大名旦，惟四人均爲鬚眉男子，飾演旦角，臻於絕詣，亦云奇矣。

春日寄懷（一九六九）

桃花溪畔酒頻巡。耐盡寒冬又恨春。蝶嫩猶知先著蕊。風柔可識未歸人。

茫茫濁世從雲變。漠漠羈愁逐草新。縱有綺情千萬縷。蓬壺何處問迷津。

山居雜詠六首（一九六九）

遠山凝翠物華新。紅萼含情欲放春。檢點詩囊無一句。苦吟真愧百年身。
谷底雲濤嶺上花。裁成新句對僧誇。塵襟正欲留蕭灑。坐聽寒鐘送落霞。
煙嵐為幔石為牀。泉韻幽幽草木香。擁篋渾忘潘鬢改。閒看霧豹隱南岡。
飄絮飛花舞不前。偏來啼鳥惱人眠。悠然乍見千峰碧。始覺雙眉抹曉煙。
桃花多態灼漁津。巖草芊芊亦自春。莫歎買山心力絀。棲高敢笑武陵人。
早慕東山世外尊。江湖迴夢跡無痕。逝川不改松篁色。十載書燈照雨軒。

憶　舊（一九七〇）

蒼狗白雲天未荒。黔陽路遠費思量。情恩似海從難忘。玄夜臨風淚兩行。

濱海道中作（一九七〇）

遠壑雲煙過眼消。龜山隱隱一帆遙。霜欺萬木參差落。浪逐群鷗次第招。
涸轍慢嗟身世舛。雄吟能壓客塵囂。江湖十載仍漂泊。頗賴潮聲慰寂寥。

秋夜寄懷（一九七〇）

霜氣穿巖壓硯香。游情潛逐漏聲長。憑欄應惱千山墨。枕甕還傷一燭黃。
蛩韻幽幽鳴菊苑。蟾光冉冉上藜牀。吟懷早向西風減。無假窮秋已斷腸。

賞　梅（一九七〇）

攜壺竹外自評量。獨愛疏疏淺淡妝。海嶠春來花萬樹。爭如東閣一枝香。

月塘聞簫（一九七一）

幾度塘前聽玉簫。故園歸夢一何遙。彩鸞偏繞桐枝老。寧效大鵬摶九霄。

寫　意（一九七一）

月出荒陂照靜林。蟲聲唧唧伴長吟。柳垂金縷襟情減。梅散紅香野意深。
杜宇啼愁來枕畔。羅浮繫夢醉花陰。鯤游滄海終飄泊。空負馮諼彈鋏心。

岑樓憶舊四首（一九七一）

春色珠簾透碎紅。焦桐託怨倩微風。玉釵盟斷瑤臺遠。人在層波淡月中。

夏荷芳競睡蓮姿。拂面薰風皺碧池。最是懊儂聲歇後。夜闌長憶弄裙時。

秋光淡淡映重門。玉露瑩瑩沁黛痕。已是小園花落盡。尚留叢菊伴吟魂。

冬嶺孤松漫野煙。青燈爐火憶當年。銷磨潘鬢終難復。忍聽佳人錦瑟篇。

游泳歌現代詩・爲中華民國游泳協會作（一九七一）

我們的國家高峙亞東。

我們的民族氣貫長虹。

我們的健兒文武兼充。

仁者樂山。智者樂水。先聖所推崇。

擊楫中流。力挽狂瀾。前哲所希蹤。

發揚蹈厲。提劍直衝。鵬摶萬里。矯首游龍。

強種興邦。遠承大漢之英風。

瀛寰振耀。永作水上之豪雄。

送尹定國赴美留學（一九七二）

江楓曉落動離情。客裏何堪更餞行。千里神交勞遠夢。十年心契快平生。
手攀丹桂依琪樹。足躡青雲出世英。異域風光毋戀久。莫嫌迢遞故園程。

聽鄭開道教授古箏獨奏即席賦贈（一九七二）

朱絃一拂遏行雲。出水紅衣移我情。滄海劫餘仙樂在。漫將雁柱寄平生。

春思二首寄中村文美子（一九七三）

獨上高樓酒一樽。那堪惆悵夕陽昏。香飄紅袖憑風去。誰慰江郎別後魂。
天河瀉破紫菱灣。擁鼻微吟伴玉顏。問我畢生何所事。等身著作託名山。

癸酉上巳華岡雅集（一九七三）

華岡高會仰群賢。爭美蘭亭祓禊年。飛閣瓊樓凌秀樹。綺霞屑玉落中天。
風流豈遜元康後。氣象直過劉宋前。明歲吟歌還鳳闕。重扶殘醉荔灣邊。

賀董開忠高華美新婚嵌字詩（一九七四）

董君籍隸金門，民國四十六年與余同學於福建省立金門中學，畢業後從商，卓然有成，現爲某企業公司董事長。與台北高華美小姐相戀八年，始獲伊人芳心，終締鴛盟。

董高且喜結鴛盟。慶衍華堂琴瑟鳴。八載忠誠開美石。福星長照玉雕楹。

寄懷宗玲（一九七八）

疊疊瑤箋難紓顰。眼中人影欲搖春。何當共看陽明曉。日暮琴臺入夢頻。

夏夜書懷（一九七九）

夕鳥浴霞遲不歸。山房初靜過風微。遠鐘乍破流離夢。瑞靄輕涼淡薄衣。
氣蓋元龍空自許。筆追江令漸知非。引樽渾忘興衰事。一任群螢繞砌飛。

暮　蟬（一九八〇）

殘聲搖曳出疏桐。露重難飛影共空。撫舌虛吟楊柳調。斂眉還憶鳳凰叢。
隨蜂伴蝶都歸盡。舞鬢歌衫欲振窮。長韻莫消千古恨。只緣不入蔡琴中。

初登高雄壽山（一九八〇）

拔地壯巒暝色漫。嵐迷阮屐步移難。歸遲短翼纏枯木。消緩殘雲遮玉盤。
景秀但憑花筆詠。秋深翻覺聖心殫。高情遙念陶貞白。恍見仙壇一片寒。

民國六十九年九月，余應國立中山大學之聘，自北南下高雄，從事舌耕，長達二十三年，爲余生平任職最久之學校。中山大學在壽山之下，西子灣之畔，背山臨海，風光旖旎，夙稱台灣八景之一，無異世外之桃源，茅山陶眞人知之，其將欣然隱遁於此，復作山中之宰相歟。

尋金恩柱不遇（一九八九）

落日横峰丹鳳鳴。綠楊村外一書生。玉人不見愁如織。恨海孤航第幾程。

金恩柱女史韓國光州人，大學畢業後來台，就讀於國立高雄師範大學國文研究所，天資穎異，秀外慧中，與余相交六年，備極投契。學成歸國後已榮膺上庠教席矣。

題贈國立成功大學韓友會二首（一九九〇）

中韓文化本同源。儒教均沾情夙敦。脣齒相依垂奕世。嚴遵道義不須論。
雞林多士出風雲。負笈南臺細論文。他日仙槎還故里。國魂重振仗諸君。

①唐人稱新羅爲雞林，即今韓國。見《唐書・白居易傳》。
②漢張騫出使西域，到黃河源，曾乘木筏（即仙槎）至月宮，遊天河。見張華《博物志》。

贈伏嘉謨教授三首（一九九一）

風雅群欽閬苑仙。湖湘自古出名賢。
霜眉不凍元康筆。矯矯靈椿享大年。

其二

三臺掄士盡英靈。篤老還傳尼父經。
萬國車書混同日。長歌歸看楚山青。

其三

壯容應列眾仙班。聯卷長留天地間。
他日金甌如月滿。鴻詞再潤漢江山。

①《南史・陶宏景傳》：「宏景年逾八十而有壯容。」
②伏氏以聯語鳴於時，或有以「聯聖」譽之者，故第三首第二句及之。

贈張前考試委員定成三首（二〇〇一）

霜府同欽筆一枝。迴翔棘院贊明時。
堂堂國老真風雅。寫盡人間絕妙辭。

其二

播越瀛台望楚關。瀟湘總在白雲間。
漫將鄉思歸詩卷。終得天涯鼓棹還。

其三

廊廟歸來天地寬。優游墨海盡君歡。
懸針倒薤憑揮灑。舞鳳翔鸞誇藝壇。

贈蔡鼎新先生三首（二〇〇二）

鼓山雄秀炳英靈。岳峙淵渟惟德馨。
南國騷壇尊大老。高歌法曲羨鴻冥。

其二

英年貨殖潤三台。挹盡陶朱經濟才。
名利雙贏非浪得。天風直送海濤來。

其三

蘇黃米蔡萬年尊。喜見君謨有裔孫。
風雨鬼神陳錦繡。墨光長耀麗乾坤。

宋蔡襄字君謨，福建仙遊人，天聖八年進士，累官至龍圖閣直學士，知開封府，與蘇軾、黃庭堅、米芾並稱宋代四大書法家，著有《蔡忠惠集》。

贈陳輝光副分局長嵌名詩（二〇〇二）

山城毓秀麗枌鄉。武略文韜南國強。
績懋羽林猷克壯。鳳毛爭美有輝光。

①陳君誕生於苗栗山城，其地依山傍海，景色絢麗，絕類漢高祖劉邦之故里——江蘇豐縣枌榆鄉。
②陳君虎背熊腰，相貌堂堂，南人而具北相，絕非池中之物，豈孔子所謂「南方之強」者耶。

③《世說新語・容止篇》：「王敬倫（劭）風姿似父（導），作侍中，加授桓公（溫）公服，從大門入，桓公望之曰：『大奴固自有鳳毛。』」按陳氏封翁良彬先生早歲投身警界，歷時四十餘年，民國八十三年屆齡榮退，今頤養天年，飽享含飴之樂。父子兩代同時宣勤邦國，鋤暴安良，生死榮枯均以度外置之，求之中外，良難多覯。又按其令弟輝明亦爲現職警官，曾榮任嚴故總統家淦先生之隨扈逾十年，可謂一門三傑。

④陳君正當強仕之年，即榮任李前總統登輝先生之侍衛官，拱護周全，多歷年所，勇冠羽林，忠蓋孔昭，非方叔之「克壯其猷」（《詩經・小雅・采芑》）者歟。其後以護衛有功，擢升台北縣警察局瑞芳分局副分局長。

贈永和分局朱紫平嵌名詩（二〇〇二）

金陵自古出賢良。赳赳紫平英氣昂。
保境安民存惠愛。佇看鴻鵠任高翔。

贈吳政芳警長嵌名詩（二〇〇二）

雲林之子國之光。執戟丹墀耀梓桑。
勤政愛民垂榘範。眾香園裏一枝芳。

①吳君籍隸雲林，幼負大志，年未弱冠即投效警界，至今已屆卅年，聲華卓茂，蔚爲國光。
②吳君早歲曾榮膺李前總統登輝先生之宿衛幾近十年，生死以之，飲譽羽林，閭閻父老，同享光寵。
③吳君賦性耿介，高邁不群，現任土城分局第一組組長，但知黽勉惕勵，保境安民，於世所熱中之營營奔競，皆不屑意，可謂孤芳獨賞之君子矣。宋·敖陶孫贊陳後山詩云：「九皋鶴唳，深林孤芳，沖寂自妍，不求識賞。」非即吳君之寫照乎。

贈劉治慶先生三首（二〇〇三）

又見珠林矍鑠翁。新歌頻疊怨蘭叢。
緩尋香徑憐花落。春在先生杖履中。

其二

鶴算頻添壽且康。鏘金戛玉出瓊章。
韶顏宜佩長生籙。錦繡羅胸筆硯香。

其三

避秦鯤嶠強為歡。黃卷常披清夜闌。

旅泊吟情同杜老。一生惆悵憶長安。

敬悼蔡秋金先生三首（二〇〇四）

鳳巇高岡天地明。中台間氣降奇英。
瑤林瓊樹隨春盡。文海迴瀾一夜驚。

其二

恪守青箱達此生。吳山楚水總關情。
南樓揮出淩雲筆。贏得海隅千載名。

其三

追嗣同光稀世豪。詞參造化薄風騷。
吟壇又失扶輪手。鯤島狂濤咽暮潮。

敬悼馬鶴凌先生三首（二〇〇五）

湘水炳靈出俊賢。迴翔鈴閣令名傳。

淵渟岳峙風神秀。夢逐楚臺冥若仙。

先生籍隸湖南衡山縣，中央政治學校畢業，歷任中國國民黨台北市黨部副主任委員，中央考紀會主任委員。乞休後寄情縹緗，擅精吟詠，膺選為中華學術院詩學研究所副所長逾十年，以迄於今，宏揚中華詩學，促進兩岸統一，績效斐然，盛稱於世。遽聞溘逝，寰宇共悼，爰綴短章，用申景仰軫念之忱。

其二

緘葆青箱有義方。亭亭丹桂五枝芳。嘉聲懋績齊民仰。佇看龍駒復漢光。

按先生育丈夫子一，曰英九，美國哈佛大學法學博士，曾任行政院研考會主任委員、法務部長，歇歷台閣，亮采有邦，現任台北市長、中國國民黨主席。女公子四，曰以南、乃西、莉君、冰如。乃西稟賦穎異，秀外慧中，嘗從余遊，歷時一載，其後負笈美邦，卓然有成。

其三

長羈海嶠望家園。路遠難招楚客魂。厚德丹心垂奕世。光爭日月照乾坤。

先生遺命百年後歸骨湖南衡山故里，合葬母塋，惜以山海間阻，終難如願。

敬悼龔嘉英先生三首（二〇〇五）

匡廬雄秀毓詩豪。播越鯤瀛驚海濤。
九世齊仇期共雪。新亭收淚壯心高。

其二

棫樸勤雕滿序庠。沈鉤詩聖盛名揚。
茗爐不凍元康筆。陶醉三宜晚更香。

①民國九十三年先生以《詩聖杜甫》巨著榮獲中山文藝獎，視爲生平最高榮譽，時論多之。

②又先生晚年自號三宜叟，意謂宜詩、宜茶、宜酒，日日老於此三物之間，怡然自得，誰曰不宜，隱然追慕其西江先賢六一居士之逸步。

其三

潤逼同光若等閒。凌雲健筆杳難攀。
瓊林枝葉隨秋盡。緗卷永留天地間。

丙戌歲暮書懷（二〇〇六）

終年漫寂寥。書劍任風飄。
氣與千山壯。愁隨萬古銷。

（七）詞

憶江南 賀錢靜萍小姐于歸（一九六〇）

香屏夢。夢覺眼惺忪。還倩郎修眉黛淺。先教儂理翠鬟鬆。留與記情濃。

相見歡 觀舞（一九六〇）

燈前奏起笙簧。滿庭芳。倩影凌波嬌豔一雙雙。歌舞罷。鮫綃挂。最難忘。只是柔情低語度脂香。

唐多令 秋思（一九六一）

野樹早涼還。圓荷開又殘。幾分秋已是淒然。山外夕陽紅可愛。人靜後。好憑欄。蓬島憶幽蘭。初心總未寒。對西風遙寄平安。未必返鄉成絕望。只不是。舊時顏。

菩薩蠻離情（一九六一）

東風何處傳絲竹。驚回綺夢聲猶續。霪雨滴重簷。離情一夜添。　此身如落葉。數載音塵絕。亦自有心期。可憐人不知。

唐多令慰韻嫻女史（一九六一）

攬鏡理雲鬟。質紈容亦娟。情癡都寄管和絃。一曲挽歌多少恨。尋往事。淚潸潸。　底事夜無眠。月涼星又殘。蘭心爭耐曉霜寒。莫向仙鄉縈舊夢。綿綿意。付蠻箋。

臨江仙二十二歲生日抒感（一九六一）

廿二年來渾似夢。百千萬種悲歡。人生幾見月團圞。榮枯非所計。且作浮雲看。　劫墮紅羊傷世變。頻添無限辛酸。獨吟燠館倚危欄。庭花清露溼。濁酒破愁顏。

誤佳期冬夜抒懷（一九六一）

蠟炬風吹焰爍。凜冽寒流襲暮。清茶甌裏氣無溫。但感衣衫薄。　不遇戰時難。寧識平時樂。呼呼斷續擾人心。永夜中情惡。

江　城　子　秋　思（一九六二）

浸淫書海玉蟾秋。思悠悠。幾時休。攬轡澄清。壯志恨難酬。百二山河遙望裏。無限淚。奪眶流。韶光不為少年留。羡浮鷗。海邊游。天下興亡。無責亦無憂。劍舞寒宵豪氣在。多少事。擾心頭。

憶　江　南　賀鄭湘靈小姐于歸（一九六四）

笙管動。紅燭正高燒。蜜意纏綿臨鵲渡。花顏婀娜罩鮫綃。蓮步百宜嬌。

浣　溪　沙　春　思（一九六四）

鏡裏朱顏過眼雲。忍聽杜宇泣芳春。可堪孤館一燈昏。　試看年年花事了。依然到處遍啼痕。離情繾綣向誰論。

鷓　鴣　天　賀孫仲筠新婚（一九六五）

自繫江絲應自珍。姻緣底事是前因。香屏正對妝台鏡。但笑新人原舊人。　花似錦。月如銀。歡情蜜意欲爭春。但期明歲傳佳訊。又醉瓊觴娛眾賓。

臨江仙 憶舊（一九六八）

江柳也知離恨苦。綿綿蜜意初濃。江皋梅綻記相逢。春來煙景媚。人在望樓中。
芳草牽情渾似醉。喃喃細語東風。花兒依舊滿園紅。杜鵑枝外叫。蝴蝶夢無蹤。

摸魚兒 詠春・用稼軒韻（一九七八）

古瀛洲①、幾番風雨。韶光冉冉歸去。遊春最愛鶯啼早。芳徑屐痕無數。桃源住。煙霧迷。不知何處尋津渡。忘機鷗鷺。天際任翱翔。花開花謝。恝置②輕回顧。歡娛少。俯仰卻悲今古。庾郎③嘔心詞賦。咸陽流落思鄉恨。惟向江關泣訴。花自舞。人自立。唐宮楚苑成焦土。風從雲聚。願再振天聲。興邦俊傑。奮擊漢家鼓。

①瀛州，渤海外五仙山之一，此借指臺灣。
②恝置，謂忽忽不省也，即漠不關心之意。
③庾郎，謂庾信。信本梁人，梁亡後羈留北周，居咸陽，常有鄉關之思，因作〈哀江南〉〈小園〉〈傷心〉〈枯樹〉諸賦以寄意。

（八）聯　語

㈠楹　聯

屏東內埔第十三榮民公墓聯代行政院退輔會作（一九八〇）

溯當年心繫鄉邦。國步多艱曾盡瘁。
悵此日魂羈海嶠。中原未復有餘哀。

巴拉圭首府亞松森新建中華亭聯代退輔會作（一九八三）

靈氣護芳亭。五千年文物聲明。永耀寰宇。
嘉辰招勝集。三萬里賓從朋輩。常酣閣樓。

臺中新社鄉中興嶺軍人公墓聯代退輔會作（一九八四）

百戰仰豐功。英魂長駐蓬壺島。
千秋昭勁節。浩氣永爭日月光。

臺北高氏祠堂楹聯四首・嵌字聯（一九八四）

述根堂

追遠守根。一本誠意。
禋宗述祖。全憑孝思。

積和堂

積善揚徽。祖德連綿芳聲遠。
和家興國。宗風涵煦茂澤長。

百萬堂

百城坐擁能醫俗。
萬卷交羅可返真。

忠順堂

忠誥良箴。千載名賢盈緹帙。
順天法古。八方雅士會芸樓。

新竹鄭氏宗祠聯（一九八五）

靈氣繞崇階。試看禹甸風煙。毋忘遠祖。
精光騰寶島。願起鄭家俊傑。共贊中興。

世界鄭氏宗祠聯（一九八六）

高密傳經（漢・鄭玄）。滎陽拜相（唐・鄭綮）。世澤綿長光薄海。
四郊置驛（漢・鄭當時）。三絕擅名（唐・鄭虔）。宗風盛美到千秋。

臺北許氏祠堂楹聯十二首（一九八八）

一樓・中門

威神穆穆。功業皇皇。今古乾坤昭化育。
清殿峨峨。生靈赫赫。海天日月共光華。

一樓・左門

晉水仰芳型。拓殖功勳垂奕世。
臺員留勝蹟。宣流惠澤裕群生。

一樓・右門

源遠流長。宗祧典祀千年重。
地靈人傑。瓜瓞綿延百世昌。

二樓・正門

輔世匡時。太岳聲華高遠古。
敬天法祖。博嘉髦彥震中邦。

三樓・許惟順嵌字聯

惟孝惟仁。世澤綿長流海嶠。
順天順道。家風光美耀宗邦。

三樓・許宗關嵌字聯

宗仰耆賢。藍篳維艱開樂土。
關懷民瘼。痌瘝在抱復徽音。

三樓・許宗珪嵌字聯

宗社揚靈。功昭桑梓千秋業。
珪璋溢彩。德被孫枝萬古思。

三樓・許宗琴嵌字聯

宗△祖貽謨。當年艱苦開新運。
琴△書長樂。此日絃歌沸舊鄉。

三樓 · 許　遠

江右毓名賢。睢陽厲清操。碧血貞心真國士。
兩間留正氣。三臺崇祀典。披丹揚烈冠人倫。

四樓 · 石　柱

靈氣騰寶殿。仰瞻玉帝宸威。恍臨塵界。
祥光照名區。願起高陽聖裔。丕振宗風。

四樓 · 許　遜

澤沛蒼生。道氣已超天地外。
名登紫府。霞光猶燦閭閻間。

四樓 · 張　巡

志吞醜虜。血濺危城。一代完人昭史冊。
氣作山河。光爭日月。千秋勁節耀寰瀛。

臺北高氏祠堂楹聯三首（一九八八）

土地公

震古鑠今。惠我無疆。浩浩神恩施大化。
推仁錫福。臨民有赫。昭昭坤德蔭群生。

正神

堂貌莊嚴。威靈赫赫。俎豆千秋隆祀典。
桐枝繁衍。餘慶綿綿。馨香四序仰儀型。

祿位

紹述宗風。炳耀勳華。明德惟馨標簡冊。
澤溥世胄。芬騰梓里。祥光有彩耀人寰。

鄭氏祠堂楹聯二十首・並序（二〇〇〇）

鄭氏後裔旅居桃園者甚眾，鄭樑生博士其一也。鄭君與余爲台灣師大國文系同學，畢業後遠赴東瀛，榮獲國立東北大學文學博士，現任淡江大學榮譽教授，年前鳩工興建鄭氏祠堂，以示愼終追遠，不忘本源之意也。余深佩其能行古道，因撰聯語二十首以貽之。

鄭　玄

奕世榮陽華族盛。
研經高密頌聲揚。

鄭　和

雲路高騫。大漢聲威揚異域。
蠻夷賓服。皇明德澤下重洋。

鄭成功

藍篳開疆。英烈震千秋。掃蕩九邊驅海寇。
山川留蹟。大名昭萬世。縱橫三代仰人君。

鄭成功

大業並山河。俎豆馨香隆四季。
明光爭日月。蒸嘗禴祀滿三臺。

鄭所南

著史有心。永懷趙氏惟存宋。
畫蘭無土。高蹈吳中不帝秦。

鄭　谷

詩號雲臺。美稱一代風騷主。
詞高河嶽。華蓋中朝文雅才。

鄭　燮

綵筆生花。書繼蘭亭稱傑士。
板橋命集。名揚華夏仰英流。

鄭當時

驛置窮郊。萬丈豪情存故舊。
澤沾多士。平生亮節式人倫。

鄭　虔

翰苑飛光。精裁黃絹稱三絕。
巖廊著望。獨曳青藜傲百官。

鄭　眾

出塞風雲堅使節。
瘁心經典邁前賢。

鄭光祖

樂府寄餘生。名齊關馬。
文章徵慧業。望峻元明。

鄭成功、鄭所南

赤崁銘勳。祖德連綿芳聲遠。
鐵函厲節。宗風和煦茂澤長。

通用

敬先德常添百福。
祀列宗永納千祥。

通用

燕貽謀自遠。
螽衍慶彌蕃。

通用

輔世匡時。鄭伯聲名高遠古。
敬天法祖。滎陽裔胄震中邦。

通　用

源遠流長。宗祧典祀千年重。
地靈人傑。瓜瓞綿延百世昌。

通　用

堂貌莊嚴。威靈赫赫。俎豆千秋隆祀典。
孫枝繁衍。餘慶綿綿。馨香四序仰儀型。

滎　陽　堂二首・嵌字聯

滎水無聲。連波滋夏甸。
陽春有腳。英傑耀雲鄉。

其　二

滎澤潤群生。紫氣繞丹山。兩間靈秀盈桑梓。
陽光輝九野。絃歌凝比戶。奕世英賢著楷模。

道　東　堂嵌字聯

道貫儒宗。弘文昭一代。
東傳經藝。大業煥千秋。

①鄭氏祖籍河南滎陽縣，境內有滎水，漢時已塞爲平地。夏甸，指中原地區，滎水在中原，必能滋

潤其草木。

②王仁裕《開元天寶遺事》載宋璟爲太守，愛民恤物，時人謂爲「有脚陽春」，言其爲政惠愛，凡所蒞止，如春光之被物也。下聯言滎陽歷代英傑皆賢如宋璟。雲鄉，即白雲故鄉，爲狄仁傑思鄉故事。

③滎澤亦在滎陽境内，亦已乾涸，此指古代。紫氣，仙氣。丹山，仙山，次句稱美滎陽仙氣環繞。兩間，謂天地。桑梓，謂鄉里，此借喻滎陽。後聯言滎陽文風甚盛，人才輩出。

④東漢山東高密人鄭玄少時遊學關中，師事大儒馬融，刻苦自勵，盡窺其奥。及去，馬氏歎云：「鄭生此去，吾道東矣。」畢生遍注群經，爲一代純儒。

二賀　聯

臺灣省立蘭陽女中廿八週年校慶（一九六六）

廿八年締造艱難。啟後承先。共仰尼山昭統緒。
三千士追摩精粹。開來繼往。行看藍圃出梗楠。

新營南光中學四十週年校慶（一九八七）

南國鑄群英。炎胄光五千年統緒。
東溟揚巨浪。杏壇紀四十載春秋。

邱燈震學棣陳貞如小姐結婚嵌字聯（一九八九）

慧炬明燈傳震旦。
淨心崇德在真如。

賀國立中山大學教職員健行隊二首（一九九二）

趣得煙塵外。
樂生步履中。

其 二

祥雲生足下。
浩氣滿胸中。

賀陳輝光警長張自珍女史錫婚嵌名聯（二〇〇二）

光滿瑞芳。常垂紫綬弘勛業。
珍輝浙水。自繫朱絲詠玉臺。

輝光警長資兼文武，尤嫻韜鈐，昔在中央警察大學從余問學，刻苦銳進，貫乎中西，成績優冠儕輩，咸推爲警界後起之秀。既而虎出柙中，龍飛海滏，榮膺李前總統登輝先生之侍衛官，遊刃羽林，聲采煒然，時論多之。其夫人張自珍女史載誕浙江·仙居，慧中秀外，既締鴛盟，笙磬同音，仙眷永偕，寧待蓍卜。茲值錫婚佳辰，特撰聯以賀之。

三春聯

民國七十七年春節國立中山大學正門春聯（一九八八）

新春桃李三千樹。
臨海絃歌億萬年。

民國七十八年春節國立中山大學正門春聯（一九八九）

中山聲名垂奕世。
南國桃李媚春風。

民國七十九年春節國立中山大學正門春聯（一九九〇）

春滿中山開景運。
氣鍾南國啟新機。

歷年代作春聯集錦

春　聯（一九六一）

芝蘭自得山川秀。
松柏長留天地春。

春　聯（一九六三）

堂前爆竹迎新歲。
嶺上梅花占早春。

春　聯（一九六五）

寶島煥新民氣象。
春曦照復國樓船。

春　聯（一九六六）

中興國運天開瑞。
上達人生日啟祥。

春　聯（一九六七）

蒼茫野甸收詩卷。
駘蕩春風入酒杯。

春　聯（一九六九）

四野謳歌。人壽年豐春似海。
三軍待命。龍吟虎嘯劍如虹。

春　聯（一九七〇）

旂鼓漢家威。效黃花碧血精神。丕振紀綱光史蹟。
詩書秦火劫。承白鹿紫陽規範。復興文化固邦基。

春　聯（一九七一）

春滿蓬萊。歡洽萬民歌大有。
國臻花甲。心香一瓣祝長生。

春　聯（一九七一）

啟國運六十年。寶島人民。欣承漢臘。
盼春風三萬里。神州父老。同復堯封。

春　聯（一九七一）

星隨野動。南極輝騰。開國六十年。嵩華同高期盛世。
運共春舒。北辰尊拱。興民萬千眾。兵烽待靖復神州。

春　聯（一九八一）

春風駘蕩三千里。
國運宏開七十年。

春　聯（一九八九）

春意滿蓬瀛。試聽沸地笙歌。道統相承唐正朔。
天聲振寰宇。願起此邦俊傑。風雲再造漢江山。

按本聯係民國七十八年（1989）春節爲《國文天地》雜誌社向全國讀者恭賀新禧而作。

春　聯（一九九九）

天祚中華。梅孕黃魂。春歸臺海風雲壯。
瑞開景運。威揚漢幟。時際貞元氣象新。

按本聯係民國八十八年（1999）春節爲《國文天地》雜誌社向全國讀者恭賀新禧而作。

四 輓聯

輓陳母吳太夫人（一九六一）

絳帳時相依。嘉惠眾生。感賢母同聲頌德。
中堂今致奠。光沈寶婺。願先生順變節哀。

代輓陳母吳太夫人（一九六一）

相夫挽鹿。課子丸熊。淑德早標彤史範。
佛座拈花。慈闈摧竹。仙蹤已到白雲鄉。

輓前中央大學校長郭秉文先生代臺灣師大文學院院長沙學浚作（一九六九）

是一代宗師。祭酒南雍。洙泗河汾宜方駕。
樹千秋典範。揚聲西海。風標德業並長存。

輓台灣師大附中校長黃澂先生代臺灣師大校長孫亢曾作（一九六九）

湘水毓英靈。志紹蘇湖宣教澤。
台陽彰懋績。名揚史冊紀千秋。

敬輓業師台灣師大李漁叔教授（一九七二）

潤逼太白。秀掩遺山。南國詩壇推祭酒。
茗銷墨堂。道聞朱閣。秋江夜雨哭先生。

輓李漁叔教授代台灣師大國文研究所作（一九七二）

為膠庠耆宿。擅陶謝才華。朋輩友生。此日同聲一哭。
潤沅湘波瀾。鍾衡疑靈秀。文章學術。如今自足千秋。

輓李漁叔教授代臺灣師大國文系作（一九七二）

湘水炳英靈。蹤邁香山。弘宣詩教華上國。
虞庠著楷模。學籠籀頫。空餘緗帙麗名山。

輓張母易太夫人（一九七二）

哲嗣擅詞華。更展經綸宣上國。
德音徽福蔭。待看蘭桂發奇芬。

輓許世瑛教授二首（一九七二）

語言宗匠。文法名家。一夕巨星沈海嶠。
澤被菁莪。花繁桃李。卅年清範式黌宮。

代臺灣師大文學院作

擅馬氏才華。為虞庠耆宿。赫赫徽聲垂奕世。
鍾天台靈秀。潤浙水波瀾。煌煌緗帙麗名山。

代臺灣師大國文系作

輓台灣大學戴銘辰教授代臺大中文系作（一九七五）

懿範在班昭韋母之間。述德允登中壘傳。
雲輧指碧落蒼穹而去。悼亡忍聽鼓盆歌。

輓台灣大學戴銘辰教授代臺大校長閻振興作（一九七五）

卿是江南士族。學貫中西。作之親。作之師。撫棺無限鮮民痛。
我慚河朔書生。時逢剝復。論為德。論為政。成事皆蒙內助賢。

按戴氏爲台大校長閻振興之夫人。

輓中廣董事長梁寒操先生（一九七五）

詩逼劍南。書薄枝山。三台名家推健筆。
德侔松柏。操清冰雪。九域志士仰高風。

梁氏字均默，廣東高要縣人，任中國廣播公司董事長長達三十年。工詩，風格近於宋之陸游，頗負時譽。又擅書法，丰神酷似明之祝允明，四方索書者絡繹於道，無須潤金。

輓袁母張太夫人（一九七五）

家有青蓮。幾生修到詩人母。
雲騰白鳳。朝天先上廣寒宮。

輓王鍵先生（一九七六）

厚德含宏。行看驥兒騰海嶠。
徽音乍渺。驚聞鶴駕返仙鄉。

輓張母王太夫人（一九七七）

令嗣筆生花。名震瀛寰。奈何竟灑鮮民淚。
文孫才出眾。善承宗祖。卓爾必成濟世賢。

輓陳母黃太夫人（一九七八）

溫婉秉坤儀。早有賢聲傳里巷。
寵榮登佛國。長留懿範在人寰。

輓臺灣大學戴君仁教授代台大作（一九七八）

德行振黃顧之風。道範長存。中外學人欽大雅。
教化繼河汾而盛。英才廣植。縑緗寶卷麗名山。

輓台大戴君仁教授代台大中文系作（一九七八）

道統長維。蓬島遞傳千古學。
文章不朽。梅園雜著一家言。

敬輓業師臺灣師大宗孝忱教授（一九七九）

盛代仰儀型。當年學海沈浸。同坐春風稱弟子。
黌宮親杖履。一旦道山歸隱。永懷教澤失人師。

輓何人豪先生代行政院退輔會作（一九七九）

讜論流徽。功著議壇推大老。
高風垂範。薪傳蓬島足千秋。

輓詹純鑑先生代行政院退輔會作（一九七九）

卓論滿坫壇。清範長垂推碩望。
宏勛昭黨國。英靈還冀佑中興。

輓詹純鑑先生代國防研究院同學會作（一九七九）

緬懷疇昔。風雨同窗。國步維艱曾共歷。
弘抒訏謨。廟堂立法。中原未復有餘哀。

輓前復旦大學校長吳南軒夫人代退輔會作（一九七九）

相夫子為學界宗師。看翥鶚摶風。三萬生徒滿華夏。
侍王母作瑤池仙侶。悵青鸞紫霧。一天花雨散蓬瀛。

輓王雲五博士（一九七九）

宏覽天人。綜獵中西。譽滿寰瀛尊大老。
中國之寶。博士之父。澤沾碩彥耀千秋。

輓王董事長雲五博士代中山基金會作（一九七九）

名震瀛寰。述作允為百世範。
魂羈海嶠。惆悵不見九州同。

輓監察院張維翰院長代監察院作（一九七九）

讜論流徽。邦步多艱隆獻替。
宏猷垂績。柏台盡瘁失賢良。

輓監察院張維翰院長代退輔會作（一九七九）

柏署久迴翔。厥有典型垂奕世。
神州正擾攘。何堪風雨悼元勳。

輓盛母史太夫人代退輔會作（一九七九）

閫範咸欽。一夕婺星斂耀。
坤儀足式。千秋彤管流芳。

敬輓師母楊哲仙女史（一九八〇）

憶當年負笈臺陽。溫語幸親承。一本修齊居首列。
悵此日羈魂海嶠。慈容遽永隔。八方風雨服心喪。

輓慈母易太夫人代（一九八〇）

聲咽萱闈。腸斷淒風苦雨。
泣殘繐帳。血枯月夜烏啼。

悼歷年亡故榮民代行政院退輔會作（一九八一）

邦國賴匡扶。贏得英名昭永世。
人天悲隔閡。空酬旨酒悼明靈。

輓蔣彥士母徐太夫人三首・代行政院退輔會作（一九八二）

懿德著賢聲。悲浙水嗚咽。雲天縹渺。
閫儀留蓬島。看明山秀發。蘭桂芬芳。

其二

玉樹獨榮。共仰德門敦孝道。
慈音雖杳。足為後世式坤儀。

其三

賢郎為中邦一傑。
令母有德範千秋。

敬輓業師臺灣師大戴培之教授（一九八二）

育才以學用為歸。教益昔同親。長憶曾居三舍列。
厚德猶涓埃未報。神容今永隔。應悲不見九州同。

輓張大千居士（一九八三）

潤逼摩詰。秀掩道玄。一代畫壇推祭酒。
情寄煙霞。心懷邦國。千秋文苑仰高風。

代輓大千居士（一九八三）

重望若斗山。生有自來。鍾靈巴嶽。
大名滿宇宙。死而後已。垂範藝壇。

敬輓彭母何太夫人（一九八三）

持家有道。教子有成。同仰坤儀昭淑範。
晚景方娛。家聲方盛。遽悲仙駕渺徽音。

輓台灣師大林尹教授代臺灣師大作（一九八三）

於儒林稱鉅子。於教界作良師。著述重權威。坊表巍然尊鹿洞。
為上國贊中興。為往聖繼絕學。文章傳遠邇。規模卓爾仰龍門。

輓林尹夫君代師母吳英女史作（一九八三）

結褵感天緣。甘苦共嘗。邦國著勳猷。遺恨神州猶未復。
捐館驚剎那。幽明永隔。兒孫綿世澤。獨傷白首不同歸。

輓杜負翁老先生代中國文字學會作（一九八三）

家國暗離憂。老杜聲華。永垂藝苑。
煙霞縱襟抱。維揚風月。都入詩篇。

輓周母趙太夫人代（一九八五）

母蔭永垂。寧收塵世鮮民淚。

春暉未報。永痛海天哀子心。

輓張金藻將軍代退輔會作（一九八六）

忠勤盟夙志。艱危昭勁節。中天列曜忽沈芒。
美越樹宏勛。廊廟展嘉謨。傳世淵才堪作範。

敬輓業師臺灣師大程發軔教授（一九八六）

史乘留千秋定論。人欽厚德。世挹高風。
經術仰一代宗師。惠滿儒林。功隆學府。

輓蒙藏會董樹藩委員長二首・代退輔會作（一九八六）

朔漠起人豪。卓著勳猷垂竹帛。

海陬傷世難。長紓籌策失賢良。

其一

蒙藏著清聲。一世憂勤留楷範。

鯤瀛彰懋績。三春風雨寄哀思。

輓張廷能先生自作一首・代作二首（一九八七）

巴蜀締鴛盟。長懷患難相依。白首未同歸。逝矣前塵成夢憶。

台澎贊鴻業。詎意膏肓不起。蒼天何可問。傷哉底處覓音容。

其二

令範幸昭垂。猶望長承嚴父訓。

靈椿悲永謝。何堪卒讀蓼莪詩。

其三

湘水毓人豪。雲漢風搏。懋績宏勳彰大業。

瀛壖生國瑞。元白壘在。鏘金戛玉耀華邦。

按第一首代張夫人李敬宜女史作。第二首代友人張夢機教授作，夢機籍隸湖南永綏，國立台灣師範大學文學博士，曾任國立中央大學中文系主任，工詩，有聲於時，民國八十七年因病退休，現養疴台北新店寓所。第三首自作。

輓惕軒夫君代師母徐文淑女史作（一九八九）

結髮慶良緣。憐君盡瘁邦家。遺恨神州未一統。
衰年傷獨繭。顧我長羈鯤嶠。尚憑精爽佑中興。

輓嚴父惕軒先生代成中英博士作（一九八九）

異國常羈。親舍時違。乾蔭遽先摧。寧收塵世鮮民淚。
慈闈善侍。庭箴毋忘。青氈猶待葆。誓續我家奕葉光。

輓義父成惕軒先生代蕭金梅女士作（一九八九）

菽水恨長虧。易簀未能親謦欬。
雲山傷遠隔。椎心寧復盡哀思。

敬輓業師臺灣師大巴壺天教授（一九八九）

一孔道能弘。功侔槐市存教澤。
千秋名不朽。詩似冰壺仰師恩。

輓黃博君女弟（一九八九）

鴻案正相莊。百年伉儷揚風雅。
鸞鑣經遽返。半載恩情付簡緗。

按黃博君女弟爲國立中山大學中文系高材生，從余問學，成績優冠儕輩，畢業後任媒體記者，並與中山大學副教授簡錦松博士結婚，婚後不久即因車禍往生，得年僅二十五歲，時多哀之。

輓陳母羅太夫人（一九九〇）

課子有成。大本原從慈孝出。
畢生無憾。高風已並孟歐傳。

哭輓慈母何太夫人（一九九二）

兒輩盡哀聲。慈愛長銘萱草淚。
母親留懿範。恩勤永念國風詩。

敬輓彭春福先生自作一首・代作三首（一九九二）

德懋齒尊。望隆珂里稱耆老。
子賢孫秀。功在緗帙振宗風。

其　二

孝悌兩全。一門俊秀。
儀型共仰。萬古雲霄。

其　三

頤養有餘歡。應享大年登上壽。
閭閻徵懋德。不留遺憾到重泉。

其　四

德重梓桑。完來太璞歸天地。
庭栽蘭桂。留得甘泉澤子孫。

按彭春福先生係台北文史哲出版社彭正雄發行人之封翁。第一首自作，後三者代友人作。

輓顏天祐先生（一九九二）

福壽全歸。風徽長在。
梓桑貽範。德望永昭。

輓香港新亞學院趙潛教授（一九九四）

國粹弘揚。新亞高徒懷大德。
仙容頓渺。香江零雨助沈哀。

輓易大德中將（一九九六）

聲溢上庠。華國文章垂奕世。
壽登大耋。安邦韜略潤明時。

輓嚴耕望院士代香港新亞研究所撰（一九九六）

望峻儒林。一夕文星沈海嶠。
研精惇史。卅年德範式黌宮。

輓嚴耕望院士代香港新亞研究所學聯會撰（一九九六）

百代仰儒宗。桃李芬芳騰八極。
萬流悲碩老。梧桐風雨逼重陽。

敬輓業師前花蓮縣鳳林中學彭凌雲校長（一九九六）

澤溉東台。猶憶門牆居首列。
魂歸天國。長留榘範在人間。

余於民國四十一（一九五二）年七月考入花蓮縣鳳林初中，倖占鰲頭，猥蒙校長彭公召見，並殷殷垂詢，勉勖備至，尤以「必成大器」相期許。韶華如箭，轉瞬將歷半個世紀，而彭公竟於日昨遽歸道山，人天永隔。惟其聲音笑貌猶復時旋耳目，彷彿親謦欬於生平，回首前塵，愴然雪涕，爰綴數語，以誌哀思。作者附識。一九九六年七月十二日於香港九龍之新亞研究所。

輓豐田夫人（一九九七）

教子有成。忽報淒風摧孝竹。
斷機貽範。佇看哲嗣顯慈親。

輓香港蘇文擢教授代香港珠海學院作（一九九七）

文兼駢散。詩逼蘇黃。嶺海騷壇推祭酒。

化洽菁莪。澤沾棫樸。遂加道範式香江。

按蘇教授爲香港駢文家，曾獲中山文藝獎。遂加爲其書齋名。

輓徐文珊教授自作一首・代作二首（一九九八）

英傑萃高門。令望令聞綿世澤。

期頤登上壽。名山名著式宗風。

其二

喬梓著聲華。名山同懋千秋業。

膠庠宣教化。清範長留百世芳。

其三

桃李正芬芳。望峻儒林稱國老。

芝蘭皆穎秀。績昭海表振家聲。

故東海大學教授徐文珊先生字貢眞，河北遵化縣人，民國八十七年元月卒於台中，享壽九十九歲，其哲嗣爲國立中山大學中文系教授徐漢昌博士。第一首自作，第二首代文學院作，第三首代中文系作。

輓徐承章先生自作一首・代作二首（一九九九）

哲嗣為杏壇一傑。
明公有桀範千秋。

代中山大學文學院作

教子成名。早擅美聲傳里巷。
明德貽徽。了無遺憾到泉台。

代中山大學中文系作

福壽全歸。幸有佳兒光甲第。
梓桑重望。更留厚澤慶蕃昌。

按徐承章先生係國立中山大學中文系教授徐信義博士之封翁。第一首自作。

輓龔丕芳先生自作一首・代作二首（一九九九）

宏範貽徽。齒德尊隆欽國瑞。
義方啟後。菁莪化育振宗風。

代中山大學文學院作

聲遠德高。行看驥兒綿世澤。
風盲雨泣。驚聞鶴駕返仙鄉。

代中山大學中文系作

閭里望隆。玉樹芝蘭咸挺秀。
陶甄績懋。黌宮梗楠盡高飈。

按龔老先生係台南望族，律己甚嚴，教子有方，其哲嗣顯宗博士現任中山大學中文系教授，以擅精明清戲劇、小說鳴於世。第一首自作。

輓孔仲溫博士自作一首・代作十首（二〇〇〇）

學精韻鏡。術盡類篇。燦燦文星光海嶠。
系出素王。鐸宣黌宇。煌煌聖道衍台疆。

按孔仲溫博士字即之，江西鄱陽縣人，精文字音韻之學，民國八十七年八月被選爲中山大學中文系主任，越二年因病去世，得年僅四十六歲，世多惜之。第一首自作。

代孔夫人雷僑雲教授作

丙舍共研磨。方冀永偕唱隨樂。

上庠同化育。何堪遽斷琴瑟鳴。

代治喪會作

韻府有奇書。業紹尼山光道藝。
春風寒絳帳。名昭翰苑振家聲。

代中山大學文學院作

鶼鰈情深。繞室芝蘭咸挺秀。
菁英樂育。滿園桃李盡搖芳。

代中山大學中文系作

北海樽盈。美食珍餚羅百味。
西崑駕返。詁經訓故足千秋。

代中山大學中文所碩士班二年級全體研究生作

慈惠長留眾口頌。
典型堪作後人師。

代中山大學徐教授作

音韻哲匠。訓詁名家。一夕星辰沈海表。
汜濩藻芹。潤沾棫樸。滿園桃李泣春風。

代中山大學中文所學會作

薪火廣傳。學粹道閎稱大雅。

師恩難忘。春江月夜哭先生。

代中山大學林教授作

經師人師。望隆東序欽高躅。

請業請益。光斂南疆失慧航。

代中山大學陳教授作

匡阜毓秀。鄱湖炳靈。尼父裔孫真俊傑。

緇林棲遲。皋比坐擁。文昌燦爛耀鄉邦。

代中山大學中文系系友會作

聲韻早擅。謦欬常親。德粹量閎歸碩望。

妙旨莫承。雅音永絕。雲昏雨晦哭恩師。

輓龔母林太夫人三首（二〇〇三）

賢孝著桑梓。累葉禎祥歸有道。

劬勞徵聖善。滿庭珠樹粲成行。

其　二

持家著績。教子成名。共仰坤儀光海嶠。

晚景方娛。家聲正盛。何期鳳駕返雲鄉。

其　三

哲嗣揚名。今日同聲稱母德。

文孫挺秀。他年繩武振宗風。

按林太夫人係國立中山大學中文系教授龔顯宗博士之令堂，丸膽嗣徽，茗華紀美，學林文苑，無不同聲交讚。第一首自作，第二首代中山大學校長張宗仁博士作，第三首代中山大學中文系作。

別錄

贈仁青老弟（一九六〇）

成惕軒

嚴勒心兵張筆陣。高舉慧炬燭書城。

自注：「仁青老弟資質明敏，襟抱恢閎，賦性高邁不羈，宛然魏晉間人。既擅詩詞，復工駢儷，求之當世，殊不易覯。自慚識途馬，頗見絕塵駒，仁青勉之，前途未可限也。」

寄懷仁青詞長七律二首（一九六三）

張夢機

八斗才高氣欲橫。眼看墳典久沈湮。頻蘇綺藻追先哲。更障狂瀾作逸民。
出岫寒雲終化雨。迴溪宿草易為茵。陳編列架懷千載。詩夢連宵挹古春。
地轉天旋世不寧。那堪人醉我猶醒。春衫換酒常眠甕。夕燭催詩獨倚亭。
霄漢蟾宮雲欲蔽。池塘蛙市曉初停。秋深且喜東籬下。風雨黃花自逸馨。

久未得仁青成秋音訊占此寄懷（一九六五）

張夢機

屯煙嶺上翠成堆。閒散孤雲自往回。
底事故人千里外。經秋不見一鴻來。

再贈仁青老弟嵌字聯（一九六六）

成惕軒

仁宇一廛容豹隱。
青霄萬仞看鵬摶。

贈仁青賢棣甲骨文聯（一九六八）

魯實先

高文賡白馬。
春酒會黃龍。

自注：「仁青賢棣早歷戎行，戍守金門，既而棄武習文，工爲駢體，名播三台，時論美之。欣佩之餘，因集殷墟文字『高文賡白馬，春酒會黃龍』以貽之。世難方殷，余則深望仁青之能復執干戈也。」

呈同塵師門（一九六九）

閔蜀鵑

妝殘步月夜含珠。色悴浮光映碧蘆。
待曉放舟何處去。茫茫濁世旅情孤。

秋夜仁青夢機教授見過食湯圓二首（一九六九）

羅尚

儷體清詩並罕儔。高軒來過賃居樓。山中今夜瀟瀟雨。灑作人間淡淡秋。
年來掩耳後庭歌。畫壁柔奴亦未多。何日有閒相約好。銅駝街上看銅駝。

同塵博士惠贈新撰《楚望樓駢體文詳注》賦此以謝（一九七三）

彭公遠

疏雨殘陽淡早秋。放懷梅嶺且閒遊。騷人贈卷情無限。醇酒深杯醉不休。
戛玉鏘金藏山閣。雕龍吐鳳挹芬樓。百城坐擁非貪得。一洗平生腹儉羞。

青按：藏山閣係先師成惕軒先生早年在其湖北陽新故里所取之書室名，來台後，更取楚望樓作爲藏書之所。其生平所撰駢體文三百餘篇集結成書，亦取名爲《楚望樓駢體文》，由余爲作詳注，民國六十二年台北中華書局梓行問世。又余早歲取挹芬樓爲藏書之所，其後庋藏漸富，至今已逾十萬冊矣，遂更名爲揚芬樓，蓋隱然以宏揚中華文化而自勵乎。敝廬舊名挹芬樓，坐落於台北市南郊，民國七十八年移居台北縣永和市，始易名揚芬樓，蓋暗寓終身致力於發揚中華固有文化之意。民國九十五年五月六日附記。

與林尹同主仁青博士論文考試（一九七八）

成惕軒

天眷斯文儻在茲。喜添鴻藻潤明時。
一經我自輸晁董。慙愧人呼博士師。

蒙惠《佩文韻府》賦此申謝（一九七九）

王壽華

琳瑯韻府舊藏書。犒我拈文檢字疏。
嘉惠也同霖雨潤。欣欣春草萃庭除。

贈張同塵博士二首（一九七九）

舒憲波

微醺披卷讀華章。侍酒不辭紅袖香。
縱語放聲驚隔座。最難胸臆一舒張。

其二

掬杯相對話平生。不尚俗流不矯情。
憶否蘭陽曾角酒。回甘翌日有餘酲。

懷張梅山張夢機兩教授二首（一九八三）

舒憲波

邂跡蘭陽識二張。後先趨步羨登堂。
文心酒膽兩兼備。幾度唱酬雙擅場。

其二

情好盍簪相應呼。程門未許獲教敷。
梅山師橘並雙美。已是文名喧上都。

自注：友人張仁青博士字同塵，號梅山逸士，現任高雄・國立中山大學教授。張夢機博士字宓白，號師橘堂主人，現任高雄・國立高雄師大教授。二君年歲相埒，民國五十三年仲冬在宜蘭初次會晤，相見恨晚，亦云幸矣。

贈張仁青博士嵌字聯（一九九二）

伏嘉謨

仁者樂於山水外。
青雲不在廟堂間。

贈張仁青先生五首・嵌名聯（二〇〇六）

刁抱石

仁山匝地弘真道；
青木參天啟大文。

其二

仁人暢達行公義；
青鳥迴旋探熱情。

其　三

仁△心每共春心發；
青眼還同柳眼舒。

其　四

仁△里相依彰德美；
青春永駐愛才榮。

其　五

仁△至南方多雅誨；
青來北苑有鴻編。

贈張同塵博士（一九九三）

劉　治　慶

屈指騷壇一雋才。弘揚詩教美三台。
陽明山上桃千樹。盡是君家巧手栽。

大庾縣政府歡宴張仁青教授席上口占（一九九三）

李月啓

賢主嘉賓萃一堂。盛筵難再話炎黃。佇看祖國渾同日。好與先生醉千觴。

敬和張仁青博士贈伏嘉謨元韻兼簡伏老三首（一九九三）

李月啓

文章命世飲中仙。師表群倫啟後賢。繡虎雕龍同步武。望塵莫及愧殘年。

其二

春風桃李盡精靈。絕學薪傳往聖經。淹貫中西傾慕久。樗材敢教子垂青。

其三

風流人物列仙班。並駕三長翰苑間。統一中華同矚目。摛辭美頌漢江山。

青按：二〇〇三年九月，余應江西大庾縣政府之邀，前往演講〈台灣語文教育概況〉，由該縣耆宿李月啓先生負責接待，賓主盡歡。其後余與李氏合著《中國唯美文學之對偶藝術》，由台北・明文書局印行。又李氏另著《紅顏詞箋》，由余校訂，而由台北・天工書局印行。

贈張仁青博士二首（一九九四）

余　藎

癸酉七月，張仁青教授來杭，相晤甚歡；復贈我《唐詩采珍》及詩作數十首，恭讀品賞，獲益匪淺，書此以達謝忱。

牧童鞭筆指墳丘，經國文章自在流。海峽波漂華夏韻，唐風不廢寫千秋。

其二

千里情牽西子湖，清波雅采兩相娛。若逢蘇白漫詩興，應共先生把酒壺。

按余藎先生係杭州大學中文系教授，以詩鳴於時。

張師仁青教授榮退賀詞（二〇〇二）

戴俊芬

美哉瑞穗，杞梓呈材。秀姑橫翠，媚冠三台。
河嶽炳靈，載誕奇才。髫歲岐嶷，弱冠博該。其一
耽玩墳典，寢饋縹緗。同塵揚芬，挺耀含章。

詩逼三李，學本四唐。龍吟海表，鳳噦高岡。其二

坐擁臯比，倏逾卅年。生徒接踵，著述比肩。

弘衍傳薪，功在儷駢。筆有餘力，已造其巔。其三

杜陵才富，下筆有神。玉谿思苦，情聖彌珍。

天錫難老，文行清淳。周詩晉頌，眉壽千春。其四

迎春懷友（二〇〇六）

馬芳耀

余別梅山也久矣。鳳曆又新，闊離忽半甲子；雞聲非惡，不覺欲五更天。乙酉雞年將至，三舍春回，懷君彌切；空谷聲作，疑君將臨。余見君歡生，聞訊喜至，乃託疇昔之憶，用宣豫悅之情。

歲迎己酉，身寄蓬萊，偶遇君於友朋歡宴。宴罷遊山，君步履燕輕，林丘虎嘯，詩共春林而秀發，情遠冬雪而溫生。余玄髮未凋，君青衿伴側，時維初識，緣在吟哦。悅者一。

君承衣缽於惕公，振駢儷於藝海，學踰五車之富，心識三篋之遺。所撰《歷代駢文選》，雨化上庠，澤沾多士，百代之瑰奇克賞，群才之損益足窺。遠祖東京，近取勝代，齊梁錦色，徐庾英華，大唐剪裁金針，兩宋四六矩矱，莫不作鄭箋而發瞶，法孔疏而啟蒙。悅者二。

歲辛亥，君編《應用文》授臺大諸生，內有壽頌二，君之作也。一仰浙東尹師之風；一美鄂南惕公之德。善頌善禱，不蔓不支。翌年，余訪神州，望雁蕩兮峰高，走洞庭兮波遠，遠者惕公德遠，高者尹師風高。爾時憶君二壽頌，文疑粲粲赴眸，韻猶錚錚貫耳。悅者三。

甲寅春，君中饋猶虛，奇膳巧致。史傳傅相之鼎，眾味克諧；樓護之鯖，五侯稱善。君博觀眾譜而知味，如禿千管而工書。象豹筵開，則九州遠客，身赴瀛湄；蓴鱸宴作，則三徑良朋，秋思吳下。舍南舍北，胥疑傅相前身；關外關中，曼頌樓生再世。昔蒙君宴，今感君誠。悅者四。

其後，偶得君作於坊間，展之，則《魏晉南北朝文學思想史》也。君慨魏晉塵揚，江山氣盡，波及墨海，源脈亦紛，筆涉玄風，聲情趨靡。因哀世而剖析惟詳，持論則徵引宏富，理千載紛糅之緒，詞動駢林；指百家編纂之瑕，聲蜚鯤海。上下三百餘載，鉅細靡遺；縱橫六十萬言，波濤壯闊。悅者五。

頃聞君授業文大中研所，值臺員偽學充斥，雅道沈淪。君澤溥黌門，薪傳元聖，牢籠中道，浿烈烈之僻邪；砥柱橫流，鑄彬彬之碩彥。挽瀾志切，摘伏心堅。悅者六。

夫東序道尊，北陽峰秀，惜春載筆，望月懷人。篇成率爾之間，情發怡然之際。雖駒陰易逝，而鴻爪猶深，思邈邈以何窮，情悠悠而靡盡。

青按：馬芳耀先生祖籍浙江寧波，成長於台灣桃園，中國文化大學中文系畢業，曾任桃園高級農工職校國文教席，以體素羸弱，現已退休。平生所作駢體文數十篇，正集結整理中，待梓。

評介青年駢文家張仁青所編著的《歷代駢文選》（一九六三）

台灣師範大學教授 謝鴻軒

中國文學一代有一代的特色：兩漢以賦爲盛，六朝以駢文著，唐朝是詩的黃金時代，兩宋時期又產生許多特出的詞家，元代的曲，明清的章回小說，都各擅一時。自民初五四運動的前後倡行語體文以來，現代的文學領域，又幾乎爲白話文所壟斷了。

被稱爲第一次文學革命的領導者——韓昌黎，他雖提倡古文運動，排斥當時通行的駢體文，然而在他所作的古文之中，未嘗不用偶句。柳子厚晚年肆力古文，推波助瀾，可是他在青年時期，實在是以駢體文而知名的。至於宋代古文大家之中，亦多是擅於四六之法的。第二次文學革命領導者胡適之先生，他是提倡白話文來排斥古文，但是他自己對於古文就有很深的修養，譬如他的語體詩〈朋友篇〉中「人生無好友，如身無手足」，這兩句詩就充滿了五古的風味。

白話文通行至今已歷四十多年，然而機關學校團體的公文往還，各級法院的判決裁定，無一不沿用文言的，不過是漸趨淺近而已。至於集會中的致敬電文，祝壽的壽啓、壽序，喪事所用的行狀、事略、行述、祝文、祭文、墓誌銘，以及通用的訂婚證書和結婚證書上的文字，無不以駢文爲上乘。就是以寫白話文來說吧，一篇有價值的學術論文，往往把古籍中一句一句的或整段整段的文字引進去，纔可以紙貴洛陽。

為了普及教育和適應時代潮流的趨向，我們固不宜開倒車來主張一般青年學子都要學寫古文，但是為了保存國粹與配合目前社會的實際應用，我以為大學中的文學院和法學院的學生，卻不可不會寫文言文，而中國文學系的學生，應有更深的造詣，甚至對於駢體文亦應有相當的研究。《歷代駢文選詳注》的編著者，在一般人的想像中，該是一位年高望重的通儒，至少也該是五十歲以上的學者。然而這箇答案是否定的，他卻是一位刻苦力學僅僅衹有二十四歲的青年——張仁青，現在臺灣師範大學國文系四年級肄業。張生天資超拔，才氣縱橫，幼負大志，忠貞愛國，當民國四十三年冬，中共以魚雷快艇擊沈我太平艦，人心憤慨，矢志復仇，政府號召知識青年從軍，其時張生年僅十五歲，正在花蓮縣立鳳林初級中學求學，即懷投筆從戎、廓清中原之志，投入陸軍通信兵學校，卒業後擊楫渡海，在金門前線捍衛國土，浴血奮戰，軍餘之暇，並參與隨營補習教育。四十七年軍次臺北，我們在一個平劇公演的晚會裏相識，忝居一日之長，乃抗顏為其師，見其國學根基深厚，寫得一手好文章，時予嘉勉，期成大器。其後奉准退伍，參加大學聯考，高中國立政治大學政治系，在政大修業一年，由於經濟困厄，翌年復轉讀國立台灣師範大學國文系，以迄於今。張生平時焚膏繼晷，手不釋卷，在師大一年級時，曾試用駢體文為其舊日業師儀徵錢夢麻先生作了一篇六十壽序和一篇〈中華開國五十年頌詞〉，載諸師大人文學報，承他寄給我一份，閱之驚其進步神速，誠所謂「士別三日，當刮目相看」啊。這幾年由於當代駢文大師成愓軒教授和師大國文研究所主任林尹教授的諄諄教誨，仁青的國學根柢已更加深厚，尤其對於駢文的造詣也已歷登堂入室之境了。成教授復勉其欲進窺駢文之堂奧者，最好能先注解名家的駢文，仁青於是而有《歷代駢文選詳注》巨著的問世。

古來駢文的集子固然很多：專著的如《庾子山集》、《王子安集》等；選集的如《唐駢體文鈔》、明《四六法海》、清《駢體正宗》等，琳瑯滿目，不一而足。但或有評無注，或注焉不詳，承學之士，深以爲苦。仁青所編著的《歷代駢文選詳注》，選輯歷代駢文一百篇，上起東晉，下逮清末，分裝正續兩巨册，正編四十篇，業已再版；續編六十篇，預定在年底付梓。每篇撰有題解，或闡明題旨，或敍述篇章結構。作家介紹則說明其生平大事、時代背景，尤著重於文章作風及其文壇地位。逐句逐字均有詳明的注釋，名家評語，彙錄無遺。此外還分明段落，標示句讀。每成一篇，即送請成愓軒教授詳加校訂，以期歸於至當。一般大學中國文學系的學生，固宜人手一册，而中學國文教師們，如能閱讀此編，亦有助於教學相長。因此該書正編初版不及一箇月，購者即有向隅之歎。茲由仁青再付剞劂，用特爲之評介，並作了一篇駢體的序文，以就教於高明君子之前。

中華民國五十二年中秋節皖南謝鴻軒寫於臺北鴻廬

歷代駢文選序（一九六三）

林　尹

張生仁青，好為文章，尤善駢儷之句。民國四十九年，受業於余，余愛其才，且嘉其學，因與其論為文之道，選文之方，及訓詁之用，以廣其志。仁青聰穎敏慧，頗能領略其旨，日夜精勤，進功甚猛。成教授惕軒，當代駢文名家也，見仁青之所作，知後生之可畏，殷勤誨導，復歷年餘。於是仁青乃輯歷代駢文百篇，為之注釋。惕軒教授喜其有成，詳予校訂，既多方指正，又為謀刊印，而屬余為序。

余惟近數十年來，言學術者趨淺薄之途，論文章者崇鄙陋之辭，殊不知學無根柢，則不能鉤深致遠，言之不文，則不足以通暢今古。況夫文章之道，基於學術，本乎性情，學術深者則說理徹，情性眞者則動人深。故古之所謂至文絕詣，要皆辭達理舉，情文並茂，蓋明其至理，發於性情，組之成文章，麗之以翰藻，天下人所欲言而不能言者，我能言之，天下人所同感而不能宣者，我能宣之。理足以窮精微，情足以應萬物，言足以通今古，文足以感精爽，故能傳之久而流之遠，此所謂文也。彼淺薄之學，不足以知此，鄙陋之辭，不可以擬此也。

或謂駢儷之文，縟辭繁飾，異乎常言，雖麗藻彬彬，非日用所需，誦讀斯文，耗時費日，雖有所得，無益於用，此實不然。余以為文章之用，衆理所因，文章之美，陶情為上。故會意尙巧，遺言貴妍，皆所以求悅目怡心，通神應感，譬猶五色相宣，無益於用，而觀之者悅目；八音迭代，無益於用，而聽之者悅耳。以悅目悅耳之足以怡情，故五色八音，遂亦爲人情之所需。然通塞之紀，應感之會，要亦視好尙之趣舍，與識賞之淺深。人皆墨子，則八音無以用其和矣；人皆師曠，則五色無以宣其前矣。今以墨子之用心，而曰八音當廢；如師曠之失目，而曰五色無用，人必以爲偏而不當。何況駢儷之文，藻思綺合，清麗千眠，其所以陶情怡性者，精微所至，豈僅如五色八音之相調和而已哉。

仁青既篤志於斯文，又嚶鳴以求友，故撰茲編，以供衆覽。至論列駢文要旨，以述研求心得，雖未極精微，要已明其涯略。怡情性以自樂，增見聞之廣博，他日同好者多，欣賞者衆。則仁青茲編之作，亦有功於斯文也。

按先師林尹教授字景伊，浙江瑞安縣人，民國四十五年膺任台灣師範大學國文研究所教授兼所長，長達二十年。余於四十九年九月考入師大國文系，在參加新生論文競賽中，以〈大學聯考甘苦談〉奪魁，景伊師見之，特予召見，殷殷垂詢，勖勉有加，期成大器。並令余常到國研所聽課，以厚植實力，歷時四載，獲益匪淺。翌年曾撰寫處女作《歷代駢文選詳注》，景伊師特爲撰序，光美篇幅。流光如駛，駒隙頻遷，今景伊師之墓木已拱，回首前塵，愴然雪涕，重讀斯篇，誠不知將何以爲懷。民國九十五年十二月二十日謹識於台北永和之揚芬樓。

將冷板凳當作溫牀（一九六八）

——專訪榮民張仁青碩士

青年報記者　魏　光　森

昔日把台北新公園的冷板凳、火車站的長條椅當作溫牀，每天以三塊錢新台幣買兩碗陽春麵過日子的張仁青，誰能想到，八年後，他竟是今日國立台灣師範大學國文研究所中最傑出的研究生，一位當前國內最具功力的青年駢文家。今夏他就將在師大國文研究所畢業，榮獲碩士學位。當然，他的研究工作並不就此告一段落，他將繼續研究下去，以獲致更大的成就。

自幼即發憤圖強

當時下一般人批評我們年輕的一代，頹廢而又自私的時候，張仁青同學的苦學、奮鬥與不斷向上的精神，或者能有一點澄清的作用，告訴社會，年輕的一代，也有不少人是在默默地耕耘著，並不完全墮落在頹廢與自私中混日子。

這位十五歲時即響應太平艦建艦復仇運動而志願從軍的青年，個子不高，皮膚黝黑，終日架著一副近視眼鏡，外表看來，文弱中充滿自信，無疑的，那就是潛心苦讀的標誌。

十五歲志願入營

其實，張仁青有今日的成就，並不是近年來的事，他在花蓮讀國小的時候，就已開始播種了。當時他家隔壁是間書店，他在課餘之暇就跑去翻書看，先是章回小說，進而《古文觀止》，唐詩宋詞。幾年下來，他除了看完坊間所有的章回小說外，並還能背誦整部《古文觀止》，與爲數上千首的唐詩宋詞，眞是驚人。當然這些給他直接影響的，就是畢業後以第一名考取了鳳林中學，成爲當時的「狀元」，這件事眞讓他開心透了，在他幼小的心靈中起了莫大的鼓舞。

初中兩年半，他繼續在隔壁書店看書，對國學的興趣愈來愈濃，同時書看得愈多對國學也愈了解，對國學愈了解，對中華文化的博大精深也愈傾慕，所以，當他三年級下學期將畢業的時候，出於一股對固有文化的愛慕，對國家的滿腔熱血，於是毅然投筆從戎，參加太平艦復仇運動的志願從軍，那時，他才十五歲，他裝著滿腦子的唐詩宋詞到了軍中。

在部隊中，他被分到通信兵學校受訓，獲得通信的專長，以一名十六歲的下士在國防部通信中心服務。在這段時間裏，他除了專心於工作外，那顆向上的心，仍在他胸中激動，因此，他一面參加國防部的隨營補習，一面在台北市各補習班旁聽，並在一次偶然的機會裏，碰到剛從上海逵難來台的名小說家馮左明，馮氏籍隸浙江慈谿，筆名馮玉奇，與張恨水齊名，有「南馮北張」之譽，爲我國三十年代鴛鴦蝴蝶派小說之兩大鉅子；來台後，易名金杏枝，仍從事筆耕，八十歲封筆，生平出版言情小說多達四百種，堪稱多產作家。馮左明看見這位小兵對國學那樣狂熱，乃出於至誠地指導他，啓發他，使他走向國學的正途。張仁青視馮左明爲恩師，因爲他，敲開了國學的殿堂，使張仁青立下了終身從事研究國學的宏願。

在前線隨營補習

不久，他調到金門前線，並不以戰地的生活爲艱苦，反而樂此不疲，利用工作之暇，翻山越嶺步行到陳坑金門中學去旁聽數學、英文、理化等爲他所陌生的學科。而另一方面，他仍然繼續參加了部隊裏的隨營補習。四十七年的「八二三」砲戰，他也躬逢其盛，過了一段砲聲隆隆、烽火漫天的戰地生活。而同時，他也考取了隨營補習的高中同等學歷，後來退伍還鄉之後，他就以此文憑報考了大學聯考，他說隨營補習對他來說眞是一項德政。

還鄉後艱苦奮鬥

他一生中最感困頓潦倒的，就是退伍還鄉之後，他在花蓮鳳林經商的父親破產了，他一個人到台北謀生，但當時他在台北無親無故，只能靠部隊裏的老夥伴周濟周濟，白天一邊謀事，一邊到各個補習班打游擊旁聽，因此，中飯與晚飯，頂多是一碗一元半的陽春麵，晚上就在新公園或火車站的冷板凳上安眠過宿。後來他跑到新店溪邊去挑沙子，維持生活。不過，縱然如此，他從書本裏得到慰藉，得到力量，他內心充滿著奮鬥的勇氣，他要走向成功，走向生命價值的極峰。

難挨的日子終於過去，那年秋季，由於不斷的自修，他考取了國立政治大學政治學系。他說他很感謝政府的另一德政，給予一個退伍小兵在政大享受免繳學雜費及住宿費的優待，使一貧如洗的他，得以安然投入最高學府的懷抱，接受壯麗黌宮的薰陶。

憑自修考取政大

在政大一年，除了上課之外，他所有的時間都埋首在圖書館中，鑽研政治、經濟、法律、哲學等書，極欲以從政來報效國家。接著參加高等檢定考試，一次就通過了四科。可是後來，他發現他的個性及興趣皆不適合於從政工作，反而給駢文迷住了，再加上他在政大以家教維持最低生活水準的方法，仍感到浪費時間太多，於是他又決定離開政大，重考有公費待遇的師大國文系。

在師大一年，得到戴培之教授的賞識與悉心栽培，這位祖籍廣東梅縣的青年，在駢文上才華畢露，天資超拔，不久引起我國駢文大師考試院考試委員成惕軒教授與師大國文研究所主任林尹教授的重視，並主動予以特別指導與協助，因此，一位大學二年級生就在課餘抱著大堆書跑到成、林兩教授家聆受教益。成教授教他駢文，林主任則教他小學（文字、聲韻、訓詁），在雙管齊下之下，張仁青就好像一支幼苗得到肥料與雨水的灌溉一樣，生氣勃發，欣欣向榮。

得名師指導栽培

當他受業於成惕軒教授不久，成教授認爲他駢文已深具基礎，於是鼓勵他整理歷代駢文古籍，作有系統的注釋與解題，使一個有爲青年能一窺我國駢儷文字之美，瞭解中華文化之博大精深。爲了注釋這本《歷代駢文選》，他冒著溽暑酷日，奔忙於中央研究院、中央、台大與師大圖書館，找資料整理抄寫，最後送給成教授校訂，該書上册都四十萬言，於五十一年三月印行一千五百册，不到半月即告售罄，再版一千册，半年後又告銷售一空。接著下册六十萬字也告完成，一併交給台北中華書局發行第三版，銷路迄今未減。

研駢文出書暢銷

該書在我國駢文學上，可說是相當空前的，因爲我國有史以來還沒有人編過一本貫通上下幾千年的駢體文選，而這位當時才二十四歲的文弱青年，卻在半年中創下了這個歷史紀錄，眞可說是相當難能可貴的。也因此，使他當選了民國五十二年的全國十大模範青年，榮獲博學類青年獎章。後來，他考取了師大國文研究所，繼續他的研究工作，其碩士論文爲《中國駢文發展史》，約四十萬言。而今夏他就要畢業了，展開另一階段的研究生活。

他說，他從研究駢文中，證實中國文字之美。句子抑揚頓挫，聲調平仄錯落，讀來鏗鏘有力，是任何一國文字所比不上的，所以他認爲這些都是國寶，凡是中國的知識分子都應該了解這個國寶，於了解了我國蘊藏著這麼多文化的國寶之後，間接也就會產生一種對本國文化的傾慕，對自己國家的熱愛。

惡崇洋青年典型

他說，他最討厭喊口號，而這些話都是他的由衷之言。在他看來，當前一般讀書人對我國文化之優美所知不多，因此只看到西洋物質文明的閃爍，產生一種崇洋的心理。所以，他想把我國的國寶，畢其一生之力，予以發掘並作科學的整理，讓我們祖先光榮的遺產展現於世人之前，放射出萬丈光芒。我想，這將成爲事實，因爲他已鑽進了學術的殿堂，把研究中國文學當作終身職志的人，過去他沒有任何的慾望，今後也將不會追求物質的享受，因爲在他的心靈中，歷史就是他的立體電影，線裝典籍就是向他閃閃發光的寶石，樂在線裝書堆裏的人，圖書館就是他的天堂。

當我聽完張仁青的故事之後，心裏不覺振奮起來，好似找到了心儀已久的青年的典範。

（原載民國五十七年三月二十九日台北《青年報》）

再訪榮民張仁青碩士（一九六九）

青年報記者　魏光森

向前、一直向前
奮鬥、必然成功
退役下士張仁青經輔導協助
苦幹勤讀奮鬥完成碩士學業

【本報特稿】成功，對今年才卅歲的退役下士張仁青來說是歷經了千辛萬苦才獲得的果實，今天他向前邁進了一步。

民國四十四年年方十五歲還是初中三年級的時候，張仁青即已經離鄉背井在外面闖天下了，當然，其間的艱辛與苦痛是不言可喻的，可是，張仁青終於仗著自己的意志與努力克服了一切，而堅強地站起來，站得可能比許多人更穩健、更踏實、更硬朗。

隨營補習求學識

今天，他不僅是一位戴方帽子的碩士，更可貴的，他還是一位得力於軍中隨營補習教育之助，進而得到碩士學位的退伍下士。因爲他的整個高中教育都是在軍中隨營補習教育中接受的。

這位出身於貧下僱工家庭、後來又毅然響應建艦復仇運動而投筆從戎的張仁青，前幾天已正式從台灣師大校長孫亢曾手中，接下了他以多少個「寒窗」苦讀所換取得來的碩士文憑。

皮膚黝黑，兩眼慧黠的張仁青，昨天他很興奮的出現在行政院國軍退除役官兵輔導委員會主辦的「應屆大專院校畢業退除役官兵座談會」中。他興奮的原因，一來，因爲有感於自己十五年苦修所得的甜果，今天已開始眞的結果了；一來，昨天他又回到了昔日軍營中令人嚮往與懷念的生活。趙聚鈺主任委員說得好，他說：「當年各位以軍爲家，希望今後各位以會爲家。」這個「會」當然就是國軍退除役官兵輔導委員「會」了。這個「家」對半生中多半在外過流浪式生活的張仁青來說，是有特別的意義與溫暖感的。

成爲「三棲小兵」

張仁青的身世說起來也同樣使人敬佩與感動。當然，他的毅力，意志與奮鬥不懈的精神卻又震撼著我們，溫暖著我們的心，堅強著社會對善的信念。他生而岐嶷，自幼即異於常童，十五歲志願從軍，十六歲以一名通信下士在國防部通信中心服務，在這段時光中，由於他被奮發向上的意志所鼓勵，他除了專心於本身工作之外，一面參加隨營補習，一面還到各補習班去偷聽英文、數學（因爲他沒有錢付補習費），一時他成了「三棲小兵」，奮勇前進。

參加八二三砲戰

民國四十六年，他調到金門前線，又躬逢其盛的參加了光輝的「八二三」砲戰；不久，他在隨營補習教育中輕易地考取了高中同等學歷，也正以這張文憑，他後來考取了大學，使他的求知慾得到了更大的亢進。這就是爲什麼他念念不忘於隨營補習教育給他帶來的光明遠景。

退伍返鄉後，他在故居花蓮鳳林蟄伏了三個多月，又一個人來到台北謀生，可是他在台北無親無戚，人海茫茫，使他難以度日，先是靠部隊裏的夥伴們周濟周濟，白天則一邊打零工，譬如到新店溪挖沙石，金瓜石挖煤礦，有時也送送報，而晚上則到各個補習班打游擊聽課。因爲收入微薄，微薄得中飯與晚飯只能以一碗一元五角的陽春麵充飢，更可憐的是晚上沒處棲身，就像失散的鳥兒一樣，經常棲息在台北新公園的冷板凳上，把它當作溫牀，幸好，在大學聯考前正是炎夏，蚊子雖然惡毒，也難於將他擊倒。

肉體上所受到的飢餓，雖然難於忍受，不過，求知的慾念與信心卻振奮著他，他要向前，向前，一直向前。

難挨的日子終於過去，那年秋天，天氣漸漸轉涼的時候，他抱著無限希望踏進了國立政治大學政治學系，他安定下來了。「安定」對他來說，稍早也是難於企望的東西。

感謝退輔會支助

政大一年，他很感謝退輔會給予他這個退伍小兵的輔助與輔導，使一貧如洗的他，得以安然投入最高學府的殿堂。但後來由於志趣不合，他又改投台灣師大國文系，開始了對中國古代文化的研究，以致後來，他在駢體文方面獲得了傑出的成就，大學還沒有畢業，即以《歷代駢文選》一書一鳴驚人，深受當代駢文大師成惕軒教授與師大國文研究所所長林尹教授等人的重視。這個成就，給他的信心的鼓舞是無與倫比的，今年他又提出《中國駢文發展史》而獲得師大國文研究所的碩士學位。

昨天，他在慶祝會中充滿信心的表示，碩士只是教育的一個階段而已，前面還有許多的知識有待探求。他是一位不懈的青年，也是一名勇毅的求知戰士，他要繼續奮鬥下去，直到宇宙的奧祕在他面前展現無遺。

青按：余原定民國五十七年七月自台灣師大國研所畢業，嗣以碩士論文《中國駢文發展史》尚有部分章節與內容未盡妥善，爲求完美起見，乃向校方申請延讀一年，以竟全功，於是而有「畢業兩次」之有趣事件。回首前塵，不禁啞然失笑。民國九十五年十二月著者附識。

（原載民國五十八年六月二十七日台北《青年報》）

清明節談墓誌銘（一九八〇）

——訪中山大學教授張仁青博士

民生報記者　鐘麗慧

四月四日是民族掃墓節，又叫清明節，是中國人祭祖掃墓的日子。

就民族文化意識而言，祭祖掃墓蘊涵著綿綿五千年的愼終追遠精神。遠自二、三千年前，我們的老祖先，已經把自己祖宗的生平事略刻在石頭上，埋進墓穴中，代代相傳。這類文章名之爲「墓誌銘」，從其中不難窺見中國人的生命價值觀。

何謂墓誌銘

墓誌銘是文體的一種，在台灣大學開「應用文」課的張仁青教授說，「墓誌銘」是在墓前三尺，用兩塊正方形石頭相合，一塊刻銘，用濃縮的筆法，概括敍述死者的德善功烈；一塊題死者的世系、名字、爵里、行誼、壽年、卒葬年月，與其子孫大略，使後日有所稽考。誌文似傳，銘語類詩。但是，古時候有誌者不必有銘，有銘者不必有誌，也有誌銘俱備。

墓誌銘的種類，到目前可見的約有三十種，如墓碑、墓表、阡表、神道碑、碑頌、墓頌、墓碣文、墓誌、墓銘、權厝誌、續誌、後誌、歸祔誌、過祔誌、蓋石文、墓甎記、墓版文、墳版文、壙誌、壙記、墳記、壙銘、槨銘、埋銘，還有爲剛死者寫的靈表，死了一、兩天的殯表，用於未成年死者的葬誌、葬銘，以及爲佛家所作的塔記、塔銘。

如何撰寫墓誌銘呢？張教授說，首先必須用文言文，因爲每字均須刻石，不宜用語體文。其次要有「隱惡揚善」、「成人之美」、「與人爲善」的心理準備和寫作態度。如有褒揚，也不宜太過分，最好不要拿潤筆金，以免「吃人的嘴軟」。

在文學上，誌文必須簡明質樸，少雜議論，也不以翻騰奇肆爲功。若能達到凝重、雅潔的地步最佳。至於銘詞，句法有三言、四言、五言、六言、七言、雜言，或《楚辭》「兮」字調；對仗有無均可，押韻和作古詩相同，最多用四句換韻。張仁青教授說，由於中國人溫柔敦厚的民族性，以及「死者最大」的傳統，墓誌銘往往有褒無貶，所以它的價值是稍遜於一般文章。

或許再過五十年，墓誌銘將成爲歷史陳蹟，張教授分析其原因有六：①會用文言撰寫的人愈來愈少，②人類對鬼神的敬畏淡泊，③孝道日趨式微，④墓地愈來愈小，⑤印刷術發達，出版紀念集的風氣日盛，⑥其他。

幾通特殊的墓誌銘

墓誌銘多是死後，子孫友朋爲慎終追遠而立。然而也有生前爲自己預留的，如陶淵明，王績等人。

陶淵明在六十三歲那年，患了瘧疾，生性曠達的他，就作文自祭，名爲〈自祭文〉。後來蘇東坡評云：「讀淵明〈自祭文〉，出妙語於纊息之餘，豈涉死生之流哉。」

喜愛老莊，所做詩文多模仿陶淵明的隋朝王績，也模仿陶淵明的〈自祭文〉，自撰墓誌銘，自己形容性行孤特，且極達觀。銘文曰：

有唐逸人，太原王績，若頑若愚，似矯似激。院止三徑，堂唯四壁。不知節制，焉有親戚。以生爲附贅懸疣，以死爲決疣潰癰。無思無慮，何去何從。壠頭刻石，馬鬣裁封。哀哀孝子，空對長松。

墓誌銘全用文言文寫成，古往今來，唯一用白話文寫成的，只有台大教授毛子水撰寫的〈胡適先生墓碑辭〉。全文如下：

這是胡適先生的墓，生於民國紀元前二十一年，卒於中華民國五十一年。這個爲學術和文化的進步，爲思想和言論的自由，爲民族的尊榮，爲人類的幸福，而苦心焦思，敝精勞神，以致身死的人，現在在這裏安息了。我們相信骨骸終要化滅，陵谷也會變易，但現在墓中這位哲人所給予世界的光明，將永遠存在。

東漢大文豪蔡邕，留傳下來的《蔡中郎文集》，共九十篇，其中墓誌銘佔一半。他是個以寫墓誌銘著稱的文人。

在《後漢書》中，蔡邕自己告訴盧植說：「吾為碑銘多矣，皆有慚德，唯郭有道無愧色耳。」顧炎武在《日知錄》中，也批評蔡邕諛墓。他說：「蔡伯喈集中為時墓碑詩之作甚多，如胡廣、陳實各三碑，橋玄、楊賜、胡碩各二碑，至於袁滿來年十五，胡根年七歲，皆為之作碑，自非利其潤筆，不至為此。史傳以其名重，隱而不言耳。」

文起八代之衰的韓愈，流傳至今的《韓昌黎文集》中，大部分是代他人所寫的墓誌銘。韓愈的名氣大，請他寫的人也多，墓誌銘的潤筆成為他最主要的收入。

因此，韓愈所寫成的墓誌銘被譏為「諛墓文」，對死者難免稱讚過大，實實在在的較少，他寫文章十分慎重，用盡全付心力。

在《韓昌黎文集》中有篇〈平淮西碑〉，文章流傳了下來，事實上那個碑早在落成時，就被皇帝命令砸掉。

裴度登上唐朝宰相時，淮西節度使吳元濟造反，裴度親自帶兵前往平定，韓愈隨軍擔任軍營參謀。隨軍的先行將軍李愬，半夜潛入敵營大廳，俘虜正在喝酒的吳元濟，這場叛亂，不戰而平。

事後，韓愈撰寫稱讚文章〈平淮西碑〉，把整個功勞歸在裴度一個人，隻字不提李愬的功勞。李愬的父親是淮西將軍吳晟，妻子是唐朝的公主，十分惱怒，向皇帝告上一狀，皇帝一氣之下，命令立刻砸掉〈平淮西碑〉。這是韓愈稱讚過分的例子之一。

訪問「菲華文化著作獎」得主張仁青教授（一九八二）

國立中山大學《西子潮》記者 楊 振 敏

問：請問得獎這本書大約有多少字？

答：大約十五萬字，已於民國六十九年十二月由台北・東昇出版公司出版。

問：書名是……

答：《中國駢文析論》

問：可否請敎一下老師寫這本書的動機？

答：好的。首先我們知道駢文是中國單音節文字所獨創之文體，因爲世界其他國家的文字均爲多音節文字，亦即拼音文字。雖然日本、韓國之文字源於漢字，但已變質，唯有中國使用這種單音節文字，因而產生了賦，駢體文、詩、詞、曲及對聯，此六種文體也只有中國才有。

然而研究其他五種文體的人相當多，只有研究駢體文的人較少，雖然以前學者亦有研究，但語焉不詳，讓讀者看了之後，仍然對駢文構成之因素模糊不清。我爲了發揚中華文化，讓世人能夠了解駢體文，於是將構成駢文之四大因素加以詳細分析：即①對仗工整②用典繁富③平仄協調

④詞藻華麗（外國人稱之爲美術文學），使讀者能一目瞭然，增加對中國文化之熱愛，糾正一般人對駢文之誤解。

問：可否談談您對駢文的看法？

答：好的。我們知道文學可分爲實用及美術之功能，現今很多人批評駢體文爲形式文學，這種看法是似是而非的，我可以從兩方面來解說：

㊀即使駢體文眞是形式文學，偏重於形式，但同音樂、繪畫有何區別，一樣是飢不能食，寒不能衣，爲何大家不主張廢棄音樂、美術呢？

㊁更何況駢文並非如一般人所說的忽略內容，重視形式，我可以舉二個歷史上之明證：《文心雕龍》全書都用駢文寫成，至今仍然爲中國最著名的文學批評論著，無人能否定其價値。其次是陸贄代唐德宗所撰寫的〈奉天改元大赦制〉，感動了百萬大軍，個個流淚沾襟；他的奏議也使得唐德宗改過遷善，終於中興唐室。駢文居然有這樣大的媚力，我們能斥之爲無用嗎？因此，我們不能輕言廢棄，許多人都是人云亦云，隨聲附和，令人遺憾。

最後，在張老師的感歎駢文後繼無人中結束了這次訪問，張老師假想如果年輕一輩無人能再寫駢體文，恐怕要成爲永遠消失於中國文學史上的〈廣陵散〉了。

（原載民國七十一年十二月三十一日高雄・國立中山大學《西子潮》第七期）

從大兵到博士（一九八三）

——專訪花蓮傑出鄉親張仁青教授

東臺日報記者　汪　文　濤

【本報記者汪文濤專訪】從大兵讀到博士，四十歲才出頭就已有近廿部的著作問世，國學專家張仁青的求學奮鬥經過是一位苦讀學子的奮鬥史，不但令人欽佩，而且值得後輩效法。

今年四十四歲的台灣師大文學博士、也是國家文學博士張仁青是花蓮縣鳳林鎮人，從小聰明穎秀，在校成績每年都名列第一，投考鳳林初中更是鰲頭獨佔，是老師同學們眼中的優秀學生。

民國四十四年三月，今總統蔣經國先生倡導太平艦建艦復仇運動，張仁青當時才初三肄業，基於一股愛國熱情，他第一個跑去報名。當時家鄉報名者十幾人，只有四人通過考試進入軍中。頗值得一提的是，這四人的成績都極優秀，是鳳林中學前四名的高材生，打破了「好男不當兵」的老觀念。

張仁青進入軍中後，本想進入三軍官校就讀，無奈年紀太小，學歷不夠，只好進入陸軍通信兵學校學習載波電報和傳眞，受訓半年後被派到國防部聯合通訊中心服務，不到兩年又調到金門前線。

在國防部工作期間，每日只須上班六小時，其餘十八小時均由自己支配，連內務都不必整理。因為時間多，張仁青開始自修，參加隨營補習教育，到金門後，他仍然不放棄學業，依然到福建省立金門中學旁聽英文、數學、物理、化學等基本高中課程。就這樣在公餘之暇，拼命努力，終於獲得了同等學力考大學的資格。

民國四十七年底，張仁青覺得他的志向不在軍事方面，於是申請退伍，屢次申請，均被駁回，最後經國防部核准，終於如願以償。由於張仁青退伍時才十九歲，連當兵的起碼年齡都不够，便成了「全世界最年輕的退伍軍人」，對於此一榮銜，他一直沾沾自喜，引以為傲，正想向金氏世界紀錄申請呢！

退伍後，為籌備學費上補習班，張仁青吃了不少苦頭，他送報紙、送牛奶、做雜工，還到新店溪去替人挖石頭，挑沙子，把賺來的錢拿去做補習費。

果然皇天不負苦心人，張仁青終於在退伍後的第二年——民國四十八年九月考取了國立政治大學政治系。但是上了半年課，生活的壓力使他不得不再想別的法子，於是讀完一年後又重新參加大學聯考，考入台灣師大國文系，全部公費的待遇使他的生活穩定下來。

在師大讀書期間，雖然學雜費全免，食、住都是公費，但是因為家境赤貧，日常的生活仍然十分拮据。幸好才華洋溢的他受到了國學大師成惕軒教授和國文研究所林尹所長的賞識，在生活上和功課上都給予特別的照顧，才使他順利的完成學業。提及這段往事，張仁青對成、林二位大師提拔的恩情，充滿了無限的感激。他表示要不是這兩位大師的栽培他很難有現在的成就。

大學畢業後，張仁青被分發到台灣省立蘭陽女中教書，二年後考入師大國文研究所，五十八年榮獲碩士學位，因成績特優而留校當講師，歷時二年，再繼續考入該校博士班。經過多年苦讀，他終於獲得國家文學博士學位，肯定了他在學術上的地位。現在他執教於國立中山大學中國文學系，並在中央警察大學兼課。

張仁青是苦讀出身，在他的一生中除了讀書外，很少被別的事干擾過，由於對學術的熱愛，使他決定終身從事學術研究。在他進入大學後，就開始了著述，多年來共寫了將近二十本書，對他的年齡來說眞不是一件簡單的事，「著作等身」應是當之無愧。

在生活上，張仁青也是過著標準的學者生活，走進他的住所，不見電視、音響、酒櫃、金魚缸，只見四壁擺滿了書籍，藏書已達四萬册，淡淡的書香更襯托出他學者的風貌。張仁青說，對他而言，讀書就是最好的娛樂，在書中可以得到無窮的樂趣。

張仁青求學的過程是一位苦讀學生的奮鬥史，它告訴了後輩學子，只要努力，就是客觀條件再惡劣，也終能獲得成功。

（原載民國七十二年四月廿八日花蓮《東臺日報》）

推介張仁青博士編著的《應用文》（一九八四）

吉羊

有一個不算笑話的笑話，一位身為人師者，收到學生的來信，信封上寫著「某某老師敬啓」，學生要老師恭恭敬敬地拆閱他的來信，焉能不令人啼笑皆非？我之所以說還不算笑話，是因爲直到現在還有不少寄信人強迫收信人「敬啓」。

其實，八行書並非人人可得而優爲之，著作等身的學者寫起八行書來，並不能保證一定不鬧笑話。至於說擅長寫作公文、書牘、契約，又能作對聯、寫賀文、弔文的，求之今日年輕一輩的讀書人，那恐怕更是百不得一了。

張仁青博士編著、成惕軒教授校訂的《應用文》，是目前坊間同類著作中，後來居上的佳構。對於那些常爲應用文所困擾的人來說，本書的問世，或可助其一臂之力，使之不再視應用文爲畏途。

本書共分十三章，內容分別是〈導言〉、〈公文〉、〈實用書牘〉、〈柬帖〉、〈便條與名片〉、〈慶賀文〉、〈祭弔文〉、〈對聯〉、〈題辭〉、〈契約〉、〈規章〉、〈啓事廣告〉和〈會議文書〉，由目錄看來，有關實用文章之範疇，殆已蒐羅無遺。

本書之最大特色爲範例多，注釋詳。如第三章〈實用書牘〉「請約類」中，列舉「請爲子作媒」一函，函中有言：「竊維時下年輕小姐擇偶，率以『三高一厚』爲條件，風氣已成，寒門莽夫將永無雀屏中選之機會。」自注：「三高一厚，據近今社會學家統計，臺灣地區女性知識分子擇偶條件至苛，須具備三高一厚之男士，始稱合格。三高一厚云者，即職業高尚，談吐高雅，個子高大，經濟基礎雄厚是也。雀屏，《唐書・竇后傳》：『后父毅常曰：「此女有奇相，且識不凡，何可妄與人。」因畫二孔雀屏間，請婚者使射二矢，陰約中目則許之，射者閱數十，皆不合，高祖最後，射中各一目，遂歸於帝。』後因稱人許婚爲雀屏中選，本此。」讀者由其注釋，雖無師，亦不難自通矣。

再者，公文爲高普特考必試科目，本書第二章〈公文〉詳細說明公文之意義，公文程式之意義，公文程式之演變，現行公文之分類，公文之結構，公文之副本，公文之用語，撰擬公文之基本認識，公文之作法；並列舉公文範例，包括令、呈、咨、函、公告、書函、申請函、電、代電、簽、報告等。又附有《行政機關公文處理手冊》，民國二十年至六十四年高普考公文試題，及民國六十五年至六十八年高普考試題答案（依照行政院所定《最新公文程式》抽樣作答），有志參加高普特考的讀者，手此一册，對於公文之難題，當有無師自通、迎刃而解之樂。

總之，這是一本內容翔實的應用文巨構（全書厚達一千餘頁），苟能詳細閱讀，則今之所謂祕書、文書者，你我皆可得而勝任也。

編者劉英柏附言：上文內容豐富，簡明扼要，其中「祕書」之「祕」用得正確，覩乎國內很多祕書處（室）

之祕書人員，不懂這個字，常用俗體字「秘」，你說笑話不笑話？在此再介紹袁金書教授《新編應用文》，已經四版了，各大書局均有經售，求學中的讀友如與張著《應用文》同時購閱，就更加運用自如了。

（原載民國七十三年十月九日台北《校勘簡訊》雜誌一一三期）

小朋友的國學書籍巡禮（一九八八）

——訪張仁青教授

唐英秀

在小朋友這個年紀，是記憶力最好、學習能力最強的時候，如果能趁現在多背誦一些優美的詩詞，閱讀有益於我們待人處事、認識傳統文化、實用典故等國學書籍，相信對小朋友擴展思想領域，增加說話和寫作的能力，以及學習做人做事的道理，都有很大的幫助。

好書大家讀

中山大學中文系張仁青教授，是著名的國學專家。他非常樂意帶領小朋友認識我們文字優美、簡潔有力、內容精彩、開卷有益、又適合小朋友閱讀的國學書籍。

在這裏，張教授提供了二十本值得背誦朗誦、二十本略讀的國學書籍，讓小朋友利用課餘的時候閱讀充實自己。可別小看了這些書，其中有好多本還是流行五百年以上的私塾教科書呢！

爲了方便小朋友對這些書籍的認識，下面我們就分爲五類來介紹：

詩詞類

①《千家詩》：這本書收集了唐宋明三代一百二十三位詩人的近體詩，這些詩不但淺顯好記，而且聲調優美，令人琅琅上口。

②《唐詩三百首》：唐朝是我國詩歌最盛行的朝代，這本書收集了當時流行最廣的三百首古、近體詩歌。

③《宋詞三百首》：宋朝的詞是最有名的，像晏殊、歐陽修、晏幾道、蘇東坡、周邦彥、秦少游、李清照、辛棄疾、陸放翁、姜白石等諸大家的傑作，這本書都有。

④《古唐詩合解》：收錄上古至唐代的古體詩、近體詩和歌謠，將近一千首，把《千家詩》和《唐詩三百首》沒有收錄到的好詩，都收集進來了。

⑤《詩經讀本》：《詩經》是我國最早的一本詩歌、民謠總集，一共收錄了三百零五篇。

⑥《古詩源》：收錄先秦至隋朝各個時代的詩歌，共七百餘首。

格言類

⑦《弟子規》：爲清代流行之格言名論，共一千零八十字，通篇採用三字一句押韻的韻文方式，將儒家的倫理道德加以通俗化，給兒童制定了一整套立身處世的規範和準則，是一本小型的私塾教科書。

⑧《朱子治家格言》和⑨《顏氏家訓》：都是教導我們如何治理好家庭。不過後者比較深奧，適合高年級閱讀。

⑩《增廣昔時賢文》：書中列舉一條一條的名句，都是對我們安身立命很有用的格言。例如：「害人之心不可有，防人之心不可無。」又如：「貧居鬧市無人識，富在深山有遠親。」

⑪《格言聯璧》：清・金纓編撰。以金科玉律之言，作暮鼓晨鐘之警，出版問世以後，深受全國小讀者的喜愛，堪稱中華文化哲理類的結晶。

⑫《菜根譚》和⑬《幽夢影》：都是講做人做事的基本道理。可惜這兩本書內容都比較深，適合高年級以上閱讀。

經典類

這一類書是聖人的言論著作。

⑭《孝經白話注解》：孝道是我國特有的傳統，《孝經》就是教導我們如何孝順父母、效忠國家的著作。

⑮《廣解四書讀本》：四書是指：《大學》、《中庸》、《論語》、《孟子》。《大學》是講做人處事的大學問；《中庸》是教我們如何秉持中正之道；《論語》是至聖先師孔子在課堂上講學的記錄；《孟子》是亞聖孟子的言論著作。當然，這些書裏所講的方法，有些現在已經不適用了。不過，多看看，對修身養性和待人處事，都有很大的幫助。

故事類

⑯《幼學故事瓊林》：用駢儷句式撰寫的各種知識讀物，特別是有關歷史文化的常識，每句都是一個故事，有如一部小型的百科全書。人們常說：「讀了《增廣》會說話，讀了《幼學》走天下。」其重要性可想而知。

⑰《龍文鞭影》：內容和《幼學故事瓊林》相似，每句押韻。一共收集了兩千多個典故，正文都用四言，成一短句，上下兩句對偶，各講一個故事，逐聯押韻，讀起來十分流暢順口，可以說是一本帶有常識性質的典故小辭典。

其他類

⑱《百家姓》：我國的姓氏多達七千多個，單是臺灣，就有一千七百多個。全書四字一句，雙句押韻，以便於童蒙誦讀。

⑲《三字經》：這是最淺、最好的一本兒童啓蒙書，字數雖然很少，內容可是包羅萬象呢！例如：「養不教，父之過，教不嚴，師之惰。」又如：「玉不琢，不成器，人不學，不知義。」再如：「爲人子，方少時，親師友，習禮儀。」

⑳《古文觀止》：收集了從春秋戰國時代到明朝中葉兩百多篇文章，每篇都是名人的佳作，內容都很精采，值得背誦。

略讀書籍簡介

①《西遊記》：講唐玄奘到印度取經的故事。

②《水滸傳》：講梁山泊一〇八個英雄好漢的故事。

③《三國演義》：主要是講曹操、諸葛亮、周瑜三人的鬥智故事。

④《兒女英雄傳》：用純北京話寫的小說，對小朋友學習純正的國語，有很大的幫助。

⑤《紅樓夢》和⑥《花月痕》：都是愛情小說。

⑦《鏡花緣》：打破中國舊有的傳統，描述一個以女人為主的女兒國。
⑧《東周列國志》、⑨《五代殘唐演義》和⑩《大明英烈傳》：都是歷史章回小說。
⑪《封神榜》：神怪故事。
⑫《七俠五義》：講包公辦奇案的推理、偵探小說。
⑬《蕩寇志》：《水滸傳》的續集（也是結局）。
⑭《老殘遊記》：描述各地風光、名勝、古蹟的遊記。
⑮《雙鳳奇緣》：王昭君遠嫁番邦的故事。
⑯《薛仁貴征東》和⑰《薛丁山征西》：都是講唐代戰爭的章回小說。
⑱《精忠岳傳》：岳飛精忠報國的故事。
⑲《二十年目睹之怪現象》和⑳《官場現形記》：都是諷刺清代官場黑暗的小說。

優良的白話文作品

除了這些國學書籍以外，現代人朱自清、徐志摩、郁達夫、魯迅、周作人、胡適、林語堂、梁實秋、蘇雪林、冰心、張愛玲、李敖等都是白話文的高手，他們以文言文做基礎，寫出非常簡練的白話文，所以，他們的文章有空不妨多看看。

當然啦！這些書不見得小朋友現在都看得懂。張仁青教授建議大家：購買有注音、有注釋、適合小朋友看的版本，當作是課外讀物，有空就拿來看。第一次也許只看得懂一半，第二、第三次，就可以完全看懂啦！甚至可以深入研究，獲益良多喔！小朋友，現在就開始吧！

（原載民國七十七年五月二十日台北《新學友兒童週刊》五十四期）

由牧童躍身為國家文學博士（一九九〇）

——張仁青教授的心路歷程

實踐大學教授　史希如

在台灣的大專院校裏，張仁青教授創下幾項紀錄：㈠由家徒四壁的牧童，搖身一變而爲國家文學博士；㈡大一新生就能以六朝文體撰寫論文而勇奪第一；㈢在大學肄業期間，就能編纂大學教科書，而爲七、八所大學所採用；㈣一面讀大學，一面鑽研研究所課程，並爲三位名教授，爭相納入其門下，可謂得天獨厚的了。當然若非功力過人，怎能受到大師的青睞？

張仁青博士出生於花蓮縣瑞穗鄉秀姑巒溪邊的貧瘠農村，自幼由於家境清寒，必須經常協助父母四處打零工，他利用爲人放牛的時間，閱讀中國古典章回小說，從《東周列國志》、《三國演義》、《水滸傳》、《紅樓夢》、《西遊記》、到《封神榜》等一百多種，在小學三至六年級之間全都看完，這也奠定了他最後走向文學之路的基礎。

小學畢業後，參加花蓮縣之初中聯考時，不但考第一名，而且國文得了一百分，因為批閱國文試卷的老師，認為那篇文章不可能出自一個十二歲孩童的手筆。

促使張仁青博士與文學結緣的一大因素是，他數度受到「貴人」的扶持，就讀花蓮鳳林初中時，遇到一位出身北京師大國文系的張馥桂老師，他曾任基隆女中教務主任，只因欣賞花蓮的山水，而自願前往窮鄉僻壤任教，除了教他撰寫文言文之外，並應其請求，利用課餘之暇為他講授《古文觀止》，並灌輸基本的國學常識。

步入軍旅　巧遇貴人

十五歲就讀初三那年（民國四十四年），他體諒家庭窮困，無力供他念高中，便響應蔣經國先生「建艦報國」的號召，毅然投身軍旅。本來他志在三軍官校，但一則年齡太小，一則學歷不足（只有初中文憑），只好分發到陸軍通信兵學校，學習電動打字、載波、傳真等技能，為時半年便宣告結訓。鑒於當時那種通訊機器相當稀奇，只有國防部長和金門防衛司令官各擁有一部，因此，與他同期的一百名學員中，一半分發到金門，一半分發到國防部（他屬於後者），專為部長發電報、打傳真。部隊規定每天上班六小時，其餘時間自行安排，不必像野戰部隊那樣出操演習，這對於嗜書如命的他，可謂正中下懷、求之不得了。因此他當了將近四年的兵，一如老百姓般的逍逍遙自在，重新回復對文學的熱衷。不過，他已開始閱讀較爲深奧的書籍，吉人天相的他，巧遇幾位知名作家，如李辰冬、金杏枝等人，尤以後者對他的影響最大，原來金杏枝本名馮玉奇，三十年代在上海時便以寫作鴛鴦蝴蝶派小說，而與北方的張恨水齊名（所謂北張南馮）。

馮玉奇出身上海大廈大學中國文學系，初到台灣時潦倒不堪，只好由太太在台北市信義路開了一家文具店，藉以餬口維生。張仁青常去買稿紙，認識了馮太太金宇鈺女士，她深爲他的好學所感動，便主動將其文稿轉交馮玉奇過目，並詳加批改，張仁青大爲驚奇，簡直具有點鐵成金的功效，在馮的調教下，他不但寫白話文、文言文，也學會寫小說。

後來，張仁青自覺非三軍官校出身，在軍中的發展十分有限，便依據〈中美共同防禦條約〉的規定，提前退伍。好在好學不倦的他，曾參加國軍隨營補習教育，取得了高中同等學力的資格，而後便以這張證明書報考大學。

有一段時期，他對古典文學暫時撇開，想在將來經綸邦國，霖雨蒼生，以充當一名政治家或政論家爲職志，遂以政大政治系爲第一志願。孰料，進入政大之後，家中貧困如昔，父親只能幫人挑甎頭、打零工，無力供應生活費。當時木柵與台北的交通非常不便，想當家教也不可能，便於翌年重新報考，惟一的途徑是進公費的台灣師大，而台灣師大未設政治系，只好報考國文系，由於他的中文根柢十分紮實，終於一試及第，遂其宿願。

鑽研駢文　享譽上庠

民國四十九年九月，他考入台灣師大國文系，時隔二月，參加全校論文比賽，題爲「大學聯考甘苦談」，他洋洋灑灑地以六朝文體寫了二、三千字，文情並茂，立論精闢，奪得第一名。引起當時系裏的大師級教授林尹、李漁叔、成惕軒的震驚，爭相收他爲門生，他恭敬不如從命，從此四年之內，除了正規課程之外，另從林尹所長學文字音韻；隨李漁叔教授學詩詞韻文；拜成惕軒教授學駢文創作，就中尤以駢文的研究與創作成就最大。後來他順理成章地考入研究所之後，碩士論文題目便是《中國駢文發展史》，而博士論文則爲《魏晉南北朝文學思想史》，全是一脈相傳的心血結晶。他在大學時期所編纂的《歷代駢文選詳注》，也是洽請成惕軒教授詳爲校訂，才敢公之於世。

由於三位大師的賞識和教誨，使他倍加鞭策自己，於五十八年取得文學碩士學位，六十七年取得國家文學博士學位。

數年前，他應聘執教於國立中山大學中文系，專教詩詞和駢文，鑑於駢文已漸失時代意義和實用價值，他主動請求校方將它由必修改爲選修，足見他心胸寬闊，絕非敝帚自珍的「冬烘先生」所可比擬。

輕視國文　喪失國魂

對於這位苦學有成的少壯學者，筆者心儀多年，只是始終緣慳一面，直到數月前，他擔任教育部大專院校商文組評鑑委員兼召集人蒞臨本校，才抽空專訪了他，從文學生活化、鑑賞與創作，談到當今國文教學興革之道，他都暢所欲言，了無滯礙，腹笥之充實令人欽羨不已。

詢以「如何做到文學生活化，生活文學化」，他語重心長地說：「由於工商業的高度發展，台灣地區的人民，物質生活可說已接近先進國家的水準，但精神生活則差人一大截。試看東鄰的日本人，無論走到那裏，只要有空，都在閱讀文學書籍，所以日本的許多作家年收入都在前十名，且前十名高收入者中有四名是職業作家，這一點是台灣應該向日本學習的。我們只有酒櫃而無書櫃，日本人則兩者都有，甚至兩者不可兼得時，寧可犧牲酒櫃而改成書櫃。

根據我所見過的有錢人家，只有酒櫃而無書櫃，而且娛樂時間太多，閱讀文學作品的時間也就相對減少。這是非常嚴重的畸形現象，我們號稱泱泱大國，擁有五千年歷史文化，稱得上文學大國，而現代中國人反而對文學那麼隔閡，一般人只看現代文學，很少有人去接觸古典文學，由於這種偏差，遂造成國文程度的低落。

當然，國文程度低落是全世界普遍的現象，因爲有了電話、電視、電腦、音響以及電動玩具以後，大家都把時間花在娛樂上，不像我們少年時期，一空下來馬上寫筆記、日記、週記、作文、大小楷。補救之道是：「把娛樂時間減少，多花時間去閱讀古典文學，從中陶冶自己的身心，美化自己的生活。」

談到「如何從鑑賞過渡到創作」，張仁青教授指出：「欣賞文學作品，必須有銳利的眼光，來洞察作品的內涵，再從作品中判斷其優劣、良窳，曹子建所謂：『有南威之容，乃可以論于淑媛；有龍淵之利，乃可以議于斷割。』必須有文學創作的經驗，才能鑑賞文學，鑑賞與創作應該合而爲一，如果光是創作，而無模擬、鑑賞的功夫，所創作的作品一定是空洞而無血肉生命可言，像沙漠一樣的貧乏。所以先要有鑑賞的能力、模擬的經驗，才能從事文藝創作。我本人在教詩選、詞選等課程時，雖然偏重鑑賞，卻要求學生多多創作，且勤於批改學生作業，務期做到鑑賞與創作的合一。」

國文教學　急須改良

無庸諱言，很多學生，把大一國文當成營養學分，率皆掉以輕心，連課本都不買，而以影印來代替，讓執教者痛心疾首，究竟毛病出在那裏，如何加以改善？他說：「的確，現在的大專生都排斥大一國文，問題不在教材，而在於教法，如能將大一國文教學彈性化，廢除現今幼獅或其他書店的編排方法，可以倣效中山大學和中央大學的作法，把大一國文全都排在同一時間上課，全校國文教師依其專長在同一時間授課。比如張老師擅長老、莊就教老、莊；王老師專精唐詩就教唐詩；陳老師醉心宋詞就教宋詞；劉老師喜愛《紅樓夢》就教《紅樓夢》，任由學生交叉挑選，最少三十人，最多五十人，如此必能提高學生的興趣。因為喜唐詩者就修唐詩；喜宋詞者就修宋詞；喜思想義理者，就修思想義理的課程，正符合適應個性及因材施教的原則。目前中央、中山兩大學都已採用此法，我敢說，沒有實行彈性化教學的學校，學生都討厭國文，而教大一國文的教師也普遍產生委屈感，這種國文教久了也沒有成就感。」

國文教師如何提振研究風氣？他率直地說：「研究風氣不盛，主要原因是國文教得再好，都不可能富有，而很多大學國文教師，受到社會風氣的影響，閱讀或作學問的時間減少，課餘之暇，以陪妻子兒女看電視為主，除了授課之外，鮮少看書時間；人都有惰性，久而久之就不想再作研究。所以許多大學教師在升上教授以後，就告別學術，不再有重要著作發表，這是一個很嚴重的問題。此外，中國學術讓人感到有些已不合時代需要，例如《儀禮》，那是一部先秦古禮的匯集，可是你把《儀禮》讀通了又有何用呢？除了記住春秋戰國的一部分禮制之外，沒有多大用處，這就間接影響到大學教師的研究風氣。再說，許多大學教師並未受過嚴格的學術訓練，或由外行人來充任，如中央民意代表或黨政要員改行教國文，如此怎麼可能有高水準的著作出現。」

因材治學　終底於成

有關詞章、義理、考據、經世四類的論文中，那一類比較好作，張教授也依據多年經驗提出他的看法：「詞章必須靠天賦和才氣，頭腦反應快的人可搞義理，治學勤奮的人可搞考據。例如搞考據，必須曠廢時日，包括版本學、校勘學、文獻學等都要根據資料，孜孜不倦、長年累月去從事，始克有成。至於對國家、民族、社會有熱誠，想要輔世長民的，則可從事經世之學。光是選題就是一門大學問。

一般而言，論文題目的選擇有幾個要點：㈠資料要多：但有一缺點是寫的人太多，容易雷同，這就要運用我們的智慧，從不同的角度去分析、探討。㈡從自己研究較爲深入者下手：如你研究陶淵明，你對他周圍相關的政治、經濟、文化、地理各方面的知識都要具備，對他有個透徹的了解，而且要有把握你所寫的論文主旨一定是人家所未曾講過的，切忌人云亦云，拾人牙慧。在此好有一比，就像開山一樣，自己要到深山裏去找木材，而不是到木材行去找。資料多者等於到木材行找木材，資料較爲冷僻、稀少者，等於到深山裏去找木材。」——堪稱深造有得之言。

爲何現今大學生學習應用文的情緒不夠高昂？他答：「基本上，先要學好文言文，文言文不好，應用文就沒辦法學好。目前各機關首長普遍慨嘆沒有够格的祕書，中文祕書大都被大陸來台的一輩人所包辦（所謂「紹興師爺」）。儘管現在是白話文時代，可是中上級官員的書信和中央各機關的公文來往還是使用文言文或文白夾雜的『半文言文』，所以各機關迫切需要中文祕書人才，可是我所評鑑的六所學校，全都以培養英文祕書爲主，所以中文祕書實在難找。」

很多大專生把寫報告當成抄書，究應如何加以改善？張教授說：「老師先要作示範，提綱挈領地告訴學生，最好把前學期寫得好的報告，影印給學生作示範和參考，要他們以後也能見賢思齊。然後也要仔細批改，只要發現錯誤，就叫他重寫；如果毫無創見，一味以應付交差了事者，也立即叫他重寫，事後他才會有所戒懼，不敢馬虎。總之，教師要嚴格、認眞，才會造就出好的學生。」他在某校發現教授把學生應用文習作改錯，使他大爲納悶。

（原載民國七十九年十一月台北實踐大學《今日生活》一〇九期）

台灣的《應用文》（一九九〇）

上海大學教授 于成鯤

台灣中山大學教授張仁青博士編寫的巨著——大學用書《應用文》，從一九七九年十一月初版以來，至今才十個年頭，卻已先後修訂了二十五版，其受歡迎的程度可想而知，在這裏，我僅對該書的顯著特點略加介紹。

規模浩大，資料宏富　全書二十四開本一〇〇六頁，容納十三章十三大項應用文，即公文、實用書牘、柬帖、便條、名片、慶賀文、祭弔文、對聯、題辭、契約、規章、啓事廣告、會議文書。每一類文體都有很豐富的實例，如公文，除了逐項說明各種公文程式外，還羅列了歷屆高、普、特考試題與答案；在書信部分，新撰八行書信，就有六十例之多。在公文部分還附有《公文程式條例》、《文書處理手冊》。其餘部分附有《歷代名人短簡》，《歷代名人便條》、《台灣大學學生慶弔文習作選錄》、《會議規範》等。此外，各部分還插入許多簡表，如〈公文用語表〉、〈法律統一用字表〉、〈法律統一用語表〉、〈書牘用語簡表〉、〈柬帖術語一覽表〉等。這些資料不僅爲讀者查詢帶來了方便，極大地豐富了人們的知識，而且使本書成爲個人閱讀、研究不可缺少的教科書。像這樣規模的「應用文」在大陸上是沒有的。

論述簡明，注釋詳盡　除「導言」外，每一章都有若干節分別闡述這一類文體的意義、分類、結構、用語等問題，文字非常簡練。每一章在理論闡述之後都專列一節範例。例文、附錄後面加上說明與注釋，使文言語匯變得淺顯明白。這樣就形成了一種特殊的體例：前面論述很簡明，一節講清楚一個問題，後面附了大量的例子，加上詳細的注釋，使人通過大量例文的閱讀，加深對基本理論的理解。理論的闡述，深入淺出、幽默風趣，使人讀後牢記在心。比如在闡述應用文的由來時，作者並沒有詳細考證引述，而是提出了一個與衆不同的看法：「應用文的產生，由來甚久，遠在上古時代，文字尚未發明，先民即以結繩記載事物，表達情意，大事大結，小事小結，多事多結，少事少結，此即最原始之應用文。」他引述了梁紹壬《兩般秋雨庵隨筆》所載的一個故事，謂某地有一純情少女，不嫻文墨，以男友久無音信，思慕不已，乃畫「○◎○∪○○○○○○○○○」於箋，遣人送給男友，男友不明白，有好事者作《圈兒詞》以解：「相思欲寄從何寄，畫個圈兒替。話在圈兒外，心在圈兒裏。我密密加圈，你須密密知儂意。單圈兒是我，雙圈兒是你，整圈兒是團圓，破圈兒是別離。還有那說不盡的相思，把一路圈兒圈到底。」張博士說這就是該少女的應用文。他還舉了一個例子，說曾國藩有個部將叫鮑超，勇而無文，某次，被太平軍所圍，情勢危急，便信手取軍旗一面，在「鮑」字四周畫無數圓圈，令使者飛馬送至曾處，曾一見，知鮑超被敵軍包圍，危在旦夕，便派兵馳援。張博士說此軍旗即鮑超之應用文。由此張博士指出，無論何人，均不能自絕於應用文之外。像這樣的寫法，就比純理性分析高明，它既說明了應用文的產生是爲用而來，又強調了應用文的「致用」特點和經典的「載道」，文學的「怡情」特點的鮮明區別，三者各有其用，難分軒輊。

分類細密，行款規範　該著作像一個龐大的博物館，十三章猶如十三個大廳，每一個大廳中又有許多細目，可以說包攬了社會生活中實際需要的一切方面，士、農、工、商、學需要參考者，皆可以得到滿足。以「合同」爲例，我們可以作個對比。大陸有：購銷合同、建設工程承包合同、加工承攬合同、貨物運輸合同、供用電合同、倉儲保管合同、財產租賃合同、財產保險合同、借款合同、科技協作合同。台灣有：買賣契約、承攬契約、合夥契約、出典契約、抵押契約、借貸契約、出賃契約、保證契約、雇傭契約、聘請契約、繼承契約、和解書、協議書、同意書、出版契約、推受盤契約。

相比之下，我們看得比較清楚。我們的合同主要指經濟合同十種，現有教科書談的也大都是這十種，而台灣有十六種，有好些東西，如轉讓合同、繼承合同，他們有、我們卻沒有。這是一個缺陷。這說明在分類上，他們比我們細密。又如祭弔文，我們的應用文中有訃告、悼詞，他們有傳狀、哀啓、祭文、哀弔文、墓誌銘，分類也比我們細。大類少，細目多，覆蓋面廣，才可能適應性強。

台灣的應用文分類細密，在表達上有比較嚴格的規定，幾乎每一類文體都有規範的實例，或相應規定。例如公文部分，不僅有立法院正式通過的《公文程式條例》，而且有行政院正式通過的《文書處理手册》，對於公文的類型、用途、印信、署名、行款格式、文字要求，以及製作、傳遞、保管等都有法律規定，任何人不得違反，而具體的處理製作程序在《文書處理手册》中也有詳細規定。張仁青教授依據這些規定制定了一覽表，突出了公文要求：簡、淺、明、確四個字。結構規範：主旨、說明、辦法三個分段要領。在這三段中又各有不同的規格。它要求段名之上不加數字，段名之下加冒號。主旨一段，不分項，文字緊接段名書寫。說明、辦法可分項條列，但應另行低格書寫。

又如書信，在我們這裏書牘款式比較隨便。而在張仁青教授筆下卻有具體規定，例如信箋摺疊，先一直摺，次一横摺，不能反摺，報凶或反對才反摺，這些我們不講究。繕寫時空一字不行，一行不成頁，通篇必有一行到底，張教授認爲應加注意。抬頭的寫法，我們沒有規定，爲表示尊敬之意，張教授概括了五種抬寫方法，即三抬、雙抬、單抬、平抬、挪抬。用得最多的是平抬，即涉及受信人時提行書寫與各行平行;挪抬即空一格,並認爲以楷書小字爲尊敬。對長者字體宜端正,行款宜正直。對信封的書寫和轉託信件的書寫亦同樣有很細緻的規定。這些規定,並不是張博士個人意志,而是他有意倡導規範化、細心搜集了社會上一些約定俗成的不成文的規矩,加以集中、提煉,揚棄一些不合時宜的東西。

上述種種規定,有助於淨化應用文的寫作,這也就使該書成爲應用文的「規範性」的範本。此書在國內很難買到,借此簡略介紹,以應飢渴者之需。

(原載一九九〇年十二月十日武漢大學《寫作月刊》·作者為上海大學教授)

訪由牧童到教授的張仁青博士(一九九三)

中山校訊記者黃應貞

【本刊記者:黃應貞報導】本校中文系張仁青教授,在十多年前,先後被新聞界封爲「曠世奇才」和「曠世奇男子」。歷盡坎坷不平的波折、奮鬥,而終於得到最高學位——國家文學博士。

張仁青老師出生於民國二十八年,家境貧寒,甚至無固定的居所。如此的日子過了好幾年,直到有一間簡陋的茅草屋才安定下來。小學期間,他家附近有位退伍老兵開了一間租書店,張老師常往書店看書而得到這位老先生的疼愛，從此便允許老師免費借書。在小學畢業前，便看完二百種左右的章回小說，從而奠定其良好的語文基礎，四十一年投考初中時，便以榜首進入花蓮縣鳳林中學。

家境的清寒，原無餘力讓老師就讀中學，不肯向現實環境低頭的他，說服父母後，白天上課，放學後幫人放牛來賺取學雜費，聰明的他將三頭牛綁在一起，便不怕它們走失，使他更能充分利用此段時間來看小說。當時，一位畢業於北京師範大學國文系的張馥桂先生，曾任基隆女中教務主任，因欣賞花蓮的山水，自願前往窮鄉僻壤的花蓮鄉下任教，經由這位老師的栽培，初中三年期間，除了基本國學的灌輸外，還指導文言文的習作，張老師從此踏入文言文的殿堂。

張老師亦是我國最年輕的退伍軍人。他於初中畢業後，實在無法繼續就讀設在花蓮縣城的高中，又不甘心委身於學徒之職。十五歲時便毅然投身於軍旅，目標是將來成爲「獨立三邊靜，輕生一劍知」的大將軍，但事後方知客觀條件的限制而不得不放棄此一理想目標。服兵役期間，只負責爲國防部發電報、打傳眞，上班時間固定在午夜十二點至翌日早上六點，遂利用白天時段，溜到台北南陽街各補習班「旁聽」，修習高中課程，有時雖爲補習班人員發現，但見他是現役軍人後才不追究。十九歲時，老師自覺在軍中雄心壯志不得施展，便申請提前退伍。退伍後，隻身在台北，先找到一份送報紙及牛奶的工作，以維持基本生活。一年後，以第一志願考上政大政治系（與現任民進黨主席許信良同班）。然而，由於實在無法籌得生活費，逼不得已，只好重新報考，遂又以第一志願考上師大國文系。進入師大一個月，參加全校論文比賽，以六朝文體寫作〈大學聯考甘苦談〉獲得冠軍而轟動全校，從而引起當時國文研究所主任林尹、總統府祕書兼師大國文系教授的台灣詩壇祭酒李漁叔、以及考試院考試委員兼師大教授的駢文家成惕軒三位大師的重視，爭相納入其門下加以栽培。經過林教授的允許後，張老師從大學起便常到研究所聽課。在李教授的引見下，認識了大陸來台的張昭芹、張佐辰、顧翊羣、易君左、江絜生、梁寒操、許君武等十幾位老先生，從這些人中又得到許多古典文學知識和創作技巧，李教授亦希望張老師能成為他詩學的繼承人。成教授發現張老師當時只有二十一歲便會寫駢體文，更為之狂喜，因為他從大陸到台灣，只碰到四位會寫駢體文的青年，而張老師是最年輕的一位，因此將駢體文的所有知識傾囊相授。一年半以後，認為張老師的駢文已達相當水準，可獨當一面，繼又鼓勵張老師編注一本書，於是在大三時，便由中華書局出版了一本《歷代駢文選詳註》，並為台大、師大、政大、東吳等八所大學採用作教本。

張老師於三十八歲得到博士學位以前，因家境窮困之故，從不作成家之想，獲得學位後，為了彌補學識之不足，且為提高學術地位，仍然孜孜矻矻，苦心鑽研古典文學，當時的他忘了還沒結婚，因此，婚事一直蹉跎至今，這也是被封為「曠世奇才」和「曠世奇男子」的條件之一。

（原載民國八十二年五月十五日高雄國立中山大學《中山校訊》）